CE SERIES ③

ユダの覚醒

［上］

ジェームズ・ロリンズ

桑田 健［訳］

The Judas Strain
James Rollins

シグマフォース シリーズ③
竹書房文庫

THE SIGMA FORCE SERIES
THE JUDAS STRAIN
by James Rollins

Japanese translation rights arrangement with
BAROR INTERNATIONAL
through Owl's Agency Inc., Tokyo Japan

日本語版翻訳権独占
竹書房

目次

上巻

主な登場人物

グレイソン（グレイ）・ピアース……米国国防総省の秘密特殊部隊シグマの隊員
ペインター・クロウ……シグマの司令官
モンク・コッカリス……シグマの隊員
リサ・カミングズ……米国の医師
ジョー・コワルスキ……シグマの隊員
ジャクソン・ピアース……グレイの父
ハリエット・ピアース……グレイの母
ヴィゴー・ヴェローナ……ヴァチカン機密公文書館の館長
バルサザール・ピノッソ……グレゴリアン大学美術史学部の学部長
スーザン・チュニス……オーストラリアの海洋生物学者
ライダー・ブラント……オーストラリアの億万長者
セイチャン……ギルドの工作員
アメン・ナセル……ギルドの歴史チームのリーダー
アニシェン……アメン・ナセルの助手
デヴェシュ・パタンジャリ……ギルドの科学チームのリーダー
スリーナ……デヴェシュ・パタンジャリの助手

ユダの覚醒　上

シグマフォース　シリーズ③

キャロリン・マクレイへ

最初の段階の走り書きにまですべて目を通して、しかもあまり苦笑しないでくれたことに感謝。

マルコ・ポーロの帰路（1292年～1295年）

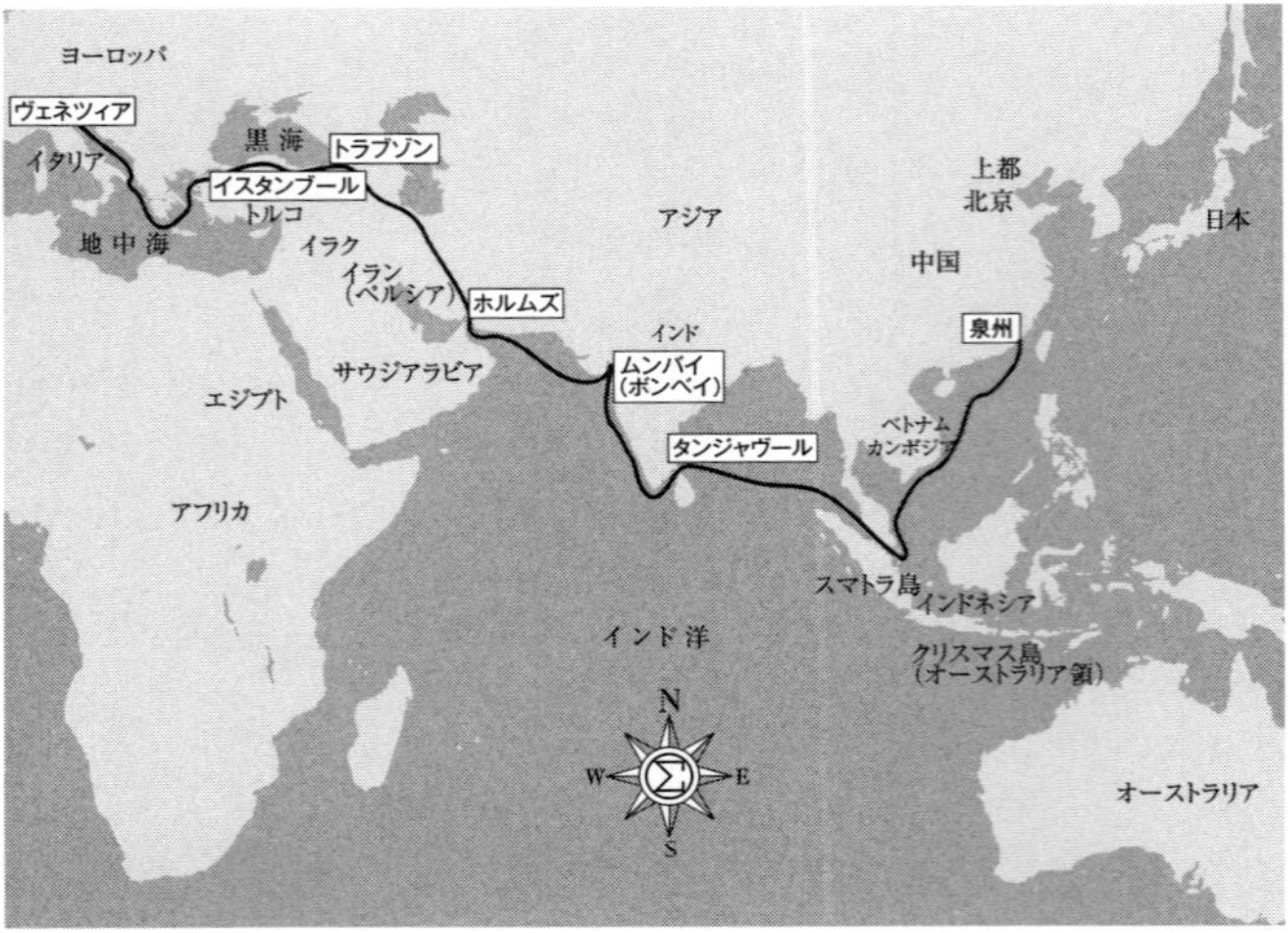

歴史的事実に関して

すべての謎はここから始まる。一二七一年、ヴェネツィア出身の十七歳になるマルコ・ポーロという青年が、父親と叔父とともに故国を離れて旅に出て、元のフビライ・ハンの宮殿を訪れた。ヨーロッパの東側に広がる人跡未踏の異国で過ごした二十四年間にも及ぶ日々では、何もかもが珍しかった。果てしなく続く砂漠、川底に翡翠が光り輝く川、人と活気にあふれる街、無数の帆船からなる艦隊、火を噴いて燃える黒い石、紙でできたお金、見たこともないような動物、不思議な形状をした植物、人食い人種、魔法を使う呪術師など、驚くような話がヨーロッパに伝えられた。

フビライ・ハンのもとで十七年間を過ごした後、マルコ・ポーロは一二九五年にヴェネツィアに帰還した。彼の話はフランス人の物語作家ルスティケロによって古フランス語で記録され、『東方見聞録』として出版された。この本は瞬く間にヨーロッパ各地に広まった。あのクリストファー・コロンブスも、新世界への航海にはマルコ・ポーロの本を携行していたと伝えられる。

しかし、自分の旅路に関して、マルコ・ポーロが決して語ろうとしなかった話がひとつだけある。そのことについては、本の中でも遠回しにしか触れられていない。マルコ・ポーロが帰国する際、フビライ・ハンは一行に十四隻の巨大な船と六百人の随行者を提供した。しかし、二年間の航海の後にヴェネツィアに帰国した時には、二隻の船と十八人の随行者しか残っていなかった。

ほかの船と人々の運命については、今日に至るまで謎のままである。難破したのか、嵐に遭ったのか、それとも海賊に襲われたのか？　マルコ・ポーロは決して語ろうとしなかった。死期が迫り、もう一度だけ旅行の話をしてほしいとせがまれると、マルコ・ポーロは次のような謎めいた言葉を発したと伝えられる。

「私は自分が目にしたことの半分しか話していない」

ペストが最初に襲ったのは、黒海沿岸に位置するカッファの町であった。強大なモンゴル帝国のタタール族が、ジェノヴァ人の商人や貿易商の住むこの町を包囲した。やがて、モンゴル軍の兵士たちの間に、燃えるような痛みを伴う腫れ物と激しい出血という症状の疫病が蔓延し始めた。長引く包囲に業を煮やしたモンゴル軍の将は、疫病で死んだ兵士の死体を投石器を使ってジェノヴァ側の城壁内へ投げ込んだ。散乱する死体により、疫病は城壁内に広まったと言われる。西暦一三四七年、ジェノヴァ人は十二隻のガレー船でイタリアのメッシーナ港へと逃げ帰った。この時、黒死病（ペスト）がヨーロッパの地に足を踏み入れたのである。

デューク・M・ジョヴァンニ（一三五六）

中世に鼠蹊腺ペストが突然ゴビ砂漠で発生し、世界の人口の三分の一を死に至らしめた理由は、いまだに明らかではない。そればかりか、この百年間を振り返っても、SARSや鳥インフルエンザをはじめとする数多くの疫病がアジアを起源として世界的に流行しているが、その理由も判明していない。ただし、断言できることが一つだけある。次に世界的な流行をもたらす疫病も、再びアジアから発生するであろう。

『感染症概説』（二〇〇六年五月）　アメリカ疾病予防管理センター編

プロローグ

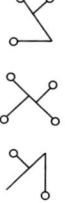

一二九三年

深夜
東南アジア　スマトラ島

ようやく悲鳴がやんだ。

深夜の湾内に、十二本の巨大な炎の柱が立っている。

「神よ（イル・ディオ）、彼らを赦したまえ（リ・ペルドナ）」傍らで父のささやく声が聞こえる。しかし、マルコはこのような大罪を犯した自分たちのことを、神が決して赦さないだろうと思った。

浜辺に引き揚げられた二隻のガレー船の横で、わずかな人数の男たちが、真っ暗な湾を照らす火葬の炎を見つめている。炎を見届けているのは彼らだけだ。月の出とともに、巨大な木造のガレー船十二隻に火がつけられていた。乗組員はすべて船内にいる。すでに命を落とした者たちも、まだ息のある呪われた者たちも。炎に包まれたマストは、非難の矛先を天に向けた指のように見える。まだ熱を持った灰が、浜辺に、そして炎を見つめる者たちの上に降り注ぐ。

夜の空気は焼け焦げた肉のにおいに満ちていた。

「十二隻の船か」マルコの叔父マフェオがつぶやいた。片手には銀の十字架をしっかりと握り締めている。「使徒の数と同じだな」

火の中でもだえ苦しむ者たちの悲鳴が聞こえなくなったのが、せめてもの救いだ。木がはじけ、炎が渦を巻く音だけが、砂浜にまで届く。マルコは目の前の光景から目をそむけたかった。耐え切れなくなったのか、すでに砂の上に膝から崩れ落ち、炎に照らされる海に背を向け、顔面蒼白でうずくまっている者たちもいる。

全員が裸だった。彼らは隣にいる仲間の身体を隅々まで調べ、病気の兆候が現れていないか確認をすませていた。偉大なるハンの王女でさえも、船の帆の陰に姿を隠してはいるものの、宝石のちりばめられた髪飾りしか身に着けていない。炎の明かりに照らされて、王女のしなやかな肢体のシルエットが帆を通して浮かんでいる。その周りには、王女のお付きの女性たちも裸になり、王女の身体を調べていた。王女の名前はコカチン。「青き王女」の異名を持つ、まだ十七歳の乙女だ。マルコがヴェネツィアを旅立ったのも、同じ十七歳の時だった。マルコたちはフビライ・ハンから、弟の孫に当たるペルシアのハンのもとに嫁ぐコカチン王女を、無事に送り届けてほしいと依頼されていた。

ハンから依頼を受けたのが、もう何十年も前の出来事のように思える。

乗組員の一人が病気にかかり、足の付け根と腋の下に奇妙なみみず腫れができたのが、ほんの四カ月前のことだとはとても信じられない。病気は油に引火した炎のごとく、瞬く間に広まった。満足に働ける船員が日に日に少なくなり、一行は人食い人種と奇妙な動物が生息するこの島に足止めを食うことになったのだ。

今も、闇に包まれたジャングルの奥深くから、太鼓の音が聞こえてくる。だが、野蛮人たちも砂浜に近づくのは危険だと察知している。オオカミが病気で死んだヒツジを決して口にしないように、腐敗と腐臭を感じ取っているのだろう。しかし、彼らが周囲に潜んでいるのは明らかだった。木々の枝からは、眼窩に植物の蔓を通して結びつけた頭蓋骨がぶら下がっている。ジャングルの奥に足を踏み入れたり、食料を採取するために分け入ったりするのは危険だということを示す警告の印だ。

病気の蔓延を恐れて、野蛮人もマルコたちを警戒していたのだ。

だが、状況は変わった。

燃えさかる炎とともに、疫病の恐怖は終わりを告げた。生き残ったのは浜辺にいるわずかな人数だけだ。

赤いみみず腫れのない者たち。

七日前の夜、まだ生きている病人たちは沖合いに停泊した船に鎖でつながれ、水と食料だけを与えられて隔離された。浜に残った者たちは、自分たちの間に新たな感染者が発生しないか疑心暗鬼になりながら過ごしていた。その間、船に隔離された乗組員たちの悲痛な叫びが浜に届いてきた。懇願する声、泣き叫ぶ声、祈りを捧げる声、罵り合う声、喉の奥から振り絞るような声。だが、何よりも不気味だったのは、時折聞こえてくる笑い声だった。狂気に侵されてしまった者たちの声。

ナイフで素早く彼らの喉を切り裂いてやる方がよかったのだろう。それが慈悲というものだ。しかし、感染した者の血に触れることを誰もが恐れた。そのため、感染者たちは船につながれ、死体とともに閉じ込められることになった。

ところが今夜、太陽が西の空に沈むのを待っていたかのように、水中に奇妙な光が現れた。沖合いに停泊した船のうちの二隻の竜骨付近がぼんやりと輝き始め、その光は波一つない黒い海面を、まるでこぼれた牛乳のようにゆっくりと広がり始めたのだ。マルコたちはその光を前にも目撃したことがあった。彼らが命からがら逃げ出した呪われた都市。その石の塔の下にある池と運河が、同じような光を発していた。

疫病が船から抜け出そうとしている。

もはや選択の余地はない。

やむをえず、生き残った者たちの脱出用にとっておいた船を除いて、すべてのガレー船に火がかけられたのだった。

マルコの叔父のマフェオが、浜辺にいる者たちの間を歩きながら、服を着るように身振りで指示を与えている。しかし、ただの布切れや羊毛では、彼ら全員が心の奥で感じている罪悪の念までも覆い隠すことはできない。

「私たちの行ないは……」マルコが口を開いた。

「その話をしてはならん」そう遮って、父はマルコに向かってローブを差し出した。「疫病のことを一言でも口にすれば、どの国も我々の船を受け入れてはくれないだろう。どの港も船の入港を拒むに違いない。だが、清めの炎とともに最後まで残った病気も焼き払うことができた。船団からも、海中からも追い払ったのだ。あとは故郷に帰ることだけを考えればよい」

　頭からローブをかぶるマルコから目をそらした父は、息子が砂の上に木切れを使って何かを描いていたことに気づいた。その瞬間、父は固く唇を結ぶと、かかとで素早く砂の上の模様を消し、再び息子の顔を見た。父の顔には懇願するような表情が浮かんでいた。「いかん、マルコ……絶対にいかん……」

　しかし、マルコは脳裏に刻み込まれた記憶を容易に消し去ることができなかった。彼は偉大なるハンに学者として、そして密使として仕えたほか、地図製作にも携わり、ハンの征服した広大な領土の測量も行なっていたのだ。

　父が再び口を開いた。「我々が目にしたことは、誰にも知られてはならぬ……あれは呪われているのだ」

　マルコはうなずいたが、自分が砂の上に書いた絵については一言も触れなかった。彼の口から小さな声が漏れる。「死の都（チッタ・ディ・モーティ）」

　すでに青ざめていた父の顔から、さらに血の気が引いていく。しかし、マルコにはわかっていた。父が恐れているのは疫病だけではない。

「約束するんだ、マルコ」父は強い口調で語りかけた。

　マルコはしわの刻まれた父の顔を見上げた。上都（じょうと）でハンと過ごした約二十年の間に父は年をとったが、このわずか四カ月の間でさらに二十年分は老け込んでしまったように見える。

「母さんの魂に誓って約束してくれ、マルコ。我々が見たこと、行なったことは、決して誰にも口外しないと」

マルコは返事を躊躇した。

父の手が伸びると、マルコの肩をつかんだ。きつく握り締めてくる。「約束してくれ、息子よ。お前自身のためなんだ」

赤く燃える炎に照らされた父の瞳の奥に、恐怖の色がはっきりと浮かび上がっていた。父は必死に訴えかけている。マルコはそんな父の思いを無視できなかった。

「誰にも口外しません」マルコはようやく約束した。「この命が尽きるまで、天に召された後も。約束します、父さん」

マルコの誓いを耳にして、叔父が歩み寄ってきた。「あの地に足を踏み入れるべきではなかったんだ、ニコーロ」叔父は父を責めた。しかし、その言葉が本当は自分に向けられているのだと、マルコはわかっていた。

三人ともそれ以上は口を開こうとしなかった。それぞれの心に、秘密が重くのしかかっている。

叔父の言う通りだ。

四カ月前に初めて目にした河口の三角州の光景が、マルコの頭によみがえってくる。茶色い川の水が海に注ぎ込み、両岸は木々の葉とつる植物が深く茂っていた。一行は二隻の船を修理する間、河口に停泊して水を補給するだけの予定だった。奥地にまで足を踏み入れるべきではなかったのだ。だが、マルコは低い山々の向こう側に大きな都市が栄えているという伝説を耳にしていた。船の修理には十日ほどかかりそうだと聞くと、マルコはハンが提供してくれた四十人の男たちを連れてジャングルに分け入った。山を越えた向こう側には何があるのだろう。山頂に登ったマルコは、ジャングルの奥に石の塔があるのを発見した。高くそびえ立つ塔が、朝日を浴びてまぶしく光り輝いていた。好奇心をかき立てられたマルコは、光に引き寄せられるかのようにその塔を目指した。

塔に向かってジャングルを進む一行の周囲は、物音一つしなかった。今にして思えば、その時点で怪しいと感づくべきだったのだ。今とは違って、太鼓の音もまったく響いていなかった。鳥のさえずりも聞こえなければ、サルの吠える声もしない。だが、行く手に「死の都」が待ち構えていようとは、夢にも思わなかったのだ。

奥地へと足を踏み入れたのが、そもそもの大きな間違いだった。

その代償として、仲間の命以上のものを失うことになってしまった。

喫水線まで炎に包まれたガレー船の姿を、三人は無言で見つめていた。一本のマストが、まるで切り倒された木のように、水面へと崩れていく。今から二十年前、父親と息子と叔父は、法王グレゴリウス十世の印璽（いんじ）を手にイタリアの地を出立し、大モンゴル帝国への旅路の一歩を踏み出した。やがて、彼らは上都にあるフビライ・ハンの宮殿と大庭園にたどり着いた。だが、そこでの滞在が予想外に長引いてしまった。上都での日々は、まるでかごの中の鳥のような暮らしだった。ハンのお気に入りの客人として、三人は囚われの身となったのだ――鎖でつながれるような扱いを受けたわけではない。ハンの歓迎の大きさともてなしの手厚さに、帰国したいと切り出す機会を逸してしまったのだ。それがようやく、ペルシアへと嫁ぐコカチン王女の付き添い役を務めることになり、偉大なるハンの束縛を解かれ、故郷ヴェネツィアへと帰還できることになった。

〈あのまま上都にとどまっていたなら……〉

「もうすぐ日の出だ」父がつぶやいた。「すぐに出発しよう。国に帰るんだ」

「故国の地を踏むことができたら、テオバルドには何と伝えれば？」叔父のマフェオは訊ねた。ポーロ一族の友人で支援者でもあったテオバルドは、今ではローマ法王グレゴリウス十世を名乗っている。

「法王がまだ存命でおられるかどうかもわからん」父は答えた。「長旅だったからな」

「でも、もし存命でおられたらどうするんだ、ピッコロ？」叔父は食い下がった。

「モンゴルのこと、彼らの習慣について、彼らの国力については、事細かに報告をする義務がある。昔のこととはいえ、彼の勅令を受けて旅に出ていたのだ。だが、この地で発生した疫病については……報告するべきことは何もない。もう終わったことだ」

マフェオはため息をついた。だが、それは決して安堵のため息ではない。叔父の顔に浮かんだこわばった表情の物語る言葉が、マルコの耳には聞こえてくるような気がした。

〈疫病の犠牲者は、命を奪われた者たちだけではない〉

父は厳しい口調で繰り返した。そうすることで、自分にも言い聞かせているかのようだ。

「もう終わったことなのだ」

マルコは目の前にいる二人の男性を見上げた。父と叔父。夜空を赤く染める炎と煙を背景にして、二人の影がくっきりと浮かび上がっている。決して終わったわけではない。彼らの記憶にある限り、決して終わることはない。

マルコは足元に目をやった。砂に描いた模様は消されているものの、彼の目にはその形がまだはっきりと焼きついている。木の皮に描かれた地図を密かに盗み出したのは、マルコ自身だったからだ。あの地図は血で描かれていた。ジャングルの中に広がる、寺院や尖塔を示す地図。


だが、建物の中には誰もいなかった。

あるのは死体ばかり。

石造りの広場では、無数の鳥が死んでいた。まるで空を飛んでいる最中に命を奪われ、そのまま地面に落下したかのように。周囲は死が支配していた。男も、女も、子供も、犠牲になっていた。家畜の牛も、ジャングルの獣も。大蛇までもが、木の枝から垂れ下がって死んでいた。鱗の下の肉は、真っ赤にただれていた。

地上を動いている生き物は、アリだけだった。

様々な大きさの、様々な色をしたアリだけ。

広場に散乱した死体に群がり、死者の肉を貪り食うアリだけが生きている。

だが、そう思ったのは間違いだった。ほかにも太陽が沈むのを心待ちにしている何かがいたのだ。

マルコは忌まわしい記憶をかき消そうとした。

マルコが寺院から盗み出したその地図を一目見ると、父は火をつけて燃やし、灰を海にばらまいた。乗組員の間に最初の病人が発生するより前のことだ。

「忘れるんだ」あの時、父は警告した。「我々とは関係のないことだ。歴史の流れの中に葬り去るのが一番なのだ」

マルコは父との約束を守ろうと決心した。誓いを破ることは許されない。この話だけは、誰にも口外してはならない。それでも、マルコは砂の上に残った模様に指を触れた。今回の旅の間、彼は多くの出来事を記録に残していた。それなのに、この知識だけが失われてしまっていいのだろうか？

〈記録にとどめる方法がほかにあれば……〉

マルコの心の内を読み取ったかのように、マフェオが口を開いた。その言葉は、三人がともに抱いていた恐れを代弁していた。「ニコーロ、もしあの災厄が再び襲ったら、いつの日か我々の国があの恐怖に見舞われたら、どうしたらいいんだ？」

「その時は、人間によるこの世の支配が終焉を迎えることになるだろう」父は苦渋に満ちた表情で答えた。マフェオの裸の胸にぶらさがった十字架を軽く指で叩く。「修道士もすべてを承知していたのだ。彼の犠牲は……」

その十字架はアグレー修道士のものだった。あの呪われた都市で、ドミニコ会の修道士は、自らの命を犠牲にして彼らを救ってくれた。その時に交わした、決して明かすことのできない取り決め。彼らはアグレー修道士を置き去りにした。呪われた都市に見捨ててきた。だが、それを申し出たのは、アグレー修道士自身だったのだ。

法王グレゴリウス十世の甥に当たる、アグレー修道士。

暗い海の上に燃える炎が次第に小さくなるのを見つめながら、マルコはつぶやいた。「この次に我々を救ってくれる神は、どのような姿をしているのだろう」

現在　五月二十二日　午後六時三十二分
インド洋　南緯十度四十四分七秒八七、東経百五度十一分五十六秒五二

「ほかにフロスターズのビールが欲しい人はいるかい？」グレッグ・チュニスの声が甲板の下から響く。

夫の声を耳にして思わず笑みを浮かべながら、ドクター・スーザン・チュニスはラダーから船尾甲板へと下りた。ＢＣベストを脱ぐと、スキューバダイビング用の装具を調査船の操舵室の後ろにあるラックに立てかける。エアタンクが隣のタンクとぶつかって小さな金属音を立てた。

身軽になったスーザンは、肩にかけたタオルを手に取ってブロンドの髪を乾かし始めた。太陽の光と海水のせいで、髪の色は白に近くなっている。髪をふき終わると、ウエットスーツのジッパーを勢いよく下げた。

「いよっ、待ってました……こっちを向いてくれよ」彼女の背後にある安楽椅子の方向から、大声が聞こえる。

スーザンは声の主の方を振り返りもしなかった。シドニーのストリップクラブに入り浸っている人の相手も楽じゃない。「アップルゲイト教授、私がウエットスーツを脱ぐたびに興奮するのはやめてくださらない？」

白髪まじりの地質学者は、膝の上に乗せた海洋史の本には目もくれずに、鼻の頭に眼鏡を乗せて彼女の方を眺めている。「目の前でグラマーな若い女性が肌をあらわにしているのに、何の反応も示さないなんて、そっちの方が紳士としてはどうかと思うがね」

ウエットスーツの袖から両腕を抜くと、スーザンの上半身があらわになった。ウエットスーツの下にはワンピースの水着を着ている。ビキニタイプの水着だと、ウエットスーツを脱いだはずみにブラの部分が外れてしまうことがある。彼女はそのことを苦い経験から学んでいた。自分より三十歳も年上の教授に裸を見られたところでさほど気にもならないが、そこまでサービスしてあげる必要もない。

夫が甲板へと上がってきた。水滴のついたラガービールの瓶を三本、片手の指の間に挟んでいる。妻の姿を見ると、夫は大きな笑みを浮かべた。「君が海から上がってくる音が聞こえたのさ」

夫は甲板上に出て伸びをした。いっそう背が高く見える。下は白のクイックシルバーのトランクス、上に羽織ったぶかぶかのシャツはボタンを留めていない。ダーウィン港で船の修理工として働いていたグレッグは、シドニー大学所有の別の調査船が乾ドックでの修理に出された際に、スーザンと出会った。今から八年前のことだ。三日前、キリティマティ環礁、通称クリスマス島から百海里ほど離れた地点に停泊していた船上で、二人は結婚五周年を迎えていた。

グレッグはスーザンに瓶を手渡した。「何か手がかりはつかめたのか？」

スーザンはビールを一息に飲んで喉を潤した。午後の間ずっと、塩水の味がするマウスピースをくわえっぱなしで、口の中がべたべたしている。「まだ何も見つからないわ。どうしてビーチングが起こったのか、その原因はいまだに謎ね」

十日前、ミナミバンドウイルカのインド洋亜種約八十頭が、ジャワ島沿岸に打ち上げられた。スーザンの研究テーマは、クジラ目の動物に対してソナーの妨害電波が長期的に及ぼす影響だ。これまでも多くのクジラやイルカが浅瀬や浜に乗り上げ、自殺行為としか思えないような行動を見せてきたが、ソナーがその原因ではないかとの説がある。この種の調査を行なう時は、大学院生や学部学生の助手を何人か同行するのが普通だ。だが、今回は恩師の教授を招待した休暇旅行中だった。それがたまたま旅行先の近くの海で大量のビーチングが見られたとの知らせが入り、急遽調査へと向かうことに決まったのだ。三人はそのままこの海域に十日間もとどまっていた。

「人工のソナー以外に原因があるんじゃないのかね？」ビール瓶の表面に付着した水滴に指先で円を描きながら、アップルゲイト教授はつぶやいた。「この海域では微小地震が頻発している。深海でプレートの滑り込みによる地震が起こり、その揺れで発生した震動がたまたまある種の信号と一致して、イルカたちがパニックを引き起こしたとも考えられる」

「数カ月前にはでかい地震があったしな」グレッグも同意した。彼は教授の隣の安楽椅子に腰を下ろすと、もう一つの椅子をぽんと叩いてスーザンにも座るように促した。「その余震か何かだろう」

スーザンも二人の意見は否定できなかった。甚大な被害をもたらした大地震が二年ほどの間にこの地域で何度か発生し、巨大津波にも襲われるなど、海底は非常に不安定な状態にある。どんな動物でも、地震が起これば動揺する。しかし、スーザンは何か腑に落ちないものを感じていた。何か別の現象が起きている。海面下の岩礁には、不思議なことに生物の姿がまったく見られないのだ。海中に生息する小さな生物は、岩の隙間や、貝殻の間や、砂に掘った穴へ潜り込んで隠れているとしか思えない。この海域の生物が、息を殺して身を潜めている、そんな気がしてならなかった。

たぶん、敏感な生き物たちが微小地震に反応しているだけなのだろう。

顔をしかめながらも、スーザンは夫の隣に腰掛けた。後でクリスマス島に無線で連絡を入れて、異常な地震活動が観測されなかったかどうか、確認しておけばいい。それよりも、ほかに伝えておかなければいけないことがある。この発見を聞いたら、夫は明日の朝一番で海に潜ると言い出すだろう。

「古い難破船の破片らしきものを見つけたわ」

「本当かよ」グレッグは身を乗り出した。オーストラリア北部沿岸の海底には、第二次世界大戦中に沈んだ戦艦が何隻も眠っている。ダーウィン港でグレッグは、観光客相手に難破船巡りのツアーを提供していた。沈没船の話となると目がない。「どの辺だ？」

スーザンは漠然と後ろの方を、船の反対側の海域を指差した。「右舷から百メートルくらいのところだったかしら。黒い梁のようなものが何本か、海底の砂地から垂直に突き出ていたわ。この前の大地震で砂の中から飛び出してきたのかも。それとも、津波でシルトが吸い上げられて姿を現したのかもしれないわ。でも、あまり調べる時間がなかったのよ。それに、詳しい調査は専門家に任せた方がいいでしょ」スーザンは夫の脇腹を軽くつねり、椅子にもたれかかった。

三人は水平線に沈む夕日を眺めた。ほとんど姿を隠した太陽が、まるでいたずらっぽくウインクをしているかのように、海面に最後の光を投げかけている。三人にとって、これは儀式のようなものだ。悪天候の場合を除いて、水平線に沈む夕陽を眺めることが三人の日課だった。船はかすかに揺れている。はるか彼方に、ライトを点滅させながら進むタンカーが見えるだけだ。彼らはこの光景を独り占めしていた。

突然、激しく吠える声が聞こえて、スーザンは思わず椅子から身体を浮かした。まだ神経が少し張り詰めたままでいたことが、自分でも意外だった。岩礁に生息しているはずの生物たちの奇妙で不可解な行動が、知らず知らずのうちに自分にも影響を及ぼしていたのだろうか。

「こら！　オスカー！」教授は呼びかけた。

その時初めて、スーザンは四人目の乗組員の姿が見えなかったことに気づいた。再び犬の鳴き声がする。ずんぐりしたクイーンズランド・ヒーラーは、アップルゲイト教授の飼い犬だ。老齢のうえに軽い関節炎にかかっているため、昼間は甲板の日向に寝そべってほとんど動こうとしない。

「ちょっと様子を見てくる」教授は二人に声をかけた。「その間、お二人さんはせいぜい仲良くしていてくれたまえ。それにどっちにしろ、船首の方に行かねばと思っておったのだ。寝る前にもう一本くらいフロスターズを飲むからには、少し運動をしておかんとな」

教授は大儀そうに椅子から立ち上がると、後部甲板から右舷を回って船首へ向かおうとした——だが、教授は立ち止まった。東の方角を、夜の帳が下りつつある空を見つめている。

再び、オスカーが吠えた。

しかし、教授は犬を叱らない。代わりにスーザンとグレッグを呼ぶ声がした。教授の低い声からは陽気な調子が消えていた。「ちょっとこっちに来てくれないか」

スーザンは急いで立ち上がった。グレッグも後に続く。二人は教授のもとに駆け寄った。

「何だ、これは……」グレッグの口から言葉が漏れた。

「どうやら、イルカが海から逃げ出そうとした原因を発見できたようだ」教授は言った。

東の方角を見ると、海面は太い帯状の怪しい光に覆われていた。光は波に合わせて揺れている。銀色がかった輝きがうねり、渦を巻いている。老犬は右舷の手すりから身を乗り出さんばかりの勢いで一声吠えると、光から視線をそらさずに低いうなり声をあげた。

「いったいあれは何だ?」グレッグは再び訊ねた。

スーザンは手すりに歩み寄りながら答えた。「話に聞いたことがあるわ。「乳海」と呼ばれる現象よ。インド洋におけるこうした乳白色の発光現象は、ジュール・ヴェルヌの時代から、付近を航行する船舶によって何度も報告されている。一九九五年には人工衛星から撮影した写真でも、光が確認されているわ。何百平方キロにも及んでいたのよ。これはまだ規模が小さい方ね」

「これでも小さいのかよ」夫はつぶやいた。「それにしても、正体は何なんだ? 赤潮の一種なのか?」

スーザンは首を横に振った。「厳密に言うと違うわね。赤潮は藻類が大量発生したものよ。でも、この光は発光性のバクテリアが原因なの。おそらく、藻類などを餌にしているバクテリアよ。危険はないけど、念のため――」

突然、船の下から大きな衝撃音が伝わってきた。何か大きなものが船底に衝突したような音だ。オスカーがいっそう激しく吠え始めた。手すりに沿って落ち着きなく走り回りながら、隙間から海面をのぞき込もうとしている。

三人も身を乗り出して海面に目をやった。

乳海の先端が、調査船の竜骨部分にまで到達している。海中から、何か大きな物体が浮かび上がってきた。腹を上にしているが、まだ苦しそうにもがきながら、歯を激しく嚙み合わせている。巨大なイタチザメだ。体長は六メートル以上ある。光を発する水がサメの表面を覆う。それと同時に海面が泡立ち、乳白色から赤ワインのような色に変わる。

サメの腹の上で泡立っているのは水ではない。サメの肉だ。肉が泡を吹きながら、身体から剝がれ落ちている。ぼろぼろになったサメの姿は、再び海中に沈んだ。気がつくと、乳海の海面のあちこちに、ほかの海洋生物が浮かび上がっていた。もがいている生物もいれば、すでに死んでいる生物もいる。ネズミイルカ、ウミガメ、無数の魚。

アップルゲイト教授は手すりから後ずさりした。「どうやらこのバクテリアは、藻類以外にもおいしい餌があるということに気づいたらしいな」

グレッグは妻の方に視線を向けた。「スーザン……」

スーザンは目の前に広がる死の海から目をそらすことができなかった。恐怖感は否めないものの、同時に科学者として興味をひかれている自分がいる。

「スーザン……」

しつこく呼びかける声に軽くいらだちながらも、彼女はようやく顔を上げて夫の方を見た。

「君は潜っていたよな」そう言いながら、グレッグは指をさした。「あのあたりに。一日中」

「それがどうしたの？　私たち三人とも、何度か潜っているじゃない。オスカーだって、犬かきで泳いでいたわ」

夫は彼女と目を合わせようとしない。その視線は、さっきから彼女がかきむしっている上腕部に向けられていた。ウエットスーツでこすれて皮膚をすりむいてしまうことは珍しくない。だが、夫の顔に浮かんだ不安げな表情に気づいて、スーザンは上腕部に目を向けた。皮膚にひどい発疹ができている。かきむしったためにかえって悪化させてしまったようだ。

彼女の目の前で、赤く腫れ上がった発疹がぼんやりとした光を発する。

「スーザン……」

彼女は自分の目が信じられなかった。「うそでしょ……」

しかし、目に映るものが意味する恐ろしい事実は否定できない。

「私の……私の身体の中にもいるわ」

第一部　感染

1　黒い聖母マリア

七月一日午前十時三十四分
イタリア　ヴェネツィア

〈誰かにつけられている〉

ステファノ・ガッロは視界を遮るもののない大きな広場を急ぎ足で横切った。朝の陽光を浴びた広場の石畳は、照り返しですでにむせ返るような暑さだ。大勢の観光客たちは日陰を選ぶように歩いたり、サン・マルコ大聖堂の建物の陰にあるジェラートの店の前に群がったりしている。しかし、ヴェネツィアを代表する観光名所であるこの大聖堂は、ステファノの目的地ではない。見上げるようなビザンティン様式のファサードも、巨大な馬のブロンズ像も、ドーム状の丸屋根(クーポラ)も、目に入らない。

このような神聖な場所をもってしても、彼の身の安全を守ることはできないのだ。

残された希望は一つだけ。

大聖堂の前を通り過ぎながら、ステファノの足取りは自然と速まった。小走りに向かってくる彼の姿に驚いて、広場のハトたちがあわてて飛び立つ。だが、ステファノの耳にはハトの羽音も届かなかった。今さらこそこそ行動しても始まらない。もう発見されてしまっているのだ。サン・マルコ広場の端に姿を現したエジプト人の若い男を、ステファノはすでに確認していた。黒い瞳と、きちんと刈り込まれた顎ひげに見覚えがある。二人の視線がぶつかる。男は黒っぽいスーツを着ていた。肩幅のある筋肉質の身体を隠したスーツは、まるで石油のように輝いて見える。最初にステファノに接触してきた時、男はブダペスト大学出身の考古学者だと自己紹介した。アテネ大学で同僚だったステファノの古くからの友人の代理として、相談を持ちかけてきたのだった。

そのエジプト人がステファノの勤務する考古学博物館を訪れた目的は、ある古美術品の捜索だった。エジプトで発見されたオベリスク。とりたてて貴重な品というわけではないが、自国政府の助成金を受けているという男は、オベリスクの故国への返還を望んでいた。協力してくれれば報酬をはずむと言って、分厚い札束も見せてくれた。博物館の学芸員を務めているステファノだったが、そうした賄賂に心動かないわけではない。病気の妻の治療費がかさんでいて、このままでは小さなアパートの家賃を払うことすらままならない状態だ。それに、このような秘密の報酬を受け取ることが必ずしも不正行為だとは言い切れなかった。この二十年ほど、エジプト政府は自国から持ち出された貴重な遺物を個人のコレクターから買い戻し、さらには各国の博物館に対しても、そのような古美術品の所有権は本来エジプトにあると圧力をかけている。

ステファノはエジプト人の申し出を受け入れ、オベリスクは自分で男のもとに届けると約束した。何の変哲もない小さな石のオベリスク一本くらい、誰も気に留めはしないだろう。博物館の記録によると、そのオベリスクは百年近くもの間、木箱に収められたまま放置されていた。箱に書かれた説明を読むと、それも無理はないと思われる。「大理石のオベリスク　これといった特徴なし　発掘地点はタニス　エジプト後期（第二十六王朝、紀元前六一五年頃）のものと推定される」……珍しい遺物ではないし、特に興味をひかれるような点もない。ただ、さらに説明を読んでいくと、オベリスクの来歴にやや気になる記述があった。ここに来る前は、ローマのヴァチカン博物館内にあるグレゴリウス・エジプト博物館に所蔵されていたというのだ。

そんなオベリスクが、どのような事情でヴェネツィアの博物館の倉庫でほこりをかぶることになったのかは不明だった。

ところが昨日の朝、ステファノのもとに新聞記事の切り抜きが送られてきた。宅配便業者によって届けられた封書には、ある文字が刻まれたろうで封がされていた。

Σ

ギリシア文字のシグマ。

その文字が何を意味するのか、ステファノは今でもわからない。だが、封書の中に収められていた新聞の切り抜きが持つ意味は、即座に理解した。三日前、エーゲ海の海岸で男性の死体が発見されたという記事だった。男性の喉は切り裂かれ、死体は膨張し、その体内はウナギに食い荒らされていたらしい。強風による高波のせいで海岸に打ち上げられた死体は、歯の治療跡から身元が判明した。ステファノのかつての同僚、あのエジプト人を代理として派遣したはずの友人だった。

死体は死後数週間が経過していると、記事には書かれていた。

ショックのあまり、ステファノは前後を省みずに行動を起こした。麻布にくるまれたままの重いオベリスクは、今も胸にしっかりと抱えている。木箱に詰め物として入っていた干草が、まだ麻布にこびりついている。

自分の命を、妻の命を、家族全員の命を、すべて危険にさらすことになると十分に承知していた。それでも、ステファノはオベリスクを博物館の倉庫から盗み出した。

ほかに選択の余地はなかった。恐ろしい事実を知らせる新聞記事とともに、封書の中には一枚のメモが入っていた。署名はない。急いで殴り書きをしたと思われる警告のメッセージは、女性の筆跡だった。メモにはありえないとしか思えない内容が記されていた。まったく信じられない話だ。だが、ステファノがメモの内容を確認すると、すべて事実だと判明した。

走りながら、ステファノは涙を流しそうになった。嗚咽が漏れそうになるのを懸命にこらえる。

これしか方法はないのだ。

オベリスクがあのエジプト人の手に渡るようなことがあってはならない。だからといって、自分がずっと隠し持っているわけにもいかない。そんな重責には耐えられない。自分には妻がいる。娘がいる……ステファノの脳裏に、腐敗が進行して膨れ上がった同僚の死体の姿が浮かんだ。同じ運命が、自分の家族にも降りかかるのだろうか？

〈ああ、マリア様。私は何ということをしてしまったのでしょうか？〉

重責を肩代わりしてくれる人物は一人しかいない。ギリシア文字で封をした警告の封書を送った女性。同封されたメモの最後には、場所と時間が記されていた。

だが、ステファノはすでに約束の時間に遅れていた。

どのような手段を使ったのかはわからないが、エジプト人はステファノが博物館からオベリスクを盗み出した事実をかぎつけ、裏切るつもりだということに感づいたようだった。エジプト人は今朝の明け方、オベリスクを奪いにやってきた。ステファノはその直前に博物館を抜け出していた。その後はひたすら逃げ続けている。

だが、追っ手を振り切ることはできなかった。

ステファノは肩越しに振り返った。エジプト人は大勢の観光客にまぎれて姿をくらませてしまっている。

前を向き直ると、ステファノは前のめりになりながら、広場にそびえ立つ鐘楼が投げかける影の下に入った。煉瓦造りのこの鐘楼は近くにある埠頭を見下ろす位置にあり、かつてはヴェネツィアの監視塔として湾を守る役割を果たしていた。だが、今の自分を保護する力も持っているのだろうか？

目的地が小さな広場の向こうに見えてきた。十四世紀に建てられたドゥカーレ宮殿は、かつてヴェネツィア総督の宮殿として使用されていた。二層構造から成るゴシック様式のアーチが、手招きをしているかのように見える。イストリアの石とばら色をしたヴェローナの大理石が、救済を約束してくれるはずだ。

オベリスクをしっかりと抱えて、ステファノは足がもつれるのも気にせずに先を急いだ。

〈彼女はまだ待っているだろうか？　重責を肩代わりしてくれるだろうか？〉

ステファノは建物の陰へと急いだ。照りつける日差しも、海面に反射する光も、そこなら遮ってくれる。宮殿内の迷路のように入り組んだ通路で、追っ手をまく必要があった。宮殿は総督の私邸としてだけでなく、官庁、裁判所、議会、さらに牢獄としての機能も備えていた。宮殿の裏手を流れる運河の対岸に新しい牢獄が建設された時、宮殿と牢獄はアーチ形の橋でつながれたが、これが有名な「溜息の橋」だ。かの有名なカサノヴァは、この橋から脱獄に成功した。宮殿の牢獄から脱獄できたのは、その長い歴史の中で彼一人しかいなかったと伝えられている。

長く伸びる開廊（ロッジア）の下に入りながら、ステファノはカサノヴァの霊に祈りを捧げた。〈追っ手の魔手から逃げ切ることができますように〉……宮殿の陰に隠れると、ステファノは思わず安堵のため息を漏らした。宮殿の内部の構造には詳しい。慣れない人間が迷路同然の通路を歩けば、すぐに方向感覚を失ってしまう。密かに落ち合うには格好の場所だ。

少なくとも、ステファノはそう願っていた。

西側のアーチ状の入口から、ステファノは数人の観光客に混じって宮殿内に入った。前方に広がる中庭には、古くから使用されていた二つの井戸と、「巨人の階段」と呼ばれる大理石でできた立派な階段が見える。ステファノは再び太陽の光の下に出る気になれなかったので、中庭の隅を迂回しながら歩き続けた。一般の観光客は立ち入ることのできない小さな扉を押して屋内に入ると、かつてヴェネツィアの行政を司る者たちの使用していたいくつかの部屋の前を通り過ぎる。一番奥には、宗教裁判官の使用していた部屋がある。かつて多くの気の毒な人々が、苦痛に満ちた残酷な取り調べを受けた場所だ。だが、ステファノは躊躇することなく、石造りのその拷問部屋へと足を踏み入れた。

背後で扉の閉まる音が聞こえる。ステファノは思わず身をすくめた。

遺物を抱える指に力が入る。

メモには落ち合う場所の指示が細かく記されていた。

部屋の奥にある狭い階段を下りて、ステファノは宮殿の最深部にある「井戸（ポッツィ）」と呼ばれる地下牢へと向かった。歴史上最も悪名の高い囚人たちが収容されていたとされる場所だ。

ステファノが謎の女性から指定されたのは、この場所だった。

彼は再びギリシア文字の印を思い浮かべた。

いったいどんな意味があるのだろうか？

ステファノはじめじめとした通路を歩いた。片側には、真っ暗な石造りの独房がいくつも並んでいる。独房の天井は低く、立ち上がったら頭がつかえてしまうだろう。ここに閉じ込められた囚人たちは、冬の寒さで凍死するか、長いヴェネツィアの夏で脱水症状に陥って死亡するかのどちらかだった。世の中から忘れられた存在として、ネズミだけに看取られて息を引き取ったという。

ステファノは小さなペンライトのスイッチを入れた。

「井戸」の最深部にはほかに誰もいないようだ。さらに奥へと進んでいくと、足音が石の壁に反響して、まるで誰かにあとをつけられているような錯覚に陥る。恐怖で心臓が締めつけられるようだ。ステファノは歩く速度を落とした。来るのが遅すぎたのだろうか？　ステファノは思わず息を殺している自分に気づいた。ついさっきまでは日陰をありがたいと思っていたのに、今では太陽の光が恋しくてたまらない。

ステファノは立ち止まった。身体が大きく震える。

彼の気持ちを読み取ったかのように、前方から光が差した。一番奥にある独房からだ。

「誰だ？」ステファノは訊ねた。「君は何者（キ・エ・レイ）だ？」

ヒールが石に当たる音に続いて、穏やかな声が聞こえてきた。イタリア語だ。かすかに訛りがある。

「メモを書いたのは私よ、シニョーレ・ガッロ」

細身の女が通路に姿を現した。手には小さな懐中電灯が握られている。明かりがまぶしいために女の顔はよく見えない。懐中電灯が下ろされても、はっきりとは確認できなかった。女は上下とも黒のレザーに身を包んでいる。身体にぴったりとフィットしているため、腰と胸の曲線はよくわかる。だが、遊牧民のように顔にスカーフを巻いているために、顔の特徴がつかめない。ただし、目だけが光を反射して輝いていた。女はゆっくりと近づいてくる。その落ち着いた身のこなしに、早鐘のように打っていたステファノの心臓の鼓動も、次第に落ち着きを取り戻していった。

暗闇の中から現れた女の姿は、まるで聖母マリアが黒い服をまとっているかのようだった。

「遺物は持ってきたのね?」女は訊ねた。

「ああ、も……持っている」ステファノはどもりながら、女の方に足を一歩踏み出した。オベリスクを差し出した拍子に、麻布が通路の床に落ちる。「こいつとはもう縁を切ってしまいたい。君はこいつを安全な場所へ持っていくことができると言っていたよな」

「できるわ」女はステファノに向かって、オベリスクを床の上に置くように手で示した。

ステファノは前かがみになりながら腰を落とすと、エジプトで発掘された石のオベリスクを床の上にそっと置いた。二度と手に触れることはないと思うとせいせいする。黒い大理石から彫られたオベリスクは、底面が一辺十センチの正方形、高さは約四十センチで、先端はピラミッドのようにとがっている。

女はつま先立ちの姿勢になり、黒いブーツの先端でバランスを取りながら、ステファノに向かい合う位置にかがんでいる。彼女は懐中電灯でこれといった特徴のないオベリスクの表面を照らした。保存状態が悪かったため、大理石の表面はひどく傷がついてしまっている。側面には大きなひび割れが一本入っていた。忘れられた存在となってしまったのも無理はない。

それなのに、このオベリスクを手に入れるため、人の血が流されている。

ステファノは、その理由を知っていた。

女は片手を伸ばすと、ステファノのペンライトを押し下げた。続いて親指で自分の懐中電灯のスイッチを切り替える。白い光が、濃い紫色に変わった。ステファノのズボンに付着したほこりが発光する。シャツの白い縞模様が、いっそうまぶしく光る。

紫外線だ。

紫色の光がオベリスクを照射した。

ステファノはすでに同じことを実験済みだった。女のメモに書かれていた内容を確かめようとして、すでに奇跡を目の当たりにしていたのだ。ステファノは身を乗り出して、女とともにオベリスクの四つの側面に目を凝らした。

オベリスクの表面は、それまでとは一変していた。四つの側面には、何列もの青白い記号が浮かび上がっている。

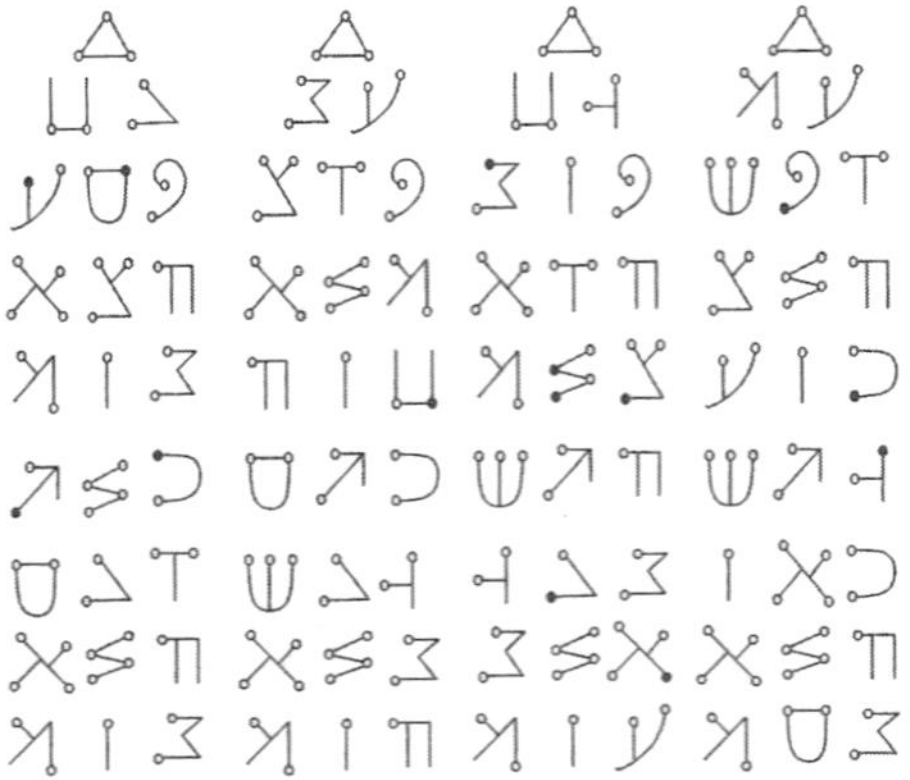

この記号はヒエログリフではない。古代エジプト人よりも、さらに年代をさかのぼるとされる言語だ。ステファノの声は畏敬の念に満ちていた。「ここに記されている文字は本当に――」

彼の背後で、かすかなささやき声が聞こえた。一つ上の階からだ。階段を転がり落ちる小石の音も響く。

ステファノは素早く振り返った。恐怖がよみがえり、全身の血が凍りつく。

暗闇に聞こえたささやき声。落ち着いた、それでいてやや早口の調子には、聞き覚えがある。

あのエジプト人だ。

居場所を突き止められてしまったのだ。

おそらく同じことを察したのだろう、女は懐中電灯のスイッチを切った。紫色の光が消える。周囲は闇に包まれた。

ステファノはペンライトの光を上に向けた。黒い聖母マリアの顔に希望の光があることを願って。だが、光に浮かび上がったのは黒い拳銃だった。サイレンサーが装着され、銃口は彼の顔面に向けられている。女は懐中電灯を持っていない方の手で、いつの間にか拳銃を握っていた。ステファノはその意味を理解すると、すべてをあきらめた。二度もだまされるとは。

「ありがとう（グラッツィエ）、ステファノ」

咳き込むような鋭い音がしてから銃口が光を発するまでのわずかな間に、ステファノの頭によぎったのはたった一つの、最後の願いだった。

〈マリア様、私をお許しください〉

七月三日午後一時十六分
ヴァチカン市国

階段を上るモンシニョール・ヴィゴー・ヴェローナの足取りは重かった。炎と煙の記憶が頭によみがえってくる。足取りばかりでなく心までも重い中、これだけの長い登りはきつい。六十歳という年齢よりも、さらに十歳ほど老け込んだかのように感じる。踊り場で立ち止まると、ヴィゴーは腰に片手を当てて階段の先を見上げた。

吹き抜けになった螺旋階段には無数の足場が組まれ、複雑に交差する作業用の通路が視界を遮っている。縁起が悪いとは知りつつも、ヴィゴーは壁面の塗装用に据え付けられた梯子の下をくぐり、「風の塔」の内部を貫く薄暗い階段をさらに上っていった。

真新しい塗料の刺激臭が目にしみる。それと同時に、別のにおいが鼻をつく。もう残っているはずのない臭気とともに、忘れてしまいたい過去の記憶が戻ってくる。

〈焦げた肉、強烈な煙、熱を持った灰〉

二年前、爆発と火災によって、ヴァチカン宮殿の中心に位置するこの風の塔は炎に包まれた。大規模な修復作業のおかげで、塔は再び元の威厳を取り戻しつつある。ヴィゴーは来月を心待ちにしていた。塔の修復が完了した暁には、完成を祝う式典が執り行なわれ、枢機卿がテープカットをする予定だ。

しかし、それよりもヴィゴーは、忌まわしい過去とようやく決別できる日を待ち望んでいた。

塔の最上階にある子午線の間は、ガリレオにゆかりのある部屋として有名だ。ガリレオはかつてこの部屋で、地球が太陽の周りを回っていることを証明しようと試みた。その部屋も、ほぼ修復が終わっている。煤に覆われ灰と化したフレスコ画を修復するという気の遠くなるような作業も、十八カ月に及ぶ二十名近くの職人や芸術史家の技術と努力により、間もなく完成を迎えようとしている。

〈筆と絵の具で何もかも修復できればいいのだが〉

ヴァチカン機密公文書館の新しい館長に就任したヴィゴーは、公文書館に所蔵されていた数多くの資料が、炎と煙と水の犠牲になったことを思い知らされた。貴重な古い書籍が、挿絵入りの原典が、羊皮紙や紙を革綴じしたレゲストラと呼ばれる古文書が、何千冊も失われてしまったのだ。この百年ほど、ヴァチカンの地下にある通称「地下壕（カルボニーレ）」と呼ばれる公文書館の本館に収容しきれなくなった資料の置き場所として、風の塔の空き部屋が使用されていたことも、被害の規模を拡大する結果となった。

　火災によって当分困らないだけの空きができたのは、なんとも皮肉な話だ。

「ヴェローナ館長！」

　ヴィゴーは我に返った。過去と現在が交錯したような気がして、思わず顔をしかめそうになる。だが、声をかけたのは神学校の学生で、彼の助手を務めるクラウディオだった。階段の最上部から呼びかけている。とっくに階段を上りきって、子午線の間でヴィゴーが来るのを待っているのだ。階段と部屋とを仕切っている透明なビニールシートを手で持ち上げている。

　一時間ほど前、ヴィゴーは修復チームの主任から風の塔へと呼び出しを受けていた。緊急の用件だということはすぐにわかったが、説明は今ひとつ要領を得ないものだった。「至急、いらしてください。実に恐ろしい、それでいて実に素晴らしい発見がありました」

　そのため、ヴィゴーは自分のオフィスを出て、塗装が終わったばかりの塔の最上階へと足を運ぶことになったのだ。彼は黒いカソックを着用したままだった。午前中にヴァチカンの国務長官との打ち合わせがあったからだ。カソックを脱がなかったのは失敗だった。重いし、汗が出る。長い階段を上るのにふさわしい服装とはいえない。ようやく助手の待つ入口にまで到達すると、ヴィゴーは額の汗をハンカチで拭った。

「こちらです、館長」クラウディオはシートをさらに高く掲げた。

「ありがとう（グラッツィエ）、クラウディオ」

シートをくぐった先にある塔の最上階は、まるでオーブンの内部にいるような熱気で、二年前の火災の時の熱を塔の石がまだ保ち続けているかのようだ。だが実際は、真昼の太陽がヴァチカンで最も高い塔を強烈に照らしているだけだった。ここ数日、ローマは異常なまでの熱波に見舞われている。ヴィゴーは心地よい風が吹いてくれないものかと願った。風の塔という名前がついているのだから、少しは風が吹き抜けてもいいはずだ。

その一方でヴィゴーは、額の汗が暑さやカソックを着たまま階段を上ったせいではないことに気づいていた。二年前の火災以来、ヴィゴーはこの塔の最上階を訪れようとはしなかった。作業の指示は塔の下から出すだけだ。久しぶりに訪れた今も、脇にある小部屋には背を向けている。

ヴィゴーにはもう一人の助手がいた。クラウディオの前任者に当たる人物だ。ジェイコブ。

火災の犠牲になったのは、資料だけではなかった。

「お見えになられましたな！」大きな声が室内に響く。

子午線の間の修復計画の主任を務めるドクター・バルサザール・ピノッソが、円形の部屋を横切りながら大股でヴィゴーの方に向かってきた。身長が二メートル十センチ近くある大男で、白衣を着用したうえに汚れを防ぐために靴に紙を巻いている姿は、まるで外科医のようだ。ガーゼのマスクが頭の上に押し上げられている。ヴィゴーはこの男性とは旧知の仲だった。バルサザールはグレゴリアン大学美術史学部の学部長で、ヴィゴーもかつては同大学の法王庁キリスト教考古学研究所の所長を務めていた。

「ヴェローナ館長、早速においでくださり、誠にありがとうございます」大男はちらりと腕時計を見ると、両目をぐるっと回した。直接言葉には出さないものの、到着に時間がかかったことを暗に皮肉った身振りだ。

ヴィゴーはバルサザールのからかうような態度がむしろうれしかった。公文書館の館長という高位に就任して以来、誰もがかしこまった口調で話しかけてくるので、どうにも気詰まりに感じていたからだ。「君みたいに足が長ければ、階段を二段くらいは一気に駆け上がれるから、わざわざお供をしてくれたクラウディオよりも先に着けたかもしれないな」

「ともかく、早いところ本題に移りましょう。午後のお昼寝の時間が少なくなってしまいますからね。館長にとって、お昼寝も大切な任務でしょうから」

冗談めかした口調の一方で、バルサザールの目に緊張の色が浮かんでいるのを、ヴィゴーは見逃さなかった。周囲を見回すと、修復作業に携わっているはずの他のスタッフの姿が一人も見当たらない。バルサザールの指示だろう。意図を察したヴィゴーは、クラウディオに対して部屋の外へ出るように合図をした。

「しばらく二人きりで話をさせてもらえないかな、クラウディオ」

「かしこまりました、館長」

助手がビニールシートをくぐって階段の方へと移動したのを確認してから、ヴィゴーはかつての同僚に向き直った。「バルサザール、いったい何事だ？」

「こちらへ。お見せしましょう」

バルサザールが部屋を横切るのを目で追いながら、ヴィゴーは室内の修復作業がほぼ完了していることに気づいた。円形をした室内の壁面と天井は、ニッコロ・クシニャーニの手による有名なフレスコ画で覆われている。聖書の場面を題材とした絵画の上には、天使や雲も描かれている。まだ絹糸が格子状に張り巡らされた作業中の箇所もあるが、フレスコ画は火災前の姿をほぼ取り戻していた。床の上に彫られた黄道十二宮もきれいに磨き上げられており、大理石の地肌が本来の輝きを発している。壁面に開いた硬貨ほどの大きさの穴からは、太陽の光が斜めに差し込み、床の一点を照らしていた。黒い床の上を横切る白い大理石でできた子午線が太陽の光で輝くのを見ていると、この部屋が観測所として使用されていた十六世紀に逆戻りしたかのような錯覚に陥る。

部屋の向かい側に到達したバルサザールが壁を覆ったシートを開けると、その先には小さな収納室があった。表面の厚い木材が少し焦げていることを除けば、頑丈な扉は火災の被害をまったく受けていないように見える。

バルサザールは扉を固定してある青銅のボルトの一つを軽く拳で叩いた。「扉は青銅の芯の上に木材を貼りつけた構造だったのです。運がよかったですよ。おかげで内部に保管されていたものは無事でした」

二年前の悪夢の現場にいることを一瞬忘れて、ヴィゴーは興味をひかれた。「中には何があったのかね?」

バルサザールは扉を引き開けた。窓のない、狭苦しい空間だ。壁は石でできていて、かろうじて人が二人並んで立てるかどうかといった広さしかない。両側には床から天井にかけて棚が取りつけられていて、革綴じの書籍がぎっしりと詰まっている。新しい塗料の刺激臭を追いやるかのように、小部屋からはかび臭いにおいが外に漏れてくる。歴史あるものが持つ不思議な力の前では、人間の技術が太刀打ちできないことを証明しているかのようだ。

「この小部屋に所蔵されていた資料については、私たちが修繕を担当することになった際に中から取り出して一覧を作成してあります」バルサザールは説明した。「でも、価値のありそうなものは特に発見できませんでした。ほとんどが天文学や航海術について記したほこりまみれの文書でしたよ」室内に足を踏み入れながら、バルサザールは大きく息を吐き出して申し訳なさそうにため息をついた。「日中に作業者が大勢出入りしているのだから、もっと気をつけているべきでした。子午線の間の方には気を配っていたのですが。夜間だけスイス人衛兵を一人、警備のため上に配置していましたが、それで心配はないだろうと思っていたのです」

ヴィゴーはバルサザールの後について小部屋に入った。

「この部屋は、作業用の道具の物置としても使用していたのです」バルサザールは棚の下の段を指差した。「道具を踏んだりしたら危ないですから」

ヴィゴーは頭を左右に振った。ただでさえ暑いうえに、忌まわしい思い出のせいで気分がすぐれない。「いったい何が言いたいんだ？　なぜ私はここに呼ばれたのかね？」

ヴィゴーの問いかけに対して、バルサザールはもごもご何かつぶやいてから再び話し始めた。「一週間前のことです。スイス人衛兵が、不審な人物を発見して追い払いました」バルサザールは片手を振りながら収納室の内部を示した。「この中をうろついていたらしいのです」

「なぜ私に連絡がなかったんだ?」ヴィゴーは訊ねた。「何か盗まれたものは?」

「いいえ、被害はありませんでした。あなたがミラノに出かけていらした時のことでしたし、衛兵の姿を見るとその人物はすぐに逃げ出してしまったそうです。おそらくただのこそ泥が、修復工事で作業者の出入りが激しいのをいいことに忍び込んだくらいにしか考えていませんでした。それからは念のため、警備のスイス人衛兵を二人にしてあります」

ヴィゴーは彼に続けるよう促した。

「ところが今朝、修復作業を行なっていた者が、この部屋にランプを戻しにきました。その時、ランプをつけっぱなしにしていたのです」

バルサザールはヴィゴーの背後に手を伸ばすと、収納室の扉を閉めた。外からの光が遮られる。バルサザールは小型ランプのスイッチを入れた。室内が紫色の光に包まれ、バルサザールの白衣がぼんやりと浮かび上がる。「美術品の修復作業には紫外線灯を使用します。肉眼では見えないような細かい部分を浮き立たせるためです」

バルサザールは大理石の床を指差した。

しかし、ヴィゴーはランプの光で照らし出された模様にすでに気づいていた。床の中央に荒っぽい線で、何かの形が描かれている。

円形に身体をくねらした竜だ。自分の尻尾をくわえようとしている。

ヴィゴーは息を呑んだ。思わず一歩後ずさりする。恐怖感と信じられないという思いが、同時に襲ってくる。血のにおいが鼻をつき、悲鳴が耳に聞こえてくるような気がする。

バルサザールは手を伸ばしてヴィゴーの肩をつかむと、身体を支えてくれた。「大丈夫ですか？　お見せするより先に言葉で説明した方がよかったでしょうか？」

ヴィゴーはバルサザールの手を払った。「だ……大丈夫だ」

自分の言葉が嘘ではないことを示すために、ヴィゴーはひざまずき、床の上で光を発する模様を調べようと顔を近づけた。忘れようにも忘れられない模様。ドラゴン団（オーディニス・ドレコニス）、すなわちロイヤル・ドラゴンコートの紋章だ。

バルサザールはヴィゴーの目を見つめている。紫外線を浴びて、白目の部分が明るく光る。

二年前、この塔が炎上したのは、ドラゴンコートの仕業だった。機密公文書館の前館長だった故アルベルト・メナルディが、ドラゴンコートに内通していたのだ。だが、ドラゴンコートの絡んだ事件はすでに解決しているはずだ。灰燼に帰した風の塔が不死鳥のごとく甦った今、思い出したくない過去ともようやく決別できると思っていたのに……

なぜ、こんなところに突然、ドラゴンコートの紋章が出現したのだろうか？

思わず力の入った左の膝に痛みが走る。紋章は急いで描かれたもののようだ。本物を真似て描いた雑な絵だ。

バルサザールは肩越しにのぞき込んだ。「拡大鏡を使って調べたところ、蛍光塗料の下に、修復用の接着剤が一滴落ちていました。つまり、この模様は最近描かれたものです。おそらく、この一週間以内のことでしょう」

「さっき話に出た泥棒……」ヴィゴーはバルサザールの話の最初を思い出しながらつぶやいた。「おそらく、ただのこそ泥ではなかったのでしょうね」

ヴィゴーは左の膝をさすった。この紋章はとてつもなく重要な意味を持っている。脅迫か、あるいは警告か。それとも、ヴァチカン内部に潜むドラゴンコートの新たなスパイに向けたメッセージかもしれない。ヴィゴーはバルサザールに呼ばれた時の言葉を思い返していた。「実に恐ろしい、それでいて実に素晴らしい発見がありました」……この竜の姿を見れば、実に恐ろしい発見が何だったか、容易に推測はつく。

ヴィゴーは振り返った。「確か君は、実に素晴らしい発見があったとも言っていたはずだが」

バルサザールはうなずいた。後ろに手を伸ばして、収納室の扉を開ける。外の光が室内に差し込んできた。それと同時に、蛍光塗料で描かれた竜は姿を消した。まるで太陽の光を避けているかのようだ。

竜の紋章が消えたのを見て、ヴィゴーは大きく息を吐いた。

「これを見てください」バルサザールはヴィゴーの隣に膝をついた。「さっきの竜の模様が描かれていなかったら、これに気がつかなかったかもしれません」

バルサザールは片方の手のひらを床につけて身体を支え、もう一方の手を前方に伸ばした。指で床の上をなぞっている。「拡大鏡を使わなかったら見つけられなかったでしょうね。蛍光塗料を調べていた時に、たまたま目に入ったのです。あなたがいらっしゃるのを待つ間、何世紀もの間にたまった汚れやほこりを、彫った線から掻き出しておきました」

ヴィゴーは石の床に目を凝らした。「彫った線とは何のことだ？」

「もっと顔を近づけてください。ほら、手で触るとわかるでしょう」

神経を集中させながら、ヴィゴーはバルサザールの言う通りにした。確かに、目で見るだけではよくわからないが、指先でなぞるとはっきり感じることができる。盲人が点字を読む時の要領だ。石の上に、何かがかすかに彫られている。

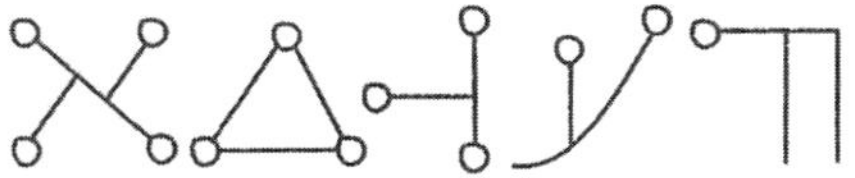

バルサザールの説明がなくても、ヴィゴーにはこの模様がかなりの年代をさかのぼるものだとわかった。科学記号のように直線的な模様だが、これは物理学者の手によるメモとはまったく違う。法王庁キリスト教考古学研究所の前所長だったヴィゴーは、この模様の意味をすぐに理解した。

バルサザールもヴィゴーの反応に気づいたようだ。声を落とすと、まるで秘密の計画を練る時のような小声で話しかけてくる。「これは本当に例のものなのでしょうか？」

ヴィゴーは身体を起こすと、指先に付着したほこりを払い落とした。「ヘブライ語よりもさらに古い文字だ」彼は小声で答えた。「俗に言われている話を信じるとすれば、人類最初の文字ということになる」

「でも、なぜそんな文字がここに？　いったい何を意味するのですか？」

ヴィゴーは首を横に振ると、床をじっと見つめた。もう一つの疑問が頭に浮かぶ。再び竜の紋章が見えてきた。だが、紫外線に照らされて光を発した紋章ではない。彼の心の目に映った、彼の懸念が照らし出した竜の姿だ。石の床の上に、竜はとぐろを巻いていた。床に彫られた文字の周りで、まるで文字を守っているかのように。

ヴィゴーはバルサザールの説明を思い返していた。「竜の模様が描かれていなかったら、これに気がつかなかったかもしれません」……竜は古い文字を守っているのではなく、文字に光を当てよという意味なのではないだろうか？　文字の謎を解明せよという合図に違いない。

しかし、誰に向けた合図なのだろうか？

弧を描いた竜の姿を思い浮かべているうちに、ヴィゴーは再びジェイコブのことを思い出していた。自分の腕に抱かれたまま、焼けただれて煙を上げているジェイコブの身体の重みを、まるで昨日のことのように覚えている。

その瞬間、ヴィゴーは真実を悟った。このメッセージは別のドラゴンコートのスパイに向けられたものではない。アルベルト前館長のような別の裏切り者に宛てたものではないのだ。ドラゴンコートの歴史と密接な関係のある人物へ、その重要性を理解できる人物へと呼びかけたメッセージだ。

つまり、自分へ向けられたメッセージなのだ。

しかし、なぜだ？　いったいどんな意味が込められているのだ？

ヴィゴーはゆっくりと立ち上がった。その答えを知るうえで力になってくれる人物がいる。その人物とは、この一年ほど連絡を取らずにいた。特にその必要がなかったからだ。その男性が自分の姪と別れたとあっては、なおさら連絡をするのに気が引ける。だが、姪の元恋人だからという理由だけで連絡を絶っていたわけではなかった。その男性は、この塔と同じで、ここで起こった血なまぐさい事件を思い出させる存在だった。忘れてしまいたい過去と、深く関わりがある人物だったからだ。

しかし、ほかに打つ手はないように思われる。

竜の紋章は脳裏から消えてくれない。恐ろしい警告を発し続けている。

ヴィゴーには助けが必要だった。

七月四日午後十一時四十四分
メリーランド州タコマパーク

「グレイ、キッチンのごみを捨ててきてくれない？」

「ああ、すぐにやるよ」

グレイ・ピアース隊長は居間でサム・アダムズの空き瓶を手に取った。両親の主催した建国記念日を祝うパーティーで空けた何本目のビールだろうか。小脇に抱えたプラスチック製のごみ箱に瓶を投げ入れる。そろそろパーティーもお開きの時間を迎えつつあった。

グレイは腕時計を見た。そろそろ日付が変わろうとしている。

部屋の入口近くのテーブルに置いてあった二本の空き瓶も集めると、グレイは開け放たれた玄関の扉の前で立ち止まった。網戸を通して吹き込んでくる夜風が気持ちいい。夜の空気にはジャスミンの香りが漂っている。近所で打ち上げられた花火の煙のにおいも混じっている。遠くの方からは、もう深夜だというのに、口笛や歓声とともにまだ花火の音が響いてくる。キッチンの裏手の方から、犬の鳴き声が聞こえた。花火の音に反応しているのだろう。

両親の住むクラフツマン風の住宅のポーチには、数人の客しか残っていない。ブランコに腰掛けたり手すりにもたれたりしながら、メリーランド州特有のうだるような日中の暑さの後に訪れたさわやかな夜を楽しんでいる。全員がポーチに集まって、近所で打ち上げられる花火に歓声をあげたのは三時間ほど前のことだ。花火が終わると、出席者は三々五々、家路に就き始めた。残っているのは、三度の食事よりもパーティーが好きな人たちばかりだ。

グレイの上司のように。

ペインター・クロウ司令官はポーチの柱に寄りかかりながら、大学でグレイの母の助手を務めている男性と熱心に話し込んでいる。気難しそうな顔をしたその若者はコンゴ出身の留学生で、奨学金を受けてジョージ・ワシントン大学に在籍中だ。ペインターは男性の故国コンゴの不安定な政情について、さかんに質問を浴びせていた。パーティーの席でも、シグマフォースの司令官は世界各国の情報収集に余念がない。

そんな彼だからこそ、司令官として有能なのだ。

シグマフォースとは、米国国防総省の調査・開発を管轄するＤＡＲＰＡ（米国国防総省防衛高等研究企画庁）直属の機密部隊のことだ。隊員たちは、合衆国の安全保障にとって重要な科学技術の保護あるいは破壊を任務とする。秘密裏に選抜された元特殊部隊の精鋭たちは、各分野の博士課程を徹底的に叩き込まれ、科学技術の知識を有した工作員から成る戦闘チームを構成していた。グレイの友人でもあり同僚でもあるモンク・コッカリスが冗談交じりに使う表現を借りれば、彼らは「殺しの訓練を受けた科学者たち」ということになる。

そのようなチームの司令官としての責任が双肩にかかっているため、今夜のペインターが唯一心を許せる相手は、ポーチの手すりに置いたシングルモルトのスコッチだけのようだ。一晩中、ペインターはスコッチのグラスを大事そうに抱えて飲んでいる。グレイの視線に気づいたペインターは、網戸越しにグレイに向かってうなずいた。

濃い色のスラックスにしっかりとアイロンをかけたシャツというういでたちのペインターは、ろうそくのともったカンテラの明かりにぼんやりと照らされると、まるで石像が立っているように見える。ややのっぺりしたその顔つきからは、先住民の血が半分混じっていることが見て取れる。

グレイは司令官の顔を凝視しながら、その表情の裏にある苦悩を読み取ろうとした。司令官の感じている重圧は痛いほどよくわかる。現在、シグマは国家安全保障局（ＮＳＡ）とＤＡＲＰＡの内部監査を受けている最中で、しかも東南アジアからは集団感染の情報が入り始めている。そんな中、地下深くにあるシグマの司令部以外の場所で気分転換を楽しむ司令官の姿を見るのは、グレイにとってもうれしいことだった。

たとえ、今夜一晩だけのことだとしても。

それでも、司令官の頭の中から任務の二文字が消えることはないのだろう。

そんなグレイの思いが聞こえたかのように、ペインターは身体を伸ばすと、ポーチの手すりから離れて玄関の方へとやってきた。「そろそろ失礼するよ」ペインターはグレイに声をかけながら、腕時計に目をやった。「司令部に寄って、リサとモンクが無事に到着したか確かめないとな」

リサ・カミングズとモンク・コッカリスの両名は、インドネシアの島々で発生した病気の調査のために派遣されていた。二人の科学者は、世界保健機構（ＷＨＯ）の調査に随行するために、今朝アメリカを発ったところだった。

グレイは網戸を開けて外に出ると、ペインターの手を握った。司令官がリサとモンクの居場所を気にかけているのは、任務遂行のための指示を与える必要からだけではないことくらい、グレイは十分承知していた。恋をしている男性の見せる不安そうな表情が、ペインターの顔に浮かんでいる。

「リサなら大丈夫ですよ」グレイはペインターを安心させようと声をかけた。このところ、ペインターとリサの二人は常に行動を共にしていたので、離れていると心配なのだろう。「もっとも、彼女が耳栓を忘れていると大変なことになりますね。モンクのいびきときたら、震動でジェット機のエンジンが落ちかねないほどですから。そうそう、いびき男の話で思い出しましたが、何か知らせが入っていたら、キャットにも——」

　ペインターは片手を上げてグレイを遮った。「キャットなら、私のブラックベリーに夕方以降だけで二回も問い合わせをしてきたよ。何か連絡は入っていないかってね」ペインターはグラスに残ったスコッチを飲み干した。「知らせが届いたら、彼女にはすぐに伝えるよ」

「たぶん、司令官よりも先にモンクから連絡が入るんじゃないですか。なにしろ二人の女性が待っているんですから」

　やや疲れた表情を見せながらも、ペインターは笑みを浮かべた。

　三カ月前、キャットとモンクの間に新しい家族が生まれた。体重二千八百グラムの女の子で、名前はペネロペ・アン。今回の東南アジア行きが決まった後、モンクはこれでようやくおむつの交換と真夜中にミルクを飲ませる任務から解放されると冗談を言っていた。だが、そんな言葉とは裏腹に、妻と子供と離れ離れに過ごすのが友人にとっては何よりもつらいことなのを、グレイはわかっていた。

「今夜はわざわざいらしてくださってありがとうございます、司令官。明日の朝、またお会いしましょう」

「ご両親にもよろしく伝えておいてくれ」

　その言葉を聞いて、グレイは家の左手の方、裏手にある離れのガレージの方角から漏れてくる明るい光に目を向けた。しばらく前に、父はガレージに入ったきり、出てこなくなってしまっていた。今夜爆発したのは、表通りの花火だけではなかった。近頃、アルツハイマーの症状が進行し、相手の名前を忘れたり同じ質問を何度も繰り返したりすることが増えるにつれて、父は人との付き合いをますます避けるようになってきている。今夜もそんないらいらが募ったせいで、ついには父親と息子との間で言い争いになった。その後、父は憤然として家から出て行くと、ガレージ兼工房にこもってしまったのだ。

この頃は、父がガレージにこもる時間が増えてきているようだ。それは周囲の人々との関係を煩わしく思っているためではなく、むしろ守りを固めているためなのではないだろうか、グレイはそんな気がしていた。自分自身が少しずつ失われていく中、残っているものを守るために一人きりになれる場所を求めている父。木工用かんなで削ったオークの削りかすや、ねじをきつく締める動作に、安らぎを求めている父。だが、このように自らの心に向かい合おうとする一方で、父の目の奥にある恐怖の色が日に日に濃くなっていることを、グレイは否定することができなかった。

「伝えておきます」グレイは小声で応じた。

ペインターが帰るのに合わせて、最後まで残っていた数人も家路に就き始めた。グレイは一人ひとりと挨拶を交わした。家の中をのぞいて母に声をかけてから帰る人もいる。やがてポーチに残ったのはグレイだけになった。

「グレイ！」家の中から母の声がする。「ごみをお願い！」

ため息をつきながら、グレイは身体をかがめ、空き瓶や空き缶、プラスチックの容器などが入ったごみ箱を手に取った。母の後片付けを手伝ってから、少し離れたところにある自分のアパートまで自転車で帰る予定だった。網戸が閉まったのを確認してポーチの電気を消すと、グレイは木の廊下を歩いてキッチンへと向かった。食器洗い機の音が聞こえる。シンクからはフライパンのぶつかる音がする。

「母さん、あとは僕がやるよ」キッチンに入るとグレイは声をかけた。「もう休んだら？」

シンクで洗い物をしていた母が振り返った。ネイビーブルーのコットンのスラックスに、白いシルクのブラウス。チェック柄のエプロンは水で濡れている。今夜はずっと客の相手をしていたのだから、疲れて見えるのは仕方がない。しかし、このところグレイは、母が年を取ったと痛感することがよくある。今もそうだ。キッチンで洗い物をしているこの白髪混じりの女性は、いったい誰だろう？

その瞬間、母から濡れたタオルを投げつけられて、グレイは我に返った。

「いいからごみを捨ててきてちょうだい。こっちはもうすぐ終わるから。ついでに、お父さんにそろそろ家に戻るように言ってきて。夜通し作業をやられたら、お隣のエデルマンさんもさすがにいい顔はしないわ。そうそう、バーベキューで残ったチキンをラップにくるんでおいたから、ガレージの冷蔵庫に持っていってくれない？」

「いっぺんには全部持てないよ」グレイは片手にごみのいっぱい詰まったビニール袋二つを持ち、もう一方の手には空き瓶の入ったごみ箱を抱えていた。「すぐに戻るよ」

グレイはお尻を使って裏口の扉を押し開け、薄暗い裏庭に出た。足元に注意しながら、二段の石段を下り、ガレージの横に並べられた生ごみ用のごみ箱へと向かう。無意識のうちに、グレイは空き瓶がぶつかって音がしないように、ゆっくりとした足取りで歩いていた。だが、レインバード社製のスプリンクラーにまでは頭が回っていなかった。

つまずいた拍子にバランスを崩し、小脇に抱えたごみ箱の中の空き瓶が大きな音を立てる。裏の家のスコッチテリアが鳴き声をあげた。

しまった……

ガレージの中から、父の大声が聞こえてきた。「グレイか？　もしそうなら……ちょっと手を貸してくれ！」

グレイは一瞬ためらった。すでに今夜は一度、怒鳴り合い寸前の言い争いをしている。真夜中になって第二ラウンドのゴングなど聞きたくない。ここ数年、父とグレイとの関係は比較的平穏だった。グレイが十代の頃からずっと疎遠な時期が続いていたのだが、最近はようやく共有できる話題を見つけられるようになっていた。ところが先月頃から、認識力テストの結果が再び悪化し始めると、無口な父は以前のようにすぐに癇癪を起こすようになった。

「おい、グレイ！」

「ちょっと待ってくれよ！」グレイはビニール袋をふたの開いた生ごみ入れの中に入れると、空き瓶の入ったプラスチックのごみ箱をその横に置いた。気持ちを落ち着かせてから、まぶしい明かりの漏れるガレージの扉の方へと向かう。

おがくずと作業用のオイルのにおいが鼻をつく。グレイの頭の中に、過去の嫌な思い出がよみがえってきた。〈さっさとその帯金を取ってくれ、この役立たず……二度とこの道具に手を

出せないようにしてやる……そんなところでもたもたされたら邪魔でかなわん……〉

父は床に膝をついて座っていた。そのそばには、コーヒーの空き缶に入っていた長さ五センチほどの釘が、床一面に散らばっている。父は釘を一本ずつ手に取って確認していた。グレイは床に血がついていることに気づいた。父の左手から出血している。

グレイがガレージに入ってくると、父は顔を上げた。蛍光灯に照らされた父の顔を見ると、自分と父は血がつながっているという事実を思い知らされる。青い瞳は同じような冷たさをたたえている。深い顔の彫り、とがった頬骨と窪みのある顎は、ウェールズ系の証だ。誰が見ても一目瞭然だろう。グレイは父の血を色濃く受け継いでいる。グレイの髪はまだ黒々として艶があるが、すでに数本の白髪が生えてきたのも、やはり父の血を引いている証拠なのだろうか。

血のついた手に目をやりながら、グレイは父に歩み寄ると、ガレージの奥にある洗面所を指差した。「洗ってきたら」

「おまえに指図される覚えはない」

グレイは言い返そうとして口を開きかけたが、思い直すと父を手伝うためにかがんだ。

「いったいどうしたの？」

「木ねじを探していたんだ」父は切り傷のついた手で作業台の方を示した。

「でも、これは釘じゃないか」

父はグレイをにらみつけた。「見事な推理だな、ホームズ君」父の目には怒りが見て取れる。かろうじて怒りの爆発を抑えている状態だ。だが、その怒りの矛先はグレイに向けられたものではない。

その事実に気づくと、グレイは何も言わずに釘を拾い集め、缶の中に戻した。父は両手をじっと見つめている。血のついた手と、血のついていない手を。

「父さん？」

父は頭を振ると、しばらくしてから静かにつぶやいた。「くそったれめ……」

グレイは黙って作業を続けた。

グレイが子供の頃、父はテキサス州の油田で働いていた。だが、作業中の事故で片足の膝から下を切断して身体が不自由になり、油田労働者は主夫としての生活に甘んじることとなった。そんな父がやり場のない不満のはけ口として選んだのが、息子のグレイだった。父の目にグレイは、いつも何かが足りない男、自分の望むような一人前の男には決してなれない息子としか映っていなかった。

ただ両手を眺めているだけの父の姿を見て、グレイはある事実に思い当たった。これまでずっと、父の怒りは自分自身に向けられていたのではないだろうか。今と同じように。息子が一人前の男になれないことを不満に思っていたのではない。自分自身が一人前の男ではなくなってしまったことに対して、怒りをぶつけていたのではないだろうか。そして今、今度はアルツハイマーが、そんな半人前の男さえも奪い去ろうとしている。

グレイは父にかけるべき言葉を探した。

だが、グレイの思考はオートバイの轟音に遮られた。家の前の通りを、タイヤの音をきしらせながら近づいてくる。アスファルトにはタイヤの跡がくっきりとついているに違いない。

グレイは立ち上がると、コーヒーの空き缶を作業台の上に置いた。父は乱暴なドライバーに向かって悪態をついた。おそらく、どこかのパーティーで飲みすぎた酔っ払いだろう。それでも、グレイは素早く腕を伸ばしてガレージの明かりを消した。

「おい、いったい何を――？」

「伏せて」グレイは指示した。

嫌な予感がする……。

オートバイが姿を現した。大型の黒いヤマハのＶＭＡＸだ。斜めにスキッドしながら、視界に入ってくる。ヘッドライトがついていない。グレイの心に引っかかっていたのは、そのことだった。ヘッドライトが点灯していれば、エンジン音と同時に、家の前の通りに光が見えたはずだ。だが、オートバイは明かりを消したまま走っていたのだ。

スピードを落とすことなく、オートバイは斜めに滑っていく。グレイの両親の家に通じる私道へ進入するためにハンドルを切ったと同時に、後部タイヤの下から煙が上がる。一瞬動きが止まったかのように見えたが、バランスを立て直すと、オートバイは家に向かって急発進した。

「何を考えているんだ！」父は大声をあげた。

運転手はハンドルを切った後で体勢を立て直すのに失敗した。車体が上下に揺れ、縁石に接触し、バイクが大きく横に傾く。運転手は必死にハンドルを操ろうとしたが、今度は後部タイヤのフェンダーがポーチへと上る段の端に触れた。

オートバイは横倒しになって、真っ赤な火花をまき散らしながら滑っていく。建国記念日を祝う花火が再び打ち上げられたかのようだ。投げ出された運転手は、空中で一回転すると、ガレージの入口からそれほど遠くない場所に仰向けに落下した。

私道の方に目を向けると、バイクのエンジンが咳き込むような音を立てて停止した。

最後の火花が散る。

ポーチの前は闇に包まれた。

「いったい何事だ！」父は声を荒らげた。

グレイは父の方に手のひらを向けて、ガレージから外に出ないよう合図をした。もう片方の手で、足首に装着したホルスターから九ミリ口径のグロックを取り出す。グレイは倒れたままの人影へと歩み寄った。全身、黒ずくめだ。レザーのコートも、スカーフも、ヘルメットも。

かすかなうめき声が聞こえて、グレイは二つのことを悟った。運転手はまだ生きている。もう一つ、運転手は女だ。横向きに身体を丸め、うずくまったまま動かない。レザーのコートが裂けている。

母が家の裏口から顔を出した。騒音を耳にして驚いたのだろう。明かりに照らされた姿が見える。「グレイ……？」

「そのまま動かないで！」グレイは母に声をかけた。

倒れた運転手に近づきながら、グレイはバイクの傍らに何かが転がっていることに気づいた。

私道の白いセメントの上に、黒い物体がはっきりと確認できる。黒い石でできた太い柱のようだ。転倒の衝撃で割れてしまっている。黒い断面の中から、月明かりに照らされて金属の芯が輝いていた。

　だが、運転手のそばへと歩み寄ったグレイの目をとらえたのは、もう一つの銀色の輝きだった。

　女の首に巻かれた小さなペンダント。

　竜の形をしている。

　グレイはその竜に見覚えがあった。自分も同じペンダントを身に着けている。かつての敵からの贈り物。また出会う時があるという、警告でもあり、約束でもある印。

　グロックを握るグレイの手に自然と力が入る。

　肩を下にした姿勢から仰向けになると、女は再び小さなうめき声を発した。白いセメントの上を、血が流れている。黒い一筋の線が、きれいに刈られた裏庭の芝生の方へと伸びていく。

銃弾の貫通した生々しい傷口が見える。

　女は背後から撃たれたのだ。

　女は片手を上に伸ばし、ヘルメットを外した。見覚えのある顔が現れた。苦痛に表情を歪めながら、乱れた黒髪の間から、グレイの顔を見つめている。日に焼けた肌と、細くてやや吊り上がった目。ユーラシア系のこの女性の正体は……

「セイチャン……」グレイはつぶやいた。

　女はグレイの方へと苦しそうに片手を伸ばした。「ピアース隊長……助けて……」

その声からは、身体に負った傷の痛みがはっきりと伝わってくる——それと同時に、グレイはこの冷徹な暗殺者の口から耳にするとは予想もしていなかったものを聞き取っていた。

セイチャンは何かを恐れている。

2　血塗られたクリスマス

七月五日　午前十一時二分
クリスマス島

〈ビーチでのんびりといきたい気分なんだが……〉

モンク・コッカリスはガイドの後をついて狭い砂浜の上を歩いていた。二人とも同じバイオ3の防護服を着用している。南の島の浜辺を散策するのにふさわしい服装とはとても言えない。モンクは防護服の下にボクサーパンツしかはいていない。それでも、密閉されたプラスチック製の防護服の内部には、じわじわと熱気がこもってくる。モンクはもっと薄着にすればよかったと後悔していた。高く昇った太陽の強烈な光を手でかざしながら、周囲の悲惨な光景に目を向ける。

クリスマス島の西海岸では、おびただしい数の死体が浜に打ち上げられ、波間に揺れていた。深海の底から地獄が這い上がってきたかのような光景だ。砂浜に山のように積み上げられた魚の死骸は、昨夜の満潮時の波打ち際を表している。その中でもひときわ大きく盛り上がっているのは、サメ、イルカ、ウミガメなどだ。コセミクジラの死骸も見える。ただし、それぞれの個体を識別するのは困難な状態だった。肉や鱗が溶解して一体となり、骨と腐敗した細胞とが異臭を発する大きな塊と化しているためだ。苦しそうに身体をよじった数十羽の海鳥の死体も、砂浜や海面に点々と広がっている。魚の死骸を餌にした結果、同じ毒でやられてしまったのだろう。

すぐ近くにある岩穴から、大きな音とともに変色した海水が勢いよく噴き出している。呼吸困難に陥った海が、苦しそうに息を吐いているかのような光景だ。

首をすくめて水しぶきの下を通りながら、二人は海岸沿いに北へと向かった。波とともに打ち寄せられる死骸と、ジャングルに覆われた切り立った崖との間の、わずかな砂地をたどっていく。

「船に戻ったら、シーフードのバイキングコーナーにだけは近寄りたくないね」モンクは防毒マスクを通してかすれた声でつぶやいた。防護服に付属の酸素マスクをこれほどありがたく思ったことはない。海洋生物の墓場と化したこの浜辺に、どれほどの悪臭が漂っているか、想像するだけでも吐き気がする。

島の反対側に錨を下ろしたクルーズ船の船内にとどまっているドクター・リサ・カミングズがうらやましく思えてくる。「海の女王号」はフライングフィッシュ・コーブに停泊していた。西海岸の死の海から漂って島を覆っている不快な空気の届かない、風上に位置する入り江だ。

しかし、悪臭から逃れられなかった人々もいた。

夜明けとともに船でクリスマス島に到着したモンクは、島から避難する何百人もの男性、女性、子供たちの姿を目の当たりにした。全員が何らかの症状を呈していた。目が見えなくなった者、軽い水疱のできた者、膿疱でただれた皮膚が剝がれかかっている者。空気中の有毒物質の量を示す数値は急速に減少しつつあったが、念のために全島に避難命令が出されていた。

巨大な豪華客船「海の女王号」は、インドネシアの島々を巡る処女航海中、クリスマス島での緊急事態の発生を受けて航路を変更し、乗客を下船させたうえで臨時の病院船となっていた。同時に、周辺海域で突如発生した毒物汚染の原因と感染源の調査のため、WHOから派遣されたチームの作戦本部としての機能も果たすことになった。

今、モンクが浜辺を歩いているのも、悲劇の起こった現場に何か手がかりが残されていないかを調査するためだった。船内では、医師としてのリサの知識と経験が大いに役に立つ。一方、モンクがこの汚水槽のような海をさまようことになったのも、彼の専門知識を生かすためだ。モンクは法医学および法生物学が専門のため、今回のシグマの任務には適任だった。作戦そのものは、危険性が低いと見なされていた。単なる調査なので、育児休暇が明けて三カ月ぶりに復職したモンクの身体慣らしに適当との判断が下されたのだった。

モンクは家族のことを考えないようにした。魚の死体に埋もれた浜辺は、可愛い娘に思いを馳せるのにふさわしい環境とは言えない。それでも、どうしても娘の顔が頭に浮かんでくる。ペネロペの青い瞳、ぷにゅぷにゅのほっぺた、ブロンドの髪が放つきらめき。スキンヘッドでいかつい顔をした自分の娘とは、とても信じられない。あんな美しい命が、自分の遺伝子を受け継いでいるなんて。もっとも、その方面では妻の遺伝子がかなり幅を利かせているのだろう。このような場所にいても、胸の高鳴りを抑えることができない。二人を抱き締めたいという思いを抑えることができない。三人の間に存在する血のつながりが、ペネロペと妻を結んでいたへその緒のような紐になって、自分の身体に何重にも巻きついているような気がする。これほどの幸せをかみしめることができるなんて、夢にも思っていなかった。

前方に目を向けると、ガイド役を務めているドクター・リチャード・グラフが片膝をついている。クイーンズランド大学出身の海洋調査官で、まさに海の男という印象を受ける人物だ。彼はモンクの本当の身分を知らない。専門知識を買われてＷＨＯの調査に同行することになった普通の医師だと思っている。グラフはプラスチック製のサンプル収集容器を平らな岩の上に置いた。顔面を覆うマスクの奥に、顎ひげを生やした顔が見える。その表情からは、専門家ならではの懸念と集中力がありありとうかがえる。

そろそろ仕事へと頭を切り替えなくてはいけない。

二人はゾディアック社のゴムボートでこの島に上陸した。ボートを操縦したオーストラリア海軍の兵士は、動物の死骸が打ち上げられた海岸から離れた安全な浜辺で待機している。オーストラリア沿岸警備隊からカッターが一隻派遣され、クリスマス島の全島避難の指揮を執っていた。

パースの北西約二千四百キロに位置するクリスマス島は、現在もオーストラリア領だ。一六四三年のクリスマスに発見されたこの島は、当初は無人島だったが、リン鉱石に目をつけたイギリス人が入植を始め、インドネシアの島々から徴用された労働者たちによって大きなリン鉱山が開かれた。鉱山は現在も採掘が行なわれているが、熱帯に位置するこの島は今では観光に大きく依存している。島の面積の四分の三を占める高地は熱帯雨林で覆われ、オーストラリアの国立公園に指定されている。

だが、この島が観光客でにぎわう姿は、しばらく見られないだろう。

モンクはドクター・グラフの隣に歩み寄った。

モンクが近づいてきたのに気づくと、グラフは手袋をはめた手で大量死の現場を指し示した。

「地元の漁師たちの話によると、異変が起こったのは四週間少し前のことらしい」彼は説明を始めた。「殻だけになったロブスターが大量に罠にかかるようになったそうだ。エビの身が溶けてしまっていたらしい。海から引き揚げた網に触れると、手に水疱ができた。それ以降、状況は悪化の一途をたどっている」

「ここでいったい何が起こったのだろう？　ある種の毒物の流出かな？」

「毒物なのは間違いないな。だが、流出程度ではこれほどの被害は出ないよ」

グラフは「有毒化学物質」の文字が書かれた黒い袋の口を開きながら、近くの波打ち際を指差した。海水は黄色く濁って泡立っている。まるで肉と骨を煮込んだ毒入りシチューのようだ。

グラフは大きく腕を振った。「これはすべて、母なる大自然の仕業だよ」

「どういう意味だい？」

「我々が目の当たりにしているのは変性菌さ。シアノバクテリアと呼ばれる種だな。現在のバクテリアや藻類の祖先と言われている種類だ。三十億年前、地球上の海にはこの変性菌がうようよしていた。それが今、再び増殖を始めている。私がここに呼ばれたのはそのためさ。専門分野がその手の生物だからね。グレートバリアリーフの近くで、そうした細菌の大量発生を調査している。特に『ファイヤーウィード』と呼ばれるやつが専門なんだ。藻類とシアノバクテリアの合いの子のような生物で、我々がランチを食べに出かけているような短い時間で、サッカー場を覆いつくすほど増殖する。そいつらときたら、十種類もの生体内毒素を放出するし、その強さといったら皮膚に水疱ができるほどだ。乾燥すると空気中を浮遊し、それが目に入ったりしたら催涙スプレーを吹きかけられたように痛いんだ」

モンクは島内最大の町であるセトルメントの惨状を思い出していた。この湾からそれほど遠くない場所にあり、貿易風の通り道に位置している。「ここでもそいつが悪さをしていると言うのかい？」

「あるいは、それと似たような種類の何かだろう。ファイヤーウィードなどのシアノバクテリアは、世界各地の海で今も大量発生している。ノルウェーのフィヨルドでも、グレートバリアリーフでもだ。魚や、珊瑚礁や、海洋性の哺乳類が死滅する一方で、こうした恐竜以前の変性菌が、毒クラゲなどとともに増殖を続けている。まるで進化が方向転換したような感じだな。海が原始のスープへと退化しているんだ。まあ、自業自得だけどな。肥料や産業廃棄物や家庭からの廃水を垂れ流しにしているから、大河の河口や三角州は汚染される一方だよ。過去五十年間の乱獲で、大型魚の個体数は十分の一にまで減少してしまっている。そのうえ、気候変動によって海水が酸性化して、水温も上昇しているから、海水中の溶存酸素量が減少して海洋生物は窒息する。人間が海を殺しているんだ。すでに取り返しのつかない状況になっているのかもしれない」

　力なく首を振りながら、グラフは死体の浮かぶ海面を眺めた。「その結果、海は何億年も昔の姿に戻りつつあるのさ。バクテリアや有毒な藻類、毒クラゲの支配する海だ。そんな死の海は、世界中で確認することができる」

「でも、ここで起きていることの原因は何なんだ？」

　それを調べるために、各国から大勢の研究者が集結している。

　グラフは首を横に振った。「新しい、未知の変性菌だ。まだ我々が見たことのない種類だろう。そこが怖いんだよ。海洋生物の生体内毒素や神経毒は、自然界で最も強力な毒なんだ。人間の力をもってしても複製することができないほどすさまじい威力を持っている。ある種の甲殻類に含まれるサキシトキシンというバクテリアは、国連によって大量破壊兵器に指定されているほどさ」

　フェイスマスクを通して海を見つめながら、モンクは顔をしかめた。「母なる大自然というのは、とんでもない性悪女だな」

「最強のテロリストだよ。へたにちょっかいを出さない方がいい」

　モンクも同意見だった。

　生物学の講義が終わったところで、モンクは身体をかがめて採集器具の準備を手伝った。分厚い手袋のせいで器具をつかむのも一苦労だ。そのうえ、左手の感覚がないから余計に始末が悪い。以前の任務で左手首から先を切断したモンクは、ＤＡＲＰＡが最先端の科学技術の粋を集めて作った五本指の義手を装着している。だが、電子装置の組み込まれた機械と、生身の肉体とでは違う。注射器を砂の上に落としてしまい、モンクは舌打ちをした。

「気をつけて扱ってくれよ」グラフは注意を与えた。「防護服に針で穴を開けたら大変だぞ。少なくとも、ここでそんな目には遭いたくないな。有毒物質の数値は減少しているとはいえ、慎重には慎重を期すべきだ」

モンクはため息をついた。暑苦しい防護服を脱いで、船に戻り、自分の船室に帰るのが待ち遠しい。アメリカからの移動中に、モンクは各方面と連絡を取り、法医学的な検査に必要な装置と器具の一式をクルーズ船に空輸させていた。さっさと船に戻りたいものだ。

だがその前に、研究用のサンプルを入手しなければならない。それも大量にだ。血液、体組織、骨。魚からも、サメからも、イカからも、イルカからも、採取する必要がある。

「変だな」グラフはつぶやいた。立ち上がって、砂浜を見回している。

モンクも立ち上がった。「どうした？」

「この島に最も多く生息している生物はゲカルコイデア・ナタリスだ」

「普通の名前で呼んでくれよ」

「陸生のアカガニのことさ」

モンクは死体で埋もれた海岸線に目を凝らした。この島の動植物相については一通り頭に入っている。クリスマス島のアカガニはこの島の目玉とも言うべき生き物だ。成長するとディナー用の大皿くらいの大きさになる。年に一度の産卵期に見られるアカガニの大移動は、自然界の驚異の一つに数えられている。毎年十一月になると、太陰周期に合わせて、数億匹にものぼるアカガニがジャングルから海へといっせいに移動を始める。それを目当てに集まってくる海鳥から逃れて無事に海へとたどり着いたカニは、いっせいに交尾を行なうのだ。

グラフは説明を続けている。「アカガニは腐肉が大好物なんだ。これだけ大量の死体が転がっているんだから、アカガニが集まってきても不思議ではない。海鳥のようにね。だが、生きているカニも死んだカニも、ここには一匹も見当たらない」

「たぶん、毒を察知してジャングルに身を潜めているんじゃないのか」

「もしそうだとしたら、毒素の発生源、あるいは毒素を生み出しているバクテリアについて、何らかの手がかりがつかめるかもしれない。もしかすると、アカガニは以前にも同じようなバクテリアの大量発生を経験しているのかもしれないな。抵抗力を持っている可能性もある。いずれにしても、できるだけ早く原因を特定するに越したことはない」

「島の住民を助けるために……」

グラフは肩をすくめた。「もちろんそうだ。だが、もっと大事なのは、その原因が拡散するのを防ぐことだ」黄色く濁った海水をじっと見つめるグラフの声が、次第に不安げな口調へと変わる。「ここで起こっているのは、世界中の海洋学者がずっと恐れていたことの序章に過ぎないのではないか、そんな嫌な予感がするんだ」

モンクはグラフの顔を見たまま、説明を待った。

「自然界のバランスを崩すバクテリアの発生だ。海に生息するあらゆる生物を死滅させてしまう」

「それが本当に起こると言うのか？」

グラフは砂浜に膝をつくと、再び採集を始めた。「もう起こりつつあるのかもしれない」

気の滅入るような宣告を受けた後、モンクは一時間にわたって、小さなガラス瓶、袋、プラスチックの容器などにサンプルを採集した。その間、さらに高く昇った太陽は断崖の上から砂浜を照らし続けた。光が海面に反射する。防護服の内部は蒸し風呂状態だった。モンクの頭の中では、冷たいシャワーと、小さな傘の刺さった冷えた飲み物がちらつき始めた。

二人は海岸線に沿ってゆっくりと作業を進めた。切り立った断崖の近くで、モンクは黒くなった太い線香が何本か砂から突き出ていることに気づいた。小さな仏像の周りを柵で囲むかのように立てられている。海水と砂に長い間さらされていたためだろう、仏像はどこまでが顔でどこからが胴だかわからない状態だ。仏像の上には差し掛け屋根が作られている。屋根の上には鳥の糞が大量に落ちていた。有毒物質の広がりを防ぐために、島民たちは線香を燃やして仏様に力を貸してくれるよう祈りを捧げていたのだろう。

不意に寒気を覚えて、モンクは先へと進んだ。島民たちの祈りは、果たして効果があったのだろうか？

接近してくるボートのエンジン音を耳にして、モンクは海の方を振り返った。砂浜の先の方を見渡す。サンプルを採集しながら、二人はいつの間にか小さな岬を越えていた。ゾディアックのゴムボートは突き出た岩の向こう側にあるため、その姿を確認できない。

モンクは手をかざしながら目を凝らした。オーストラリア軍の兵士が、ゴムボートを岬のこちら側に回そうとしているのだろうか。

グラフもモンクの隣にやってきた。「まだ帰る時間には早いぞ」

ライフルの銃声が海面を伝って聞こえると同時に、青い船体の古いモーターボートが岬の向こう側から勢いよく姿を現した。船の後部には七人の男が乗っており、全員が頭にスカーフを巻いていた。太陽の光を反射して、何挺ものアサルトライフルが輝く。

グラフは声にならない声をあげて後ずさりした。「海賊だ……」

モンクは頭を振った。〈まったく、勘弁してくれよ……〉

モーターボートは向きを変えると、波間を縫いながら二人の方へと向かってくる。

モンクはグラフの防護服の首のあたりをつかみ、太陽の光が降り注ぐ浜辺から身体ごと引っ張った。

海賊行為は世界的に見て増加傾向にあるが、特にインドネシア周辺の海域は昔から海賊の根城として知られている。多くの島々と小さな環礁には、無数の入り江と深いジャングルがある。海賊の温床としては格好の地形だ。しかも、最近発生した大津波の余韻が残る中、混乱と手薄な警備に乗じて、この地域の海賊の数は急増している。

新たに発生した謎の病気という悲劇も、海賊にとっては好都合なのかもしれない。

危急の事態が生じると、この手の輩がどこからともなく現れるものだ。

だが、汚染された波間を横切る危険を冒してまで向かってくる理由は何なのだろうか？　モンクはモーターボートの男たちが、頭のてっぺんからつま先まで、間に合わせの防護服に身を包んでいることに気づいた。この周辺での有毒物質の数値が下がりつつあると耳にして、あえて攻撃を仕掛けてきたのだろうか？

波打ち際から離れながら、モンクは自分たちのゴムボートが待機しているはずの方向に目をやった。ゾディアック社のボートなら、この周辺の闇市場でかなりの値がつくはずだ。高価な検査機器も海賊にとっては魅力的だろう。ゴムボートを操縦していたオーストラリア軍の兵士が応戦をした気配もない。おそらく不意をつかれて、反撃する暇もなく最初の一撃で倒されてしまったに違いない。連絡用の無線を持っているのはその兵士だけだ。モンクたちは完全に孤立してしまった。

モンクはクルーズ船の船内にいるリサの姿を思い浮かべた。オーストラリア沿岸警備隊のカッターが、船の停泊している小さな湾内を巡回している。少なくとも、彼女は安全なはずだ。

問題はこっちだ。

後ろは断崖のために逃げ道はない。両側は遮るもののない砂浜が広がっている。

モンクは崖の下にある大きな岩の陰にグラフを引っ張り込んだ。この砂浜にある唯一の隠れ場所だ。

モーターボートは二人の方へと接近してきた。銃声が再び響く。銃弾が砂浜に開ける穴は、彼らが隠れている場所へと真っ直ぐに向かってくる。

モンクは体勢を低くした。

やはり、ビーチでのんびりすることはできなさそうだ。

午前十一時四十二分

ドクター・リサ・カミングズは、泣き叫ぶ少女の背中に痛み止めの麻酔クリームを塗っていた。母親が少女の手を握っている。マレーシア人の母親は、細い目を不安そうにさらに細めて、小声で声をかける。リドカインとプリロカインを混合して塗布したことで、少女の背中の火傷はかなり痛みが治まった様子だ。大声で泣き叫んでいたのが、すすり泣きに変わっている。

「もう大丈夫ですよ」リサは母親に声をかけた。母親は島内のホテルでウエイトレスとして働いていて、英語を話せると聞いている。「一日三回、抗生物質を飲ませてあげてくださいね」

女性は頭を下げた。「テリマ・カシー。ありがとうございます」

リサはうなずくと、青と白の制服を着た男女の方を指し示した。海の女王号の乗組員たちだ。

「乗組員が、あなたと娘さんを船室にご案内します」

母親はもう一度お辞儀をしたが、リサはもうその顔を見ていない。手袋を素早く外す。屋外プールを備えた甲板にある食堂は、船に収容された全患者のトリアージを行なう場所になっていた。クリスマス島から避難してきた住民は、ここで診察を受け、重症かそうでないか選別される。災害医療の経験がほとんどないリサは、応急処置の担当となった。彼女の助手として、シドニー大学の看護学生が割り当てられている。インド出身でジェスパルという名前の若いやせた男性だ。WHOの医療スタッフにボランティアとして加わっている。

二人は奇妙な組み合わせだった。金髪で色白のリサと、黒髪で褐色の肌をしたジェスパル。だが、二人は長年コンビを組んでいたかのように、てきぱきと作業をこなしていた。

「ジェシー、セファレキシンはまだ残っている?」

「何とか足りそうです、ドクター・リサ」ジェシーは片手で抗生物質の入った大きな瓶を振りながら、もう片方の手で書類に記入している。一度に複数の作業を処理できる人材はありがたい。

緑色をした手術衣のズボンを直しながら、リサは周囲を見回した。治療を待っている患者の姿は見当たらない。食堂内の混乱は収束に向かいつつあった。泣き声や悲鳴が時折聞こえるものの、今のところ彼らの持ち場は一息つける状態にある。

「島民のほとんどは避難を終えたみたいですよ」ジェシーは続けた。「先ほど到着した二艘のボートには、半分ほどしか島民が乗っていなかったと聞いています。港まで距離のある奥地の小さい村の住民たちなのでしょう」

「やれやれだわ」

患者は果てしなく続くかと思われた。午前中だけで百五十人以上に手当てをしただろう。火傷、水疱、激しい咳、下痢、嘔吐、さらには港で転んで手首を捻挫した者までいた。しかし、リサが治療した患者は全体のごく一部に過ぎない。クルーズ船がこの島に到着したのは昨夜のことだが、早朝にリサがヘリコプターから船に降り立った時点で、島民の避難はすでに進行中だった。そのため、リサは休む間もなく治療に取り掛かることになった。海の中にぽつんと浮かぶこの小島には、二千人以上の住民が生活している。船内はかなり混雑しているものの、このクルーズ船ならば全島民の収容が可能だ。もっとも、死者の数が四百人を優に超えているために、余裕があるのもまた事実だった……しかも、死者の数は刻々と増え続けている。

リサは身体を伸ばすと、両腕を自分の身体に回した。この二本の腕が、ペインターの腕ならいいのに。後ろから抱き締めてくれるペインターの頬が、うっすらと生えた無精ひげが、自分の首に当たる感触を想像する。急に疲労を感じて、リサは目を閉じた。ペインターはこの場にいないが、彼のことを思うと力が湧いてくるような気がする。

次から次へと訪れる患者の手当てに没頭している間は、医者として臨床的な判断を下し、感情を挟むことなく治療を施して、次の患者へと注意を向けることができる。

しかし、このように手が空いた状況になると、この島で起こった惨劇の規模に改めて愕然とする。この二週間、病気の発生は小規模だった。直接触れた箇所に火傷のような症状を呈した例が、何件か報告された程度だった。ところがわずか二日の間に、海から有毒な煙が湧き上がるようになり、大規模な発泡性ガスの大噴出によって、島民の五分の一が死亡、残りの五分の四も負傷するという事態に至ったのだ。

有毒ガスの煙は風に吹かれて拡散したものの、負傷者の間に二次的な症状が現れ始めた。インフルエンザ、高熱、髄膜炎、失明などだ。しかも、症状は急速に進行した。今では第三甲板全体が、隔離病棟と化している。

自分はいったいここで何をしているのだろう？

今回の集団感染の知らせを最初に受けた時、リサは自分が適任だと主張し、任務を与えてほしいとペインターに頼み込んだ。医師免許を持っているだけでなく、人間生理学の博士号も取得していたからだ。だが、何にも増して、リサは実地での経験が豊富で、海洋科学にも精通していた。海難救助船「ディープ・ファゾム」に乗り込み、五年間にわたって人間生理学の調査を行なった経験がある。

今回の任務を希望するのは、決して無茶な要求ではなかった。

だが、リサが任務に就きたいと望んだ理由はそれだけではない。

この一年間、リサはワシントンから一歩も踏み出すことができず、次第にペインターのいない生活が考えられなくなっていた。ペインターとの関係が深まり、お互いにかけがいのない存在になっていくのを喜んでいる自分がいる一方で、今回の任務という機会はどうしても逃したくないとの気持ちも強かった。自分自身のためにも、ペインターとの関係のためにも。自分の生活を見つめ直すために、ペインターのもとから離れ、距離を置く時間が必要だったのだ。

〈でも、ちょっと距離を置きすぎたかもしれないわ……〉

鋭い悲鳴を耳にして、リサは我に返ると食堂の入口の二重扉の方に目を向けた。担架に乗せられた男性を、二人の船員が運び込んでくる。男性は苦しそうにもがきながら大声をあげていた。皮膚はただれ、ロブスターの殻のように真っ赤だ。まるで全身を熱湯に浸したかのように見える。船員は男性の乗った担架を、重症患者の治療チームの方へと運んでいく。

反射的に、リサは頭の中で治療法について考えを巡らせた。医師としての自分が戻ってくる。〈ジアゼパムと、モルヒネの点滴が必要ね〉……そう判断を下す一方で、冷たい現実もわかっていた。その場にいる医師全員も同じ意見だろう。苦しむ男性への治療は、緩和処置に過ぎない。苦しみを軽減してやるくらいしか手の施しようがない。担架の上の男性は、助かる見込みがないのだ。

「嫌なやつが来ましたよ」リサの背後でジェシーが小声でつぶやいた。

振り返ったリサの目に、ドクター・ジーン・リンドホルムの姿が映った。真っ直ぐ彼女の方に向かってくる。足と首が長く、もじゃもじゃの白髪が頭の上に乗っているのを見ると、ダチョウを連想してしまう。ＷＨＯのチームのリーダーは、リサの姿を認めるとうなずいた。彼女を探していたのだろう。

いったい何の用があるというのか？

ハーバード卒のこの医師に対して、リサはあまりいい印象を持っていない。リンドホルムはエゴの塊のような男だ。クルーズ船に乗り込んで以来、島民の治療でてんてこ舞いしているほかの医師たちを尻目に、この船のオーナーで変わり者としても有名なオーストラリアの億万長者ライダー・ブラントとともに、船室に引きこもっていた。ブラントは自ら経営に深く関与することで知られており、この船の処女航海にも乗船していた。船がＷＨＯに徴用された時、ほかの乗客とともに下船することができたにもかかわらず、救助活動は格好の宣伝になると考え、船に残ることを自ら申し出たのだった。

リンドホルムは、喜んでそんな億万長者の相手をしていた。

だが、モンクとリサへのリンドホルムの対応は、まったく異なっていた。ＷＨＯチームのリーダーとしては、自分の頭越しに二人の同行を決定されてしまったことが、癪に障っているのだ。もちろん、指示に従わざるをえないことは承知している——だが、快く指示に従うかどうかは、別問題だった。

「ドクター・カミングズ、暇を持て余しているようでちょうどよかったよ」

リサは何か言い返してやりたい気持ちを必死で抑えた。

ジェシーが鼻を鳴らした。

リンドホルムはジェシーの存在に初めて気がついたかのような様子でちらりと視線を送った——だが、まったく反応を見せないまま、リサの方に向き直った。

「君と相棒にも、今回の病気の疫学的な観点からの所見をすべて知らせるように指示があった。ドクター・コッカリスは現地で調査中なので、君にこれを手渡しておこうと思ったわけだ」

リンドホルムはカルテの詰まった分厚いフォルダーを差し出した。クリスマス島にある小さな病院のロゴが見える。オンコールの医師のほかは、常勤の看護師が二名しかいない施設だ。

そのため、病院はすぐに患者であふれ返ってしまい、重症患者はパースの病院へとヘリコプターで輸送された。だが、島内の状況がさらに悪化して患者が大量に発生すると、そんな方法ではとても対処しきれなくなってしまった。クルーズ船の到着後、最初に患者が運び出されたのはその病院からだった。

リサはフォルダーを開いた。患者の名前の欄には「氏名不詳」と記されている。リサは素早くカルテの記述を目で追ったが、あまり多くのことは書かれていなかった。六十代後半と見られるその男性は、五週間前にジャングルの中を裸でさまよっているところを発見された。痴呆と熱射病の症状が見られたという。話をすることすらできず、ひどい脱水症状に陥っていた。その後は子供同然の状態となり、身の回りのことは何一つ自分でできず、食事も看護師が差し出さないと食べられなかったようだ。指紋を照合したり、行方不明者のリストを探したりして男性の身元を突き止めようとしたものの、何一つわからない。そのため、患者は今も氏名不詳のままだという。

リサは顔を上げた。「わからないわ……この男性の記録が、ここで起きていることと何の関係があるのですか？」

大きくため息をついてから、リンドホルムはリサの隣に歩み寄ると、カルテを指先で叩いた。

「主症状と身体所見の記述の下。一番下だよ」

「『中度および重度の日焼け』」リサはつぶやきながら、症状と所見を読み上げていった。一番下の行には、次のように記されていた。「ふくらはぎに日焼けによる第二度の皮膚の火傷、その結果として浮腫と重度の水疱あり」

リサはリンドホルムの方を見た。今日の午前中、同じ症状の患者を何人も治療してきた。

「これはただの日焼けによる火傷ではないわ」

「ところが、島の医師はそのように判断してしまったようだな」リンドホルムは苦虫を嚙みつぶしたような表情で答えた。

島の医師や看護師を責めるのは酷というものだろう。その時点では、周囲の環境が崩壊しつつあることなど、誰も予想だにしていなかったのだから。リサはもう一度日付を確かめた。

五週間前。

「第一号患者が判明したようだな」リンドホルムはまるで自分の手柄であるかのような口調だった。「少なくとも、かなり初期の患者であることは間違いない」

リサはフォルダーを閉じた。「この男性を診察することはできますか?」

リンドホルムはうなずいた。「君を呼びにきたもう一つの理由がそれだよ」だが、そう答えるリンドホルムの声には、不気味な震えがあった。リサは急に不安を覚えた。だが、それ以上は説明せずに、リンドホルムは踵を返すと扉の方へと向かい始めた。「ついてきてくれたまえ」

リンドホルムは食堂を横切り、エレベーターへと向かった。乗り込むとプロムナードデッキへのボタンを押す。第三甲板だ。

「隔離病棟ですか?」リサは訊ねた。

リンドホルムは肩をすくめただけだった。

すぐにエレベーターの扉が開くと、そこは間に合わせの無菌室だった。リンドホルムはリサに向かって、防護服を着用するように合図した。サンプル採集のために出かけたモンクが着ていったのと同じ防護服だ。

リサは防護服を着用した。フードを頭からかぶり、継ぎ目をしっかりと留める。前に着ていた人の体臭が軽く鼻をつく。準備ができると、リサはリンドホルムの後について船室への通路を歩いた。船室の扉は開いており、ほかの医師が入口近くに大勢集まっている。

リンドホルムは大声で道を空けるように指示した。医師たちがさっと通路の脇にどく。上下関係がしっかりしているようだ。リンドホルムはリサを小さな船室へと案内した。船の中央部にある船室で、窓はない。奥の壁沿いにベッドが一つだけ置かれている。

薄い毛布の下に横たわっている人影が見える。やせこけたその姿は、とても生きているようには思えない。だが、リサは毛布がかすかに上下していることに気づいた。弱いながらも、まだ呼吸をしている。毛布の下から突き出た腕には、点滴の管がつながれていた。生気の感じられない腕の皮膚は、ほとんど透明に見える。

リサは反射的に男性の顔を見た。誰かがひげを剃ったようだが、かなり急いでいたのだろう、切り傷の周囲に血がにじんでいる。男性の白髪はわずかしか残っておらず、まるで化学療法を受けている患者のようだ。男性は目を開けていた。リサと視線が合う。

一瞬、リサは男性の目に、自分の存在を認識したかのような影がよぎったのを感じた。ほんのわずかではあるが、何かに驚いたような様子がうかがえる。男性は片手をかすかに持ち上げようとした。

しかし、リンドホルムがリサの視界を遮った。男性が見せた動きを気にもかけずに、毛布を持ち上げて患者の両足をリサに見せる。リサはかさぶただらけになった足を予想していた。今頃は第二度の火傷が治りかけているはずだ。午前中にリサが治療をした患者も、数週間後には同じような状態になる。ところが、毛布の下の男性の足は、つけ根からつま先にかけて紫色の奇妙な傷に覆われ、真っ黒な水疱が点々と見られた。

「さっきのカルテをさらに読んでいけば」リンドホルムは口を開いた。「こうした新しい症状が四日前から現れていたと書いてあったはずだ。病院の医師は熱帯性の壊疽の一種で、火傷した箇所から深部感染を引き起こしたのだろうと判断した。だが、こいつの正体は……」

「壊死性筋膜炎ですね」

リンドホルムは聞こえよがしに鼻を鳴らすと、毛布を元に戻した。「その通り。我々もそう考えている」

壊死性筋膜炎は別名「人食いバクテリア症」とも呼ばれ、通常はβ型溶血連鎖球菌が原因とされる。

「それに対するここでの所見はどうなのですか？」リサは訊ねた。「火傷の跡からの二次感染が原因なのですか？」

「我々の細菌学者に調べさせた。昨夜行なったグラム染色法によれば、プロピオン酸菌が大量に増殖していた」

リサは眉間にしわを寄せた。「それは変ですね。プロピオン酸菌はごく普通に見られる表皮バクテリアです。人体に害はありません。たまたま含まれていただけではないのですか？」

「水疱の中にあれだけ大量に含まれていたのだから、単なる偶然とは考えられない。ほかの体組織も使ってグラム染色法を行なってみた。結果は同じだ。ただ、この二度目の検査の際に、周辺の体組織に奇妙な壊死が発見された。この地域で時折見られるのと同じ型の壊死だ。壊死性筋膜炎とよく似ている」

「原因は何ですか？」

「オニダルマオコゼのとげだ。猛毒を含んでいる。オニダルマオコゼは岩のような形をしているが、背びれに硬いとげを持っていて、そのとげには毒腺がある。自然界に存在する最も強力な毒素の一つだ。組織を検査するため、ドクター・バーンハートに来てもらった」

「毒物学者の？」

リンドホルムはうなずいた。

自然界に存在する毒物および有害物質の専門家であるドクター・バーンハートは、アムステルダムから空路でこの船へと派遣された。シグマのコネを利用して、ペインターはドクター・バーンハートがＷＨＯのチームに参加できるように手筈を整えていたのだ。

「彼による検査の結果が、一時間前に判明した。患者の体組織の中に、活性毒素が発見されたのだ」

「よくわからないのですけど。つまりこの男性は、朦朧とした状態でさまよっている間に、オニダルマオコゼに刺されたということですか?」

背後から聞こえた新たな声が、彼女の質問に答えた。「そうではない」

リサは振り返った。背の高い男性が、船室の入口をふさいでいた。大きな身体を窮屈そうに防護服に包んでいて、明らかに服のサイズが小さすぎる。豊かな灰色の顎ひげを蓄えたその顔は、熊のような体格にぴったりだが、実は繊細な心の持ち主だと言われている。ドクター・ヘンリク・バーンハートは室内に入ってきた。

「この男性はオニダルマオコゼに刺されたのではないと思う。しかし、オニダルマオコゼが持つ毒素にやられているんだ」

「そんなことがありうるのですか?」

バーンハートはリサの質問には答えず、リンドホルムに話しかけた。「それが私の結論だ、ドクター・リンドホルム。ドクター・ミラーからプロピオン酸菌の培養液を借りて分析させた。まず間違いない」

リンドホルムの顔から血の気が引いた。

「どうしたのですか?」リサは訊ねた。

バーンハートは手を伸ばして、身元不明の男性患者の毛布をそっと直した。その外見には似つかわしくない心遣いだ。「そのバクテリアは」バーンハートは説明を始めた。「つまり、プロピオン酸菌だが……オニダルマオコゼの持つ毒素と同じものを生成して大量に放出している。そのせいで、この男性の体組織が溶解しつつあるのだ」

「そんなこと、考えられません」

リンドホルムは馬鹿にしたような口調で言葉を挟んだ。「私がさっきからそう言っているだろう」

リサはリンドホルムの言葉を無視した。「でも、プロピオン酸菌は毒素を生成したりしません。良性なんですよ」

「どのような過程で、どんな理由でこうなったのかは説明できない」バーンハートは答えた。「これ以上の検査を行なおうと思ったら、少なくとも走査型顕微鏡が必要だ。だが、私の判断はほぼ間違いないと思うよ、ドクター・カミングズ。この良性のバクテリアが、なぜか地球上で最も手強い細菌へと形質転換したんだ」

「『形質転換』ですって?」

「患者はこの細菌に感染したわけではないと思う。もともとは患者の体内にあるごく普通のバクテリアの一部だったはずだ。この男性がどんな状況にさらされたのかはわからないが、何らかの原因でバクテリアの化学組成が変化し、基本的な遺伝子構造が変わってしまい、猛毒を持つようになった。人食いバクテリアに変貌してしまったんだよ」

説明を受けても、リサはまだ信じられなかった。もっと証拠が欲しい。「私の同僚のドクター・コッカリスは、船室に法医学的な検査のできる機器一式を運び込んでいます。もしそれを――」

手袋をはめたリサの手の甲に何かが触れる。驚いた彼女は、思わず飛び上がりそうになった。

ベッドの上に寝ている男性が、再びリサの方へと手を伸ばそうとしていた。彼女を見る男性の視線は、何かを訴えかけている。渇いてひび割れた唇が、小刻みに震えていた。

「スー……スーザン……」

リサは男性に向き合うと、指をつかんだ。まだ意識が朦朧としているために、彼女のことを誰かと間違えているのだろう。男性を安心させようと、リサは指を優しく握った。

「スーザン……オスカーはどこだ？　森の中で吠えている声が聞こえたのだよ……」男性は白目をむいた。「……吠えている……助けてやらんと……でも、だめだ……海に入ってはいけない……」リサの手の中で、男性の指から力が抜ける。ゆっくりとまぶたが閉じ、朦朧としながらもかろうじて保っていた意識が次第に薄れていく。

看護師が駆け寄り、男性の脈を調べる。男性は再び意識を失ってしまったようだ。

リサは男性の腕を毛布の下に入れてやった。

リンドホルムがリサに歩み寄った。必要以上に身体を接近させてくる。「ドクター・コッカリスの検査機器についてだが、我々にも大至急、使わせてほしい。ドクター・バーンハートによる信じられないような推測が、正しいのか正しくないのか、早急に確認する必要がある」

「モンクが船に戻るまで待ってもらえませんか」リサは後ずさりしながら答えた。「装置の中には特別な仕組みのものがあります。彼の知識がないと、機器を安全に操作することができません」

リンドホルムは顔をしかめた——リサに対してというよりも、この男は世の中全体に不満を抱いているように思える。「やむをえんな」リンドホルムは顔をそむけた。「君の相棒はあと一時間もすれば戻る予定だ。ドクター・バーンハート、それまでの間、必要なサンプルを好きに採集してよろしい」

バーンハートはリンドホルムの指示にうなずいた。だが、WHOのチーフが船室を出る前に、バーンハートが呆れた様子で目をぐるっと回したのを、リサは見逃さなかった。彼女もリンドホルムの後から船室を出ようとした。

バーンハートがリサを呼び止めた。「ドクター・コッカリスが戻ってきたら、連絡してもらえるかな?」

「もちろん、お知らせします」リサ自身も、ここで起こっている謎の真相を突き止めたいと強く願っている。だがそれと同時に、自分たちはまだ氷山の一角しか目にしていないという予感がして仕方がなかった。この島では、何か恐ろしいものが生まれつつある。

しかし、それはいったい何なのか?

リサはモンクが早く帰ってきてくれることを願った。

船室を出るリサの耳には、男性患者の最後の言葉がこだましていた。

〈だめだ……海に入ってはいけない……〉

午前十一時五十三分

「海に入って泳がないとだめだ」モンクは告げた。

「しょ……正気かよ？」岩陰に身を潜めたまま、グラフは聞き返した。

ほんの少し前、海賊たちの乗ったモーターボートが、海面下に隠れた岩礁に乗り上げた。このような岩礁が数多く存在するため、島のこの周辺はスミスソンズ・ブライト、すなわち「スミスソンの難所」と呼ばれている。海上からの銃声はやみ、代わって岩礁から逃れようともがくボートのエンジン音が響いてくる。

モンクは岩陰から頭を突き出して、状況を確認しようとした。だが、銃弾が耳をかすめたため、あわてて顔を引っ込めた。海賊たちの銃口はこちらに向けられている。岩陰から身動きのできない状態だ。どの方向に逃げても、敵の前に姿をさらすことになる。

モンクは身体をかがめて、防護服の向うずねのあたりにあるジッパーを開けた。中に手を入れると、足首のホルスターに装着してあった九ミリ口径のグロックを取り出す。

モンクの手に握られた拳銃を見て、グラフは目を丸くした。「それで連中を全員殺せるかな？　エンジンに命中させたりしたらどうだろう？」

モンクは首を横に振りながらジッパーを閉めた。「ジェリー・ブラッカイマーの映画の見すぎだよ。こんな豆鉄砲みたいな銃では、せいぜいあいつらを驚かすくらいの役にしか立たない。ただ、その隙に海に飛び込むことはできるかもしれない」

モンクは海面に浮かぶ巨岩の列を指差した。もしあの岩の列にまで到達できれば、もし海賊たちのボートから見えないように岩の陰に隠れながら泳いでいければ、岬の向こう側に回り込めるかもしれない。もし海賊たちのボートが岩礁から脱出する前に、岬の向こう側の砂浜までたどり着ければ……もし砂浜から島の内陸部に通じる道があれば……

〈だめだ、「もし」が多すぎる……〉

だが、一つだけ確かなことがある。

罠にかかったウサギのようにただ隠れて震えていては、殺されてしまうだろう。

「できるだけ長い時間、海中に潜っている必要がある」モンクは注意を促した。「防護服の中に少しでも空気をため込んでおくことができれば、息継ぎの一、二回分は節約できる」

だが、モンクの計画を聞いても、グラフの表情は晴れないままだ。有毒物質の数値が下がり始めているとはいえ、目の前の湾内が毒物のたまった汚水槽同然であることには変わりない。海賊たちでさえも、モーターボートの船内という安全な場所から無理に外へ出ようとしない。彼らはボートから降りて船の重量を軽くすることなど念頭にないようで、オールで岩礁を押しながら何とかしてボートを動かそうと試みていた。

海賊たちでさえも海に入ることをためらうような状況だとすれば……

モンクは急に、自分の計画がそれほど賢明な策だとは思えなくなった。しかも、モンクはダイビングが苦手だった。かつての所属は陸軍のグリーン・ベレーであって、海軍のシールズとはまったく縁がない。

「どうしたんだ？」モンクの表情が曇ったのに気づいて、グラフは尋ねた。「自分の計画に不安を覚え始めているんじゃないのか？」

「ほかの計画を考えているところだよ！」

岩陰に座り込んだモンクは、差し掛け屋根の下にある傷んだ仏像を再び眺めた。仏像の周りには、黒く焦げた太い線香が何本も立てられている。仏教徒ではないが、この苦境から助かるためなら、神にでも仏にでもすがりたい気分だ。

モンクは再び太い線香に目を留めた。線香から視線をそらさないまま、グラフに問いかける。

「仏像の前に線香を立てた島民は、どうやってここまで来たんだろう。この海岸沿いには周辺数キロにわたって人家がない。岩礁があるから海側からの接近は難しいし、背後にある険しい崖を上り下りするのも無理だ」

グラフは首を左右に振った。「それがどうしたというんだ？」

「この仏像の前で線香に火をつけた人間がいるんだぞ。しかも、この一日か二日の間にだ」モンクは身体の向きを変えた。「砂浜を見てみろ。俺たちの足跡しか残っていない。線香に火をつけてひざまずいた場所には、人の跡が残っている。だけど、海の方向や砂浜沿いに足跡はついていないじゃないか。つまり、彼らは崖の上からやってきたということだ。どこかに道があるに違いない」

「あるいは、ロープを伝って崖を下りてきたのかもしれないよ」

モンクはため息をついた。頭の回転が早いやつと仕事をするのも考え物だ。いちいち理論の穴を指摘されてはたまらない。

「泳ぐ方がいいのか、それとも仏様を信じるのか？」モンクは問い詰めた。

モーターボートのエンジン音が大きくなるのを耳にして、グラフは大きく息を呑んだ。海賊たちは今にも岩礁から抜け出そうとしている。

グラフはモンクの顔を見た。「仏像の……仏像のおなかをなでると幸運を招くんだよな？」

モンクはうなずいた。「占いクッキーか何かにそんなことが書いてあった気がする。仏陀の時代に占いクッキーがあったかどうかは知らないけどな」

モンクは体勢を起こしながら銃を構えた。「俺が合図をしたら、とにかく走れ。こっちはモーターボートに向かって銃を撃ちながらあんたの後を追う。あの仏像のところまで走って、抜け道を見つけることだけを考えていればいい」

「あとは、島民がロープを伝って下りてきたんじゃないことを――」

「余計なことを言うな、縁起でもない！」

グラフは口をつぐんだ。

「準備はいいか」モンクは身構えると、軽くジャンプをしながら足をほぐした。「三……二……一……」

グラフは獲物に追われたウサギのように勢いよく飛び出した。銃弾が一発、彼のかかとのすぐ後ろの岩に当たって跳ね返る。

モンクは毒づきながら立ち上がった。「『行け！』と言ったら走り出すのが常識だろうが」小声でつぶやきながら、まだ岩礁の上で身動きのとれないモーターボートに向かって発砲する。

「だから民間人は困る……」

モンクがモーターボートに向かって銃を乱射すると、船上の海賊たちは腹這いになった。海賊の一人が、両手を上にあげたまま、海の中へと落ちていく。幸運にも一発命中したようだ。撃ち返してくる弾はどれも大きく外れている。仲間をやられた腹立ちまぎれに、狙いもせずに引き金を引いているだけだろう。

振り返ると、グラフは線香の列を回って、仏像のそばで急ブレーキをかけている。向きを変えてバランスを立て直し、差し掛け屋根の裏側へと姿を消した。

モンクは真っ直ぐ突進すると、そのまま砂地に生えた灌木の中へと飛び込んで、グラフの隣に転がり込んだ。

「やったぞ！」グラフは大声を出した。自分でも信じられないといった様子だ。

「だが、どうやら連中をかなり怒らせてしまったようだ」

有毒物質に満ちた海の中に落ちていく海賊の姿が、モンクの脳裏によみがえる。死んだ仲間の報復だろうか、銃弾の嵐が差し掛け屋根を貫通し、断崖を覆っている植物の蔓や葉を切り裂いていく。モンクとグラフは身を寄せ、仏像の大きな腹の陰に隠れた。確かに、仏像の腹は幸運をもたらしてくれるようだ。

だが、それ以上のことは期待できそうもない。

モンクは背後の断崖に目をやった。

ほぼ垂直に近い。よじ登るのは不可能だ。道らしきものも見えない。

「仏像のそばを走り抜ける時に、おなかをなでておくべきだったな」モンクは苦々しげにつぶやいた。

「銃は？」グラフは訊ねた。

モンクは銃を掲げて見せた。「残りの弾は一発だけだ。もちろん、いざとなったら銃を投げつけるという手がある。けっこう効果はあるぞ」

大きなエンジン音とともに、モーターボートはようやく岩礁から脱出した。しかも始末の悪いことに、岩礁と島との間の側に抜け出している。魚の死体の間を縫って、砂浜へと向かってくるボートが見える。

魚の死体が浮かんだ海に、二人の人間の死体が投げ込まれるのも時間の問題だ。

仏像目がけて銃弾が降り注ぎ、再び差し掛け屋根を貫通する。崖から垂れ下がった蔓がずたずたになって落ちていく。跳ね返った銃弾が、モンクの鼻のすぐ脇を通過した。だが、モンクは微動だにしなかった。銃弾が当たって切断された蔓のカーテンの向こう側をじっと見つめている。そこには洞窟の入口が姿を現していた。

仏像の陰に隠れて海賊たちからは直接見られないように注意しながら、モンクは腹這いで前に進んだ。カーテンのように垂れ下がった蔓を押し開ける。太陽の光が段を照らしている。その先にもうひとつ段が見える……

「トンネルだ！　ロープを使って上り下りしたという説は間違っていたようだな、グラフ！」

モンクが振り返ると、グラフは横たわった状態でうずくまっていた。肩を手で押さえている。指の間からは血がにじみ出ていた。

まずい……

モンクは急いでグラフのもとに戻った。「いいか、応急手当をしている暇はない。歩けるか？」

グラフは歯を食いしばりながら答えた。「足を撃たれなければ平気だ」

二人は蔓で覆われた入口をくぐり抜けてトンネルの中に入った。温度が一気に十度近くも下がったように感じる。モンクはグラフの肘をしっかりとつかんでいた。身体を震わせているものの、グラフもモンクの後をついてくる。二人は小走りに段を駆け上がりながら暗闇の中を進んだ。

背後から船体が砂をこする音が聞こえ、続いて海賊たちのあげる勝利の雄叫びが響く。獲物は袋のネズミだと確信しているのだろう。モンクは暗闇の中を手探りしながら、上へと、トンネルの奥へと急いだ。

海賊たちがトンネルの入口を見つけるまでに、それほど時間はかからないはずだ。問題は、連中が後を追ってトンネルに入るか、それともあきらめるかだ。その答えは予想よりも早く明らかになった。

下の方から光が照らされる……それに合わせて、小声で命令を与える声も聞こえてくる。

モンクは足を速めた。

海賊たちの声からは明らかな敵意が感じられる。

やはり、連中をかなり怒らせてしまったようだ。

前方の暗闇が、次第に灰色へと変わっていく。両側の壁面が目で確認できるようになってきた。二人の歩調がさらに速まる。グラフは小声で何やらぶつぶつとつぶやいているが、モンクは内容まではっきりと聞き取れなかった。祈りを捧げているのか、呪いの言葉を吐いているのか……この苦境を脱する役に立つのであれば、祈りだろうが呪いだろうがかまわない。

ようやく階段の最上部が見えてきた。トンネルを抜けた先は、断崖の上に茂っていた熱帯雨林の端だった。モンクはさらに先へと進んだ。鬱蒼と茂る木々が、格好の目隠しになってくれる。だが、ジャングルに足を踏み入れたモンクは、有毒ガスの影響が及んでいるのは海岸線だけではないという事実を目の当たりにすることとなった。森の中の地面には鳥の死骸が散乱している。モンクの足元にはモモンガの死体が一匹、転がっていた。墜落した飛行機のように、地面にへばりついたまま動かない。

しかし、ジャングルに生息するすべての生物が死に絶えたわけではなかった。

モンクは前方を呆然と見つめていた。大地は一面真っ赤で、泡立ちながら渦を巻いている。だが、目の前に広がるのはバクテリアの大量発生ではない。何百万匹ものカニが、地面を隙間なく埋めつくしていた。木の幹や蔓にぶら下がっているカニもいる。

浜辺で姿を見かけなかったアカガニは、こんなところに隠れていたのだ。

モンクはこの島について記された資料の内容を思い返していた。アカガニは普段は大人しい生物だが、年に一度だけ、大移動を行なう産卵期になると、興奮して気が荒くなる。カミソリのようにとがったはさみで、通りかかった車のタイヤを切り裂いてしまうと言われているほどだ。

モンクは後ずさりした。

目の前のカニは、まさに興奮状態にあった。仲間に折り重なりながら、せわしなく動き回ってはさみを鳴らしている。餌の奪い合いをしているのだ。

浜辺にアカガニの姿が一匹も見当たらなかったのもうなずける。森の中に動物の死体がいくらでも転がっているのだから、わざわざ海岸まで下りていく必要などないのだ。

カニたちは死んだ鳥やコウモリに群がっているだけではなかった——同じ仲間も捕食している。早い者勝ちの共食い状態だ。二人の姿に気づくと、カニたちは警告するかのように大きなはさみを振り上げた。二本の棍棒を叩いているような音がする。

カニたちの目には、新しい餌が到着したと映っているに違いない。

二人の背後にあるトンネルの方から、興奮した様子の声が響く。

海賊たちが入口を発見したのだろう。

肩を押さえたまま、グラフは思わず前に一歩出た。それを待っていたかのように、シダの葉の下に隠れていた大きなカニが、グラフのつま先目がけてはさみで切りかかった。プラスチック製の防護服がきれいに切り裂かれる。

今度はあわてて後ずさりしながら、グラフは再び小声で何かをつぶやいている。トンネル内で階段を上りながら口にしていたのと同じ台詞だ。今度はモンクの耳にもグラフの声がはっきりと聞こえた……まったく、グラフの言う通りだ。

「仏像のおなかをなでておけばよかったんだ」

3　待ち伏せ

七月五日午前零時二十五分
メリーランド州タコマパーク

「いったい何事だ？」

「わからないよ、父さん」グレイは父のもとに駆け寄り、二人でガレージの扉を閉めた。「とにかく、事情を調べないといけない」

二人はセイチャンの乗っていたオートバイをガレージの内部にしまいこんでいた。人目につく場所に放置しておくのはまずい。セイチャンの存在の痕跡を、自分の両親の自宅に残しておくわけにはいかなかった。今のところ、彼女を狙撃した人物の姿は見当たらない。だからといって、その人物が近くに潜んでいないとも限らない。

グレイは母のもとに急いだ。ジョージ・ワシントン大学の生物学の教授を務めている母は、医学部進学課程の学生を何人も教えた経験がある。出血を食い止めるためにセイチャンの傷口に包帯を巻くくらいの応急処置は心得ていた。

セイチャンは朦朧としていた。意識が混濁している様子だ。

「銃弾はきれいに貫通しているみたいね」母は説明した。「でも、かなり失血しているわ。救急車はこっちへ向かっているの？」

グレイはすでに携帯電話から緊急の連絡を入れていた。だが、救急車を要請したのではない。セイチャンを地元の病院へと連れていくわけにはいかなかった。銃創のある患者を病院が理由も聞かずに治療してくれるはずはない。だからと言って、セイチャンをこのまま放置しておくわけにもいかない。大至急、適切な治療を施す必要がある。

通りのどこかから、勢いよく扉の閉まる音が聞こえる。小さな物音にも敏感になっていたグレイは、耳を凝らした。神経が張り詰めて、ぴりぴりした状態にある。だが、誰かが笑いながら呼びかける声が聞こえてくるだけだ。

「グレイ、救急車はこっちに向かっているの？」母はさっきよりも強い口調で再び訊ねた。

グレイは黙ってうなずいた。声に出してしまうと嘘になる。少なくとも、母に面と向かって嘘をつくことはできなかった。父の方を振り返ると、手のひらを作業用のズボンで拭っていた。両親は自分たちの息子が、ワシントンDCのとある研究所で検査技師を務めていると信じている。陸軍のレンジャー部隊所属中に上官を殴打し、軍法会議にかけられた経験がある息子は、しがない研究者になったのだと思い込んでいる。

だが、それもまた嘘だった。

グレイの真の姿の隠れ蓑に過ぎない。

息子がシグマでどんな任務に携わっているのか、両親はまったく知らない。たとえこのような状況であっても、グレイは真実を明かすわけにはいかなかった。今できるのは、とにかく早く自宅から抜け出すことだけだ。行動を開始しないと。

「父さん、Tバードを借りていいかな？　建国記念日の祝典が行なわれているから、救急車も手一杯みたいだ。この女性を自分で病院に連れていった方が早いと思うんだ」

父は不審そうな目でグレイの顔を見たが、キッチンの裏手の扉を指差した。「キーはフックにかかっている」

グレイは裏手のポーチの段を駆け上がった。網戸を開けると家の中に手を伸ばし、フックにかかっているキーホルダーをつかむ。父は一九六〇年製のサンダーバードのコンバーティブルをレストアしていた。漆黒の車体で、内装は真っ赤な革張り。最新型のホーリーのキャブレター、フレームスローワー・コイル、電気チョークを装備している。今夜はパーティーがあったために、ガレージから出して縁石の脇に停めてある。

グレイは幌を下ろした車へと走ると、運転席に飛び乗り、ハンドルを握った。エンジンをかけるとすぐに車をバックさせ、そのままガレージの方へと私道を戻る。車が縁石に触れ、座席が大きく揺れた。サスペンションの状態がまだ今ひとつのようだ。

グレイはエンジンをかけたままチョークを引いてギアをパーキングに入れると、セイチャンの様子を見守っている両親のもとへと駆け寄った。父はすでにセイチャンを抱きかかえようとしている。

「僕がやるよ」グレイは声をかけた。

「まだ動かさない方がいいと思うわ」母は父を制止した。「バイクから落ちた時、かなり強く身体を打っているみたいだから」

父は二人の意見を無視した。セイチャンを両腕で抱えて立ち上がる。片足の膝から下を失っていて、いくらか痴呆の症状が現れているものの、昔鍛えた体はまだまだ衰えていない。

「車のドアを開けてくれ」父は指示した。「後部座席にこの女性を寝かせないといけない」

ここで口論をしている時間はない。グレイは指示に従い、父を手伝ってセイチャンを車に乗せた。ドアを開け、前の座席の背もたれを戻す。父は車に乗り込むと、セイチャンをそっと後部座席の上に置いた。彼女の頭を支えたまま、後部座席に腰を下ろす。

「父さん……」

母が助手席に乗り込んできた。「家の鍵はかけたわ。行きましょう」

「一人……一人で連れていけるよ」グレイは両親に向かって車を降りるよう合図した。

グレイの目的地は病院ではない。携帯電話からかけた緊急の番号は、すぐにクロウ司令官へと転送された。仕事中毒の司令官がオフィスに立ち寄ってくれたことを、感謝しなければならない。

グレイは安全な隠れ家へと向かうように指示を受けていた。緊急の医療班も隠れ家へと派遣されており、セイチャンの負傷の状態を診察して治療に当たる手筈になっている。ペインターは慎重を期していた。この一件がすべて罠だということも考慮し、セイチャンをシグマの司令部へと運び込むことは避けなければならなかった。セイチャンは暗殺者およびテロリストとして名前の知られた存在だ。インターポールの最重要指名手配犯に指定されているほか、世界各国の諜報機関が血まなこになって行方を追っている。噂によれば、イスラエルのモサドは局員に対して、発見次第セイチャンを射殺せよとの指令を与えているという。

そんな危険に両親を巻き込むわけにはいかない。

だが、父は鋭い視線をグレイに向けている。母も腕組みをしたまま動こうとしない。この二人を説得するのは容易ではなさそうだ。

「来てはだめだ」グレイは言った。「その……安全ではないんだ」

「この家の方が安全だと言うつもりか？」父はガレージの方を指差した。「ギャングだか麻薬の密売人だか知らんが、この女性を撃った連中はすでにこの家に向かっているんじゃないのか？」

グレイには詳しい説明をしている時間がなかった。すでにグレイの両親の保護と自宅の監視のために、クロウ司令官が警護特殊部隊を派遣済みだ。もう数分もすれば、彼らがここに到着するのに。

「俺の車を使うなら、俺の言う通りにしてもらうぞ」父の言葉には、これ以上の話し合いは無用だとの強い調子が込められている。「早く車を出せ。もたもたしていると母さんの巻いてくれた包帯に血が染み込んで、取り替えたばかりの座席のレザーが台無しになってしまう」

セイチャンがうめき声をあげた。意識のはっきりしない状態のまま、苦痛に身をよじっている。片手が包帯へと伸び、かきむしり始めた。父は彼女の指を取ると、そっと手を下ろした。指をつかんだまま、動きを抑えると同時に、彼女を力づけているようにも見える。

「早くしろ」父は促した。

険しい顔つきをしているものの、普段の父がめったに見せることのない優しい心遣いがうかがえる。

グレイは運転席に座った。「シートベルトを締めて」グレイはあきらめた。セイチャンを早く隠れ家へと連れていく方が、全員にとって安全だろう。両親にどう説明するかは、向こうに着いてから考えればいいことだ。

エンジンをかけたグレイは、母が自分の方をじっと見ていることに気づいた。「私たちをごまかすことはできないわよ、グレイ」謎めいた言葉を残して、母は視線をそらした。

グレイは顔をしかめた。いらだっていたわけではない。母の言いたいことがよくわかったからだ。ギアを入れて私道から急発進する。表の通りへと出る時、カーブでのハンドルの切り方が少し荒っぽくなった。

「気をつけろ！」父が大声を出した。「ケルジーの新品のワイヤーホイールだぞ！　傷をつけたりしたら……」

グレイは車を走らせた。ホイールを気にしながら、何度か素早く角を曲がる。ひとたび行動を起こせば、余計なことを考えずにすむ。３９０Ｖ８エンジンは、野獣が吠えるようなうなりをあげている。必死にハンドルを操作しながら、グレイは心の中でメカニックとしての父の腕前を認めざるをえなかった。

最寄りの病院とは逆方向の道へと入っていく。母は道を確認するかのように車の進む方向へちらりと視線を向けたが、何も言わずに、座席に深く座り直した。両親への言い訳について頭を悩ますのは、隠れ家に無事に到着してからの話だ。

真夜中の街中を車で飛ばすグレイの耳に、花火の打ち上げられる音が時々聞こえてくる。日付は変わって建国記念日の翌日になった。だが、いちばん派手な花火はこれから打ち上げられるのではないだろうか……グレイは嫌な予感がしていた。

午前零時五十五分
ワシントンDC

〈休暇気分はすっかり吹き飛んでしまったな……〉

ペインター・クロウ司令官は、自分のオフィスへと通じる廊下を大股で歩いていた。中央司令部内にはわずかな夜勤のスタッフしか残っていなかったが、事態の急変を受けて他のスタッフも続々と集結しつつある。全スタッフに対して、警戒態勢に入るよう指令が発せられていた。ペインター自身も、すでに国土安全保障省からの電話を二本受けていた。国際的なテロリストが、向こうからこちらの懐の飛び込んでくる事態など、そうそうあるものではない。しかも、ただのテロリストではない。ギルドと呼ばれる正体不明の組織の一員なのだ。

最新の科学技術の捜索と奪取を目的としている点で、ギルドはシグマのライバルとも呼べる存在だ。軍事、生物学、化学、核など、その目的は様々な分野に及ぶ。昨今の世界情勢では、知識こそが真の武器になる——石油よりも、どんな最新兵器よりも、強力な武器なのだ。ただし、ギルドの場合は、自分たちの得た知識を最も金になる相手に売り渡す。これまでにも、中東のアルカイダやヒズボラ、日本のオウム真理教、ペルーのセンデロ・ルミノソなどと取引した記録が残っている。世界各地に散らばった小さなグループ単位で活動しており、各国政府や諜報機関、主要なシンクタンク、国際的な調査機関の内部にも、彼らのスパイが潜り込んでいると噂されている。

かつては、ＤＡＲＰＡにもギルドのスパイがいた。

仲間に裏切られたというペインターの心の傷は、いまだに癒えていない。

ところが今、そのギルドの主要メンバーが、シグマの保護下にある。

オフィスの待合室に入ると、補佐官のブラント・ミルフォードがペインターのデスクから戻ってくるところだった。ブラントは車椅子を使用している。ボスニアで任務に就いていた時、自動車爆弾に使用された榴散弾の破片で脊柱を切断されてしまったのだ。

「司令官、ドクター・カミングズから衛星電話が入っています」

ペインターは驚いて足を止めた。こんな時間にリサから連絡の入る予定はない。急遽発生した問題への対応でいっぱいだった頭の中に、リサの身に何かが起こったのではないかとの不安が芽生え始める。

「電話はオフィスで取る。ありがとう、ブラント」

ペインターはオフィスへと通じる扉をくぐった。机の周囲の壁には、三台のプラズマディスプレイが配置されている。今はまだ画面には何も表示されていないが、これから朝にかけて、それぞれの画面には中央司令部に続々と集まってくる情報が映し出されることになるだろう。それまでの間は、待機するしかない。ペインターは机の上に手を伸ばして受話器を取り、点滅しているボタンを押した。

リサからは明け方近く、インドネシアの現地時間では日没頃に、連絡が入る予定になっていた。就寝前にその日の出来事を報告するように指示しておいたのだ。そのように時間を設定しておけば、リサにおやすみの挨拶をすることもできるからだった。

「リサか?」

回線の状態があまりよくないらしく、リサの返事の一部が途切れる。

「ペインター? あなたの声が――よかった。忙しいみたいね。ブラントの話で――危機だとか――」

「心配するな。大した危機ではない。むしろ、好機と言うべきだな」ペインターは机の端に腰を下ろした。「君こそ、どうしてこんなに早く連絡を寄こしたんだ?」

「新しい事実がわかったの。さっきデータを送信したわ。こちらにいる毒物学者のドクター・

バーンハートの調査結果について、そちらでも誰かに確認してほしいのよ」

「手配しておく。だが、何がそんなに緊急なんだ？」ペインターはリサの声から緊迫した様子を感じ取っていた。

「こちらの状況は、当初の予想よりも深刻かもしれないわ」

「わかっている。有毒ガスが島をすっぽり包み込んだために、大きな被害が出たことは聞いているよ」

「そうじゃないの――被害がひどいことは事実だけど――事態はさらに悪化しているわ。二次的な症状として、奇妙な遺伝的異常の見られる患者がいるのよ。非常に気がかりな症状だわ。ドクター・バーンハートが予備検査を行なっている間に、シグマの研究者や実験施設にも協力してもらって、大至急調査を開始する必要があると思うの」

「モンクもその毒物学者の先生を手伝っているのか？」

「モンクはまだ島にいるわ。サンプルの採集中よ。彼の集めたサンプルでやるべき作業がたくさんあるわ」

「研究開発部のジェニングズに連絡して、スタッフを招集させよう。彼を中心として、こちらでも調査を進めるよ」

「助かるわ。ありがとう」

　強い決意とは裏腹に、ペインターは個人的な懸念を払拭することができなかった。今回の任務を割り当てて以来、司令官としての判断が揺れることのないように、任務の遂行の妨げになるような私情を挟まないように努めてきた。だが、リサが関わっているかと思うと、その意志も崩れていく。ペインターは咳払いをした。「それで、君の方の状況は?」

リサはペインターの問いかけを面白がるように小声で笑った。疲れている様子は否めないものの、そんな反応を聞くだけでペインターはほっとする。「私は大丈夫よ。でも、今回の任務が終わったら、一生クルーズ船には乗らないから」

「注意をしたはずだぞ。志願するとろくなことがないって。『私も役に立ちたいのよ。意味のある仕事がしたいの』」リサの口調を真似ながら、ペインターはかすかに笑みを浮かべた。「その結果がこれだ。悪夢の航海へようこそ」

リサはペインターに合わせて笑ったものの、すぐに声をひそめて真面目な口調で問いかけた。言葉を選びながら、質問をしていいものかどうか、迷っている様子だ。「ペインター、ひょっとして間違っていたんじゃないかしら……私がここにいるなんて。シグマの正式な隊員でもないわけだし。自分にもできる任務があると、思い上がっていたような気がするわ」

「もし君の考えが間違っていると思ったら、私が任務を与えるわけがないだろう。君を派遣せずにすむ口実があれば、何としてでも行かせないようにしたかったくらいだ。だが、私は司令官として、シグマのため、今回の病気の蔓延に対処するために、最適な人材を送り出す義務があった。医師の資格があり、生理学の博士号を持ち、実地での調査や研究活動の経験がある君だ……正しい選択を下したと確信しているよ」

受話器の向こう側からなかなか返事がない。ペインターは回線が切れてしまったのかと思い始めた。

「ありがとう」ようやくリサは小声で答えた。

「だから、しっかりやってくれよ。しくじったりしたら、私の評価にも影響するからな」

リサは小ばかにした調子で笑った。さっきとは違い、声に明るさが戻っている。「人を励ます時には、もっと別の言い方があるんじゃないの？」

「じゃあ、こういうのはどうだ？　危険には近寄るな、気をつけろよ、そしてできるだけ早く帰ってきてくれ」

「いくらかましになったわ」

「それなら、取っておきの台詞を使うとするか」ペインターは真剣な口調になった。「君がいなくて寂しいよ。愛している。君をこの腕に抱き締めたい」

ペインターは心からリサに戻ってきてほしいと思っていた。心に大きな穴が開いたような気分だ。

「やればできるじゃない」リサは答えた。「もうちょっと練習をすれば、自己啓発セミナーの講師にもなれるわ」

「そりゃそうさ」ペインターは応じた。「さっき同じ台詞をモンクにも言ったら、いたく感銘していたぞ」

大きな笑い声が返ってきた。心からの笑いだ。ペインターの胸の中の不安が一掃されていく。リサは心配ない。きちんと任務を遂行してくれるだろう。それに、自分の代わりにモンクが彼女を守ってくれる。電話での会話をモンクが真に受けて、動揺していなければの話だが。

　話を続けようとしたペインターは、補佐官のブラントが軽くノックをしながら戸口に姿を現したことに気づいた。ペインターは用件を伝えるように手で合図した。

「お邪魔して申し訳ありません、司令官。別の電話が入っています。司令官の専用回線宛てで、ローマのモンシニョール・ヴェローナからです。かなり緊急の用件のようなのですが」

　ペインターは眉間にしわを寄せながら、受話器に向かって語りかけた。「リサ――」

「聞こえたわ。忙しいんでしょ。モンクが戻ってきてから、こちらの状況についてジェニングズと話をするわ。そろそろ仕事に戻りなさい」

「気をつけろよ」

「わかってる」リサは答えた。「私も愛してるわ」

　回線の接続を示すボタンが消えて、電話は切れた。

　ペインターは深呼吸をして気持ちを切り替えてから、身体をひねると専用回線のボタンを押した。〈なぜ、モンシニョール・ヴェローナが電話をかけてきたのだろうか？〉……ピアース隊長がモンシニョールの姪と交際していたのはペインターも承知していたが、二人は一年ほど前に別れたはずだった。

「モンシニョール・ヴェローナ、ペインター・クロウです」

「クロウ司令官、電話に出てくれて助かった。この二時間ほど、グレイと連絡を取ろうとしていたのだが、電話が通じなかったのだよ」

「それは失礼しました。私から彼に用件をお伝えしましょうか？」

ペインターは現在グレイが置かれている状況を、いちいち説明したりはしなかった。モンシニョール・ヴェローナは過去にシグマと協力して事件の解決に当たったことがあるとはいえ、今ここで発生している事態は関係者以外極秘とされ、すでに厳戒態勢が敷かれているからだ。

「実は、ヴァチカンでちょっとした事件があった……具体的には、機密公文書館内部でのことだ。どれほどの重要性があるのか、まだ私自身もはっきりと把握できていないのだが、ある種のメッセージ、あるいは警告のように思える。私と、そしておそらくピアース隊長に向けたものだ」

ペインターは立ち上がると、机を回って椅子の背もたれに手を置いた。「どのようなメッセージなのですか？」

「先週、公文書館に何者かが侵入し、床の上にロイヤル・ドラゴンコートの紋章を書き残した」

ペインターは椅子に腰を下ろした。こんな偶然がありうるのだろうか？　二年前、グレイとモンシニョール・ヴェローナは協力して任務に当たり、ドラゴンコートの過激分子を壊滅させた。だが、任務の成功には別の協力者の力が不可欠だった。敵と手を組む必要があったのだ。ギルドのある工作員との共同作戦。

その工作員が、セイチャンだった。

今、その暗殺者の身柄が、こちらの保護下にある。

ペインターは物事を偶然の一致として片付けることを好まない。昔からの性分だが、今回の一件に対しては特にその思いが強い。シグマの司令官を務めている間に、そうした考え方はますます研ぎ澄まされ、被害妄想と言ってもおかしくないような域に達していた。

「その侵入者を目撃した人はいるのですか？」ペインターは訊ねた。

「はっきりとは確認できなかった。正体は不明だが、一人だけだったようだ。そいつはヴァチカンの厳重な警備をかいくぐって侵入した。防犯カメラを見ても、ぼんやりとした映像しか残っていない。ただのこそ泥とは違う。ヴァチカンの最深部にまで忍び込み、捕まることなく脱出し、しかもはっきりとした証拠を残さない。そんなことが可能な人物は、私には一人しか思い浮かばない。かつて我々が協力してドラゴンコートを倒した時に、関与していた人物だ」

どうやらモンシニョールも、ペインターと同じ人物に疑いをかけているようだ。

「あと、床に描かれていた竜の紋章だが」ヴィゴーは話を続けている。「あれは明らかにメッセージで、過去に貸しがあることを我々に伝えようとしているように思える」

「ギルドの工作員だと、つまりセイチャンだと考えておられるのですね？」ペインターは訊ねた。「ドラゴンコートを倒すのに手を貸してくれた女性だと？」

「その通りだ。もし彼女の居場所を突き止め、話を聞くことが——」

これ以上セイチャンのことを秘密にしていても、本当の脅威を発見する妨げになるだけだ。関係者以外には明かせない機密事項だが、ローマも関係者に含まれると判断せざるをえないだろう。

「セイチャンはこちらにいます」ペインターはモンシニョールの言葉を遮った。「現在、彼女の身柄を保護しています」

「何だって？」

ペインターは今夜の出来事を手短に説明した。何の前触れもなく再び姿を現した暗殺者は、負傷していて、何者かから逃げていることを。

ヴィゴーは驚いたのかしばらく押し黙っていた——だが、ショックから立ち直ると早口で話し始めた。「彼女を尋問しないといけない。なぜ床の上にメッセージを残したのか、それだけでも聞き出さないと」

「我々にお任せください。治療がすんだら、徹底的な尋問を行ないます。もちろん、厳重な警戒のもとにです」

「君はまだ理解していないようだな。何か大きな陰謀が進行中なのだよ。おそらく、ギルドの手にも余るような何かが」

「どういうことですか？」

「竜の紋章は、公文書館の一室の床に刻まれた古い文字を取り囲むように描かれていた。おそらくヴァチカン宮殿が建設された当時、ガリレオの時代に記された文字だ。その文字については、地球上に存在する最古の言語なのではないかとの説を唱える者もいる。原へブライ語よりも古い文字だ。もしかすると、人類の誕生以前にさかのぼる文字かもしれん」

ペインターはヴィゴーの声が不安で震えていることに気づいた。「『人類の誕生以前、、、にさかのぼる文字』というのはどういう意味ですか？　そんなことはありえないでしょう」

ヴィゴーはペインターの疑問に答えた。

説明を聞きながら、ペインターはショックを表に出すまいと努めた。とてもではないが、信じられない話だ。受話器を置くペインターの表情は曇っていた。モンシニョールの説明が事実であるはずはない。だが、事実であるかどうかは別として、モンシニョールがなぜ不安に駆られているかは十分に理解できる。今すぐにでも、セイチャンを尋問する必要がある——彼女の身に何かが起こってからでは手遅れになる。

ペインターは急いで医療班の到着予定時刻を確認した。さらに、ブラントに指示して隠れ家の護衛に連絡を入れさせる。

今夜、警備に就いているのは誰なのか？

ブラントが護衛と話をして、隠れ家の防犯カメラの映像をオフィスにあるプラズマディスプレイへと転送するように指示を出している。

映像が届くのを待つ間、ペインターの頭からはヴィゴーの最後の言葉がこびりついて離れなかった。

「石に刻まれていた……あの文字は……」

ペインターは頭を振った。

ありえない。

「あの文字は、天使の言語だ」

午前一時四分

グレイはグリニッジ・パークウェイを飛ばし、高級な分譲住宅の建ち並ぶフォックスホール・ビレッジに入った。ビレッジの外れで左折すると、その先は並木道が続いている。グレイはスピードを落とした。サンダーバードのエンジンをアイドリングの状態にして、ゆっくりと前に進む。前方に隠れ家が見えてきた。二階建てのチューダー様式の建物で、赤煉瓦の外壁の間に濃い緑色の鎧戸が見える。隠れ家の裏手にあるグローバー・アーチボルド公園の森と同じ色だ。

周囲には湿った森のにおいが漂っている。

隠れ家に接近しながら、グレイはポーチの明かりがついていることを確認した。二階の角部屋の窓からも明かりが漏れている。

異状なしの合図だ。

グレイはハンドルを切った。私道に乗り入れると同時に車ががくんと揺れる。後部座席からうめき声が聞こえた。

「ここはどこなの？」母は訊ねた。

グレイは建物の左側にある車寄せの庇の下にサンダーバードを停めた。勝手口からはほんの数歩の距離だ。ここまで来る途中で、グレイは両親に向かって車から降りるように繰り返し懇願した。だが、病院や医療センターを素通りするたびに、彼らはいっそうかたくなになった。正確には、かたくなになったのは母の方だ。父が頑固なのは今に始まったことではない。

「ここは隠れ家だよ」グレイは答えた。今さら言い繕ったところで仕方がない。「医者もこの家に向かっている。しばらく待つしかないな」

グレイはエンジンを切り、車から降りた。

助手席側にある隠れ家の勝手口の扉が開いた。大きな影が戸口をふさいでいる。腰に留めたホルスターの中の武器に、片手を添えているのが見える。「あんたがピアースか?」男はぶっきらぼうな口調で短く訊ねた。車に大勢が乗っていることに気づいたのか、不審そうな目つきをしている。

「ああ」

男は家の外に出てきた。手足が太く、茶色の髪を短く刈り込んだその姿は、人間というよりもサルに近い。男は迷彩服を着ていた。目立たない格好だとは言いがたい。

「コワルスキだ。クロウ司令官からあんた宛てに電話が入っている」男はもう片方の手に握っていた携帯電話を差し出した。

グレイは車の後部へと回った。司令官と話をしなければならないと思うと気が重い。正体が割れてしまったことをどう説明したらいいだろうか?　両親が付き添っている極秘作戦など聞いたことがない。

隠れ家の護衛に就いていた大男も、年配の夫婦がオープンカーに同乗しているのを見て、どう対応したらいいのか困惑している様子だ。眉間にしわを寄せながら、車の方をじっと眺めている。護衛は顎に手を当てた。

「352か?」グレイに向かって護衛が声をかけた。

グレイは質問の意図がまったくわからなかった。

後部座席から父が答えた。「いや、390だ。フォード・ギャラクシーのV8を改造した」

「いい車だな」

護衛は両親の様子を観察していたのではなかった。どうやら車しか目に入っていなかったようだ。

後部座席に寝かされていたセイチャンが身体を動かした。車が停止し、揺れが収まったことに気づいたのだろう。彼女は力なく身体を起こそうとした。

「彼女を家の中に運んでくれないか?」グレイは護衛に頼んだ。携帯電話を受け取る時、護衛の右の二の腕あたりに、米国海軍の錨の刺青が袖の下から半分のぞいていた。この護衛は元軍人だ。別に驚くには値しない。辞書の「海兵隊員」の見出し語の下に写真を載せるとしたら、この男の顔写真がぴったりだろう。

母は助手席側のドアを開けた。「医者はどこなの?」大柄な護衛の姿に、かえって不安が募っているようだ。心なしか、バッグをいつもよりきつく握り締めているように思える。

グレイは片手を上げて、もう少し待つように合図した。

「奥さん」コワルスキは声をかけると、キッチンの方を指差した。「キッチンのテーブルの上に救急箱が置いてあります。モルヒネ注射と気付け薬も用意できています。縫合用の針と糸も揃えておきました」

母は感心したような様子で護衛の顔を見上げた。「ありがとう、助かるわ」

グレイの方にきつい視線を向けてから、母は隠れ家の中へと入っていった。

車から離れると、グレイは携帯電話を口元に当てた。「クロウ司令官、ピアースです」

「今、車から降りたのは君の母親か？」

〈なぜわかったんだ……？〉

周囲を見回すと、車寄せの庇の陰にビデオカメラが見える。生の映像が中央司令部へと送られているのだろう。グレイは首筋が熱くなるのを感じた。

「司令官――」

「まあいい。説明は後で聞く。それよりグレイ、ローマからそこに寝ている獲物に関する情報が入った。彼女の容態はどうだ？」

グレイはサンダーバードの後部座席に目をやった。コワルスキと父が、ぐったりしたセイチャンを運び出す一番安全な方法を話し合っている。腹部に巻いた包帯を見ると、まだ出血が止まらないのか、赤く染まった部分が広がっているようだ。

「すぐに治療を施す必要があります」

「医療班は間もなく到着するはずだ」

大型車両の近づく音が聞こえる。グレイは振り返った。大きな黒いバンが角を曲がって、隠れ家へと通じる道を真っ直ぐ向かってくるのが見える。

「どうやら到着したようです」グレイは安堵のため息を漏らした。

バンは隠れ家の前まで来ると、縁石に車体を寄せ、私道の奥に停止した。一瞬、グレイは不安を覚えた。バンに出口をふさがれたように感じたからだ。だが、そのバンには見覚えがある。シグマ専属の医療班の車だ。カムフラージュを施された救急車は、大統領に同行する車両と同じ型で、緊急手術が必要な状況に直面してもすぐに対応できる装備が整えられている。

「治療が終わり次第、最新の情報を伝えてくれ」ペインターは指示して電話を切った。司令官もバンの姿を確認したのだろう。

バンのドアがいっせいに開く。三人の男性と一人の女性が姿を現した。四人とも手術衣を着用し、お揃いの黒のボンバージャケットを羽織っている。バンから降りると、四人はてきぱきと行動を開始した。二人の男性が担架を引き出し、折りたたまれていた脚を伸ばす。担架を先導するかのように、もう一人の男性と女性がグレイの方へと歩み寄った。男性は手を差し出した。

「ドクター・アメン・ナセルです」

グレイは握手をした。しっかりと握り返してくるドクターの手は、ひんやりとしていた。冷静に今の状況を把握している人物だ。まだ三十歳にも満たないように見えるが、その物腰は自信に満ちあふれている。赤褐色の肌は磨き上げられたマホガニーのようだ。一方、隣にいる女性の肌は、溶けた蜂蜜のような色をしている。

グレイはその女性を観察した。

アジア系だと思われるが、その印象をあえて隠そうとしているように見える。髪の毛はクルーカットに近い短さにまで刈り上げ、金髪に染めている。両手首に彫られた刺青は、ケルトの模様だろうか。髪を剃ったり刺青を彫ったりするような女性はグレイの好みではなかったが、目の前の女性には不思議な魅力を感じた。おそらく、エメラルドグリーンの瞳のせいだろう。どんなアクセサリーよりも美しい色だ。あるいは、彼女の身のこなしのせいかも知れない。筋肉質でバランスの取れた身体は、ライオンを思わせる。多くのシグマの隊員と同様に、彼女も軍事訓練を受けているのだろう。

女性はグレイに向かってうなずいだ。自己紹介はないようだ。

「状況については報告を受けています」リーダーの男性は説明を始めた。発音は明瞭だが、アメリカ生まれではないようで、かすかに訛りがある。「我々が治療をする間、皆さんは待機していてください。バンの車内にある手術室へ患者を移送します。後ほど、状況はここにいるアニーに報告させますから」ようやく女性の名前がわかった。

二人の男性が担架を押しながらグレイの脇を通り過ぎる。ドクター・ナセルも二人の後を追った。アニーという名の女性は背筋を伸ばしてその場に立ったままだ。

ドクターたちが通れるようにグレイが道を空けた時、手に握ったままだった携帯電話が振動した。リーダーのドクターが早口で指示をしている。グレイはようやくどこの訛りなのか思い当たった。

ドクター・アメン・ナセル。

エジプト人だ。

午前一時八分

ペインターは机の真後ろにある壁掛け式のディスプレイの前に立っていた。左右にあるプラズマディスプレイには、それぞれ隠れ家の一階と二階の現在の映像が流れている。目の前のディスプレイには、隠れ家の外のカメラからのデジタル映像が映し出されていた。

「電話に出ろ、グレイ!」ペインターは画面に向かって大声で叫んだ。

カメラの操作は、司令室の一階下にある警備システムの本部からしか行なうことができない。そのため、ペインターはカメラの視点を変えることができなかった。画面の隅に、医療班のバンが停止するのはとっくに確認していた。だが、グレイの前に歩み寄った二人の姿をはっきりと目にできたのは、ほんの数秒前のことだった。

二人とも、シグマの隊員ではない。

ペインターはすべての部下の顔と名前を記憶している。

バンはシグマの所有だが、バンに乗り込んでいた医療班はシグマと無関係だ。

これは罠だ。

画面上に映ったグレイが、携帯電話を開いて耳に当てている。「クロウ司令官――?」

ペインターが答えるよりも先に、細い足が伸びてきてグレイの頭から携帯電話を蹴り飛ばす。不意をつかれたグレイは、携帯電話の壊れる音とともに、地面に倒れ込んだ。

「グレイ……」

映像が突然乱れる――次の瞬間、画面は真っ暗になった。

午前一時九分

最初の銃弾の狙いはカメラだった。

頭の強烈な痛みに耐えるグレイの耳に、咳き込んだような音と何かが激しく砕ける音が聞こえた。グレイは音のした方向に素早く身体を向けた。

「何事だ?」カメラの破片が突然降り注いできたために、父が大声をあげている。後部座席でセイチャンの横に座ったままだ。

護衛のコワルスキは、セイチャンを挟んで父の反対側にいる。まるで車のヘッドライトに照らされたシカのように、その場に立ちつくしている。いや、ただのシカではなく、体重百キロを超えるクマのようなシカだ。彼が動こうにも動けないのは、首の後ろに拳銃を突きつけられているからだった。

担架が脇に押しやられている。担架を運んでいた看護師の一人はコワルスキに銃を突きつけ、もう一人はグレイの父に向かって車から降りるように合図をしていた。

「動くな」背後から警告が聞こえる。

グレイは肩越しに様子をうかがった。アニーと呼ばれた女が、黒のシグ・ザウエルをグレイの顔面に向けている。回し蹴りをしても届かない位置に立っているが、この至近距離で狙いを外すはずがない。

状況を把握すると、グレイは再びサンダーバードに向き直った。

ドクター・ナセルもアニーと同じ銃を構えている。

セイチャンを撃ったのはあの銃だろう、グレイはそんな気がした。

ナセルはグレイの父が座っている側へと歩み寄った。セイチャンが横になっている後部座席の付近で何かを探している。ナセルは悲しそうに首を横に振ってから、父のかたわらにいる男に指示を出した。「このじいさんを車から降ろせ。女がオベリスクを持っているか調べてから、女も車から降ろすんだ」

〈オベリスク？〉

車の後部座席から手荒に引きずり出される父の姿を、グレイはなす術もなく見守ることしかできなかった。父が余計な行動を取って事態を悪化させないことを祈るしかない。だが、そんな心配は無用だった。突然の状況の変化に呆然としているのか、父は大人しく指示に従った。

「持っていません」後部座席を調べていた男は、ナセルの方を見上げて報告した。

ナセルは車に近づき、自分の目で車内を再度確認した。どうやら探し物は見つからないようだ。だが、そのことに対していらだっている様子を表情には出さない。眉間にかすかなしわが寄っただけだ。

ナセルは車から離れ、グレイに向き合った。

「どこにある?」

グレイはナセルをにらみ返した。「何がどこにあると言うんだ?」

ナセルはため息をついた。「彼女から話を聞いているはずだ。そうでなければ、負傷した敵のためにわざわざここまで手を尽くしてやるはずがない」グレイから視線をそらさずに、ナセルは後部座席を捜索した男に合図を送った。部下はグレイの父の額に銃口を突きつけた。

「同じ質問は繰り返さない主義だ。だが、おまえは俺のことをよく知らないのだろう。だからもう一度だけチャンスをやる」

グレイは思わず息を呑んだ。父の目にははっきりと恐怖が見て取れたからだ。

「オベリスクのことか」グレイは答えた。「さっき言っていたな。確かに彼女はオベリスクを持っていたが、バイクで転倒した時に壊れてしまった。それについて何も話をしないうちに、彼女は意識を失ってしまったんだ。オベリスクはまだ家の前に落ちていると思う」

そうとしか答えようがない。

セイチャンを治療しなければいけないという思いで頭がいっぱいで、オベリスクのことはすっかり失念していたのだ。

あのオベリスクはどうなったのだろうか？

ナセルはまだグレイから視線をそらそうとしない。グレイを値踏みするかのように、凝視し続けている。

「どうやら嘘をついているわけではないようだな、ピアース隊長」

そう言いながら、ナセルは部下に合図を送った。

大きな銃声が響き渡った。

午前一時十分

その一分前、ペインターは左側のプラズマディスプレイの映像に変化があったことに気づいていた。隠れ家の内部を撮影しているビデオはまだ機能している。キッチンのテーブルの陰に、グレイの母であるハリエット・ピアースがうずくまっていた。

襲撃者たちは、彼女が家の中に隠れていることに気づいていない。

隠れ家に到着する人数が予定よりも二名多いことを事前に知っていたのは、グレイしかいない。バンが到着したのは、グレイの母がキッチンに入ってから後のことだ。隠れ家の警備に当たっていた一名の護衛を身動きの取れない状態にしたので、連中は現場を完全に制圧できたと思っていることだろう。

何か手を打つとすれば、その油断につけこむしかない。

ペインターが隠れ家に無音の警報を送ると、電話の回線がつながった。室内に取りつけられた電話の横にある赤いランプが点滅を始めた。

〈ランプの方を見てくれ〉……ペインターは祈った。

ランプに気づいたのか、あるいは助けを呼ばなければいけないと思ったのかはわからないが、ハリエットは這いつくばったままの姿勢で電話のそばへ行くと、手を伸ばし、受話器を取って耳に当てた。

「声を出さないで」ペインターは急いで指示した。「ペインター・クロウです。あなたが家の中にいることを、連中に悟られないようにしてください。あなたの姿はこちらから見えています。私の言うことがわかったら、うなずいてください」

ハリエットはうなずいた。

「よかった。そちらに応援を派遣します。ただし、間に合うかどうかは微妙です。襲撃者たちも、時間が大切なことは十分に承知しているでしょう。素早く事をすませるためには手段を選ばないはずです。ですから、あなたも手段を選んでいる暇はありません。できますか？」

再びハリエットはうなずいた。

「その調子です。電話の下の引き出しに、拳銃が入っているはずです」

午前一時十一分

大きな銃声が響き渡った。

さっきのサイレンサーとは違う。

グレイがその事実に気づいたのとほぼ同時に、父の額に拳銃を突きつけていた男の身体が傾いた。頭が半分吹き飛び、サンダーバードのフロントクォーターパネルに骨と脳が飛び散る。

グレイには誰が撃ったのかわかっていた。

母だ。

テキサス生まれの母は、父と同じ油田労働者の家庭で育った。銃規制法案には賛成だと常日頃から主張しているものの、いざという時には銃の使用をためらわない。

グレイは母が敵の注意をそらしてくれるのではないかと、期待と不安の入り混じった気持ちで待っていた。両足を踏ん張りながら、何が起こっても対応できる体勢を取っていたのだ。撃たれた男の身体が地面に倒れるよりも早く、グレイは真後ろに跳んだ。きれいに磨き上げられたクロムめっきのリアバンパーに映るアニーの姿は、目で追っていた。

大きな銃声とグレイの突然の動きに、女は不意をつかれた。グレイは右腕を上げて女の腕に絡ませた。シグ・ザウエルを握っている方の腕だ。体当たりをすると同時に、女の足の内側を踏みつけ、後頭部で頭突きを食らわす。

足元と後ろで、鈍い音が響いた。

前方を見ると、コワルスキが銃を持っていたもう一人の男の腹部に肘を叩き込み、襟元をつかんでサンダーバードのドアの端に顔面を力任せに叩きつけているところだった。

「これでも食らえってんだ」

男は膝から崩れ落ちた。

休むことなく、グレイはアニーの拳をしっかりとつかみ、彼女の腕をドクター・ナセルの方へと向けた。引き金にかかったアニーの指を思いっきり締めつける。だが、彼女も激しく抵抗する。そのために狙いが外れ、銃弾は煉瓦の壁面に当たって跳ね返った。

それでも、十分な効果はあった。ドクター・ナセルは体勢を低くして右に走り、そのまま家の玄関の向かいにある灌木の茂みへと姿を消した。

グレイはアニーの手から拳銃を引き抜きながら、何度か足を蹴った。女はバランスを崩したが、倒れはしない。鼻血を拭おうともせずに、アニーはグレイに背を向けるとバンを目指して走り始めた。ガゼルのような敏捷な身のこなしだ。あれだけ足を痛めつけたはずなのに。

おそらく、アニーは武器を取りに戻ったのだろう。

グレイは『アニーよ銃を取れ』という作品があったのを思い出した。洒落にもならない。奪った銃を彼女に向けたが、引き金を引くより先に、銃弾が鼻先をかすめた。灌木の茂みの方向からだ。

ナセルが撃ったのだろう。

ひるんだグレイは、車止めの庇の陰を目指して後ずさりした。茂みに向かって発砲したものの、相手がどこに隠れているのか見当もつかない。ふくらはぎがサンダーバードの後部バンパーに触れる。グレイはバンに向かって二度引き金を引いた。

しかし、アニーの姿はすでに車内に消えていた。

銃弾はバンの車体に当たって跳ね返った。大統領用の医療車両と同じで、装甲が施されている。

グレイは大声で叫んだ。「みんな車に乗れ！　急ぐんだ！」

母がキッチンの戸口に姿を現した。片手には使用したばかりの拳銃を持っている。もう片方の手にはバッグがしっかりと握られていた。銃さえなければ、近所まで買い物に出かけようとしているとしか見えない。

「早く来い、ハリエット」父が呼びかけた。手をつかんで、引きずるようにして母を助手席まで連れてくる。

コワルスキは頭から後部座席に飛び込んだ。グレイはこの護衛の巨体がセイチャンの息の根もしれない。

を止めてしまうのではないかとひやひやした。ナセルが綿密に立てた計画よりも、話が早いか

グレイも運転席に飛び乗った。身体をハンドルに強打したが、気にしていられない。イグニッションに入れたままのキーをひねると、すぐにエンジンがうなりをあげた。

助手席側のドアが閉まる。父と母が窮屈そうに並んで座っていた。

グレイはバックミラーをのぞいた。

バンのドアがすでに開いていて、その前に立っているアニーの姿が見える。肩に乗せているのはロケットランチャーだ。

〈『アニーよ銃を取れ』じゃなかったのかよ――そんな物騒なものを出すな！〉

グレイはギアを切り替えてアクセルを強く踏んだ。三百馬力のエンジンが威力を発揮して後輪を回転させる。タイヤのゴムが煙と悲鳴をあげる。

隣に座っている父がうめくような声を発した。この期に及んでも、自分の身の安全よりも新品のタイヤのことを心配しているのだろうか。

ようやくタイヤが地面をとらえると、サンダーバードは急発進した。裏庭との境にある木製の門を突き破る。裏庭に入ると、グレイはハンドルを切って、樹齢百年はあろうかと思われるナラの巨木をよけた。タイヤが地面に深く食い込み、裏庭にドーナツを半分に切ったような轍が残る。グレイはスピードを緩めずに裏庭の奥へと車を走らせた。

背後でシューという甲高い音が響き、それに続いて大音響とともに火の玉が上がる。

ロケット弾がナラの巨木に命中し、火のついた枝や樹皮が吹き飛ばされた。炎の塊となった破片が空中高く舞い上がり、周囲に煙が広がっていく。

だが、グレイは振り向きもせずに、さらにアクセルを踏みしめた。

サンダーバードは裏庭の柵を破壊し、グローバー・アーチボルド公園の深い森へと突き進んでいく。

はっきりと言えることは一つだけある。

狩りはまだ始まったばかりだ。

4　海賊

七月五日　午後零時十一分
クリスマス島

ボクサーパンツとブーツ。

波のように押し寄せる人食いガニとモンクとの間に立ちはだかるのは、それだけだった。ジャングルのいたるところで、餌の奪い合いが起こっている。争いながら、はさみを鳴らしながら、カニたちは獲物を切り裂いていく。音だけ聞けば、森林火災で木がはじけながら燃えているかのようだ。

脱いだ防護服を手に持って、モンクはドクター・リチャード・グラフのもとへと歩み寄った。海洋生物学者は森の外れでしゃがみこんでいる。モンクの指示に従って、彼もすでに防護服を脱いでいた。撃たれた肩を袖から抜く時、顔が苦痛で歪んだのも無理はない。ただし、半ズボンの上にアロハシャツを着ているグラフの方が、モンクよりもまだ見られた格好だった。

グラフの方へと近寄りながら、モンクは鼻にしわを寄せた。深く茂ったジャングルからやや開けた場所へと移動するにつれて、強烈なにおいが鼻をつき始めた。崖下に広がる死の海から湧き上がってくる悪臭は、腐ったサケで平手打ちを食らったような感じだ。

「行くぞ」モンクは顔をしかめながら声をかけた。

死体に埋もれた海岸へと通じるトンネルの中から、大きな声が聞こえてきた。海賊たちは警戒しながら、慎重に出口へと向かっている。さっきからグラフが、トンネルの内部に向かって大きな石灰岩の塊を投げ込んでいるからだ。しかも、海賊たちはモンクの拳銃にあと一発しか弾が残っていないことを知らない。そうは言っても、警戒心と石灰岩だけでは、海賊たちの動きを食い止めることはできなかった。

モンクは何度となく、海賊たちがここまで執拗に自分たちを追ってくる理由について、考えを巡らせていた。空腹に陥ったりやけくそになったりした人間は、普通では考えられないような愚かな行動を取ることがある。だが、もし海賊たちの襲撃の目的が、ゾディアックのゴムボートや機器などを盗んでインドネシアの闇市場で売りさばくことだとしたら、なぜわざわざジャングルの中まで追いかけてくるのか？　この地域の海賊たちは、残忍で血も涙もないような連中かもしれないが、素早い攻撃と獲物の確保を第一に考えているはずだ。

それなら、なぜこんなにも執念深いのか？　口封じのためなのか？　足がつくことを恐れているのか？　あるいは、もっと個人的な恨みがあるのか？　モンクはモーターボートから海中へと落下した海賊の姿を思い返していた。当てずっぽうに撃った一発が、偶然にも仲間の一人に命中してしまった。その復讐だろうか？

理由はどうあれ、連中は戦利品だけでは満足していない。血を求めている。

立ち上がったグラフは、強烈なにおいに思わず咳き込んだ。「行くってどこへ？」

「再会を祝しに行くんだよ」

モンクはグラフを引っ張ってジャングルの端へと移動した。ほんの数歩先には、地面を覆いつくした赤紫色のカニがうようよしており、カタカタと音を立てている。ざっと見たところ、カニの数はこの数分の間でさらに増えているように思える。モンクたちの話し声を聞きつけたのか、あるいはグラフの肩から滴り落ちる新鮮な血のにおいに誘われたのか。

グラフはジャングルの入口から先へ進もうとしない。「このカニの群れの中を通り抜けられるわけがないじゃないか。あの巨大なはさみはレザーさえも切断することができるんだぞ。人間の指が切り落とされるのだって見たことがあるんだ」

しかも、カニの動きは敏捷だ。

二匹のカニが目の前を通過するのを見て、モンクは素早く後ずさりした。絡み合ったまま死闘を繰り広げている二匹の足の動きは、肉眼では確認できないほど速い。ウサギと競走してもいい勝負だろう。

「選択肢がそれほどあるわけじゃないぜ」モンクは応じた。

「しかも、こいつらは何か変なんだよ」グラフはモンクの声が耳に入らないようだ。「移動の時期に攻撃的になったアカガニは何度も見たことがあるが、ここまで凶暴なのは初めてだ」

「後で精神分析でもしてやってくれ」そう言いながら、モンクは近くにある巨木を指差した。

タイヘイヨウクルミの木だ。この常緑樹には、低い位置にも枝がたくさんついている。「登れるか？」

グラフは負傷している方の腕で腹部をしっかりと押さえている。あまり動かさないようにしているのだろう。「一人じゃ無理だ。でも、なぜ？　海賊たちから隠れることはできない。かえって格好の的になってしまうよ」

「いいから登れ」モンクはグラフを木の下まで連れていくと、下の方の枝へとつかまるのに手を貸した。枝は太くて登りやすい。最初の数本は手伝いが必要だったが、そこから先は一人で何とか枝を伝いながら、グラフは上の方へと登っていった。

モンクが下に飛び降りると、一匹のカニが待ち構えていた。両方のはさみを振り上げて威嚇している。〈これからが宴たけなわだぜ〉とでも言いたいのだろうか。モンクはカニを仲間たちのもとへと思い切り蹴飛ばしてから、グラフに声をかけた。「トンネルの出口が見えるか？」

「たぶん……ああ、見えるよ」グラフは木の上で体勢を変えた。「まさかここに置いてきぼりにするつもりじゃないだろうな？」

「心配するな。海賊の姿が見えたら、口笛を吹いてくれ」

「いったい何を――？」

「余計なことを考えず、言う通りにしろ！」思わず口をついて出てしまった厳しい言葉に、モンクはほぞを噛む思いだった。グラフに軍隊経験がないことを、つい忘れてしまう。だが、自分のことで頭がいっぱいなのだ。妻と赤ん坊の顔が脳裏に浮かぶ。こんなところで海賊に殺されるわけにいかないし、レッドロブスターの親戚みたいなやつの大群に食われるのもご免だ。

モンクはジャングルのやや開けた場所へと移動して、はさみを振り上げながら動き回っている大群へと近づいた。片手に握った拳銃を持ち上げ、義手の方の手のひらを軽く添える。小首を傾げて、鼻で呼吸する。

〈いつでも来い、目にもの見せて……〉

背後にあるタイヘイヨウクルミの木の方から、奇妙な音が聞こえた。風船を膨らませようとしたが失敗して、途中で空気が抜けていくような音だ。

「やつらが来るぞ！」小さな声が聞こえる。緊張のあまり、口笛を吹くことすらままならないのだろう。

モンクは狙いを定めた。弾は一発だけ。つまり、チャンスは一度だけだ。

ジャングルの中に開けた空き地の向こう側には、大きな岩の下に二個のエアタンクが置かれていた。防護服を脱いだ時、モンクはグラフの防護服についていたエアタンクを受け取った。携帯式のエアタンクは軽量で、アルミニウム合金でできている。足首に装着していたホルスターを使って、モンクはグラフのエアタンクと自分のエアタンクを手早く結び、空き地の反対側に向かって放り投げておいたのだ。エアタンクがカニの群れの間に落下した拍子に、二匹が押しつぶされ、周りのカニもあわてた様子で逃げ出していた。

モンクはそのタンクに狙いを定めた。血の通った手と機械の手の両方で拳銃を構える。

「見えた！」グラフのうめくような声が聞こえる。

モンクは引き金を引いた。

銃弾が命中しても、何も変化はないように思われた――次の瞬間、一方のエアタンクから短い炎が噴き出した。結びつけられた二本のタンクは大きな金属音を立てながら回転し、空気の漏れる音とともに上下する。もう一方のタンクのノズルが外れると、動きはいっそう激しくなり、カニたちを押しつぶしたり弾き飛ばしたりしながら踊り始めた。

モンクの狙い通りだった。

以前モンクは、カニが一面を覆いつくしている砂浜を歩いたことがあった。海鳥などの別の生き物に気づくと、カニたちは一瞬のうちに砂浜に掘られた穴の中へと姿を隠してしまう。ここでも同じ現象が起きた。飛び跳ねるタンクの近くにいたカニたちが逃げ出し、近くの仲間の背中に乗っかる。乗っかられた周囲のカニたちも騒ぎ出す。小さな流れがやがて大きな波になり、すでに興奮状態にあったアカガニは、いっせいに移動を始めた。

カニの大群はタンクから逃れてモンクの方へと向かってきた。大きな波の間に大量のはさみがうごめいているかのように見える。仲間のカニを押しつぶしながら、大移動が始まった。

モンクはタイヘイヨウクルミの木へと走った。彼の後を追うかのように、カニのはさみが迫る。

モンクは木に跳びつくと、枝を伝って上へと登った。一匹のカニが、ブーツのかかとの部分にぶら下がっている。木の幹を蹴ってカニを叩きつぶす。カニは地面へと落下していった。はさみだけが、ブーツに食い込んで残っていた。はさみの先端が当たって、かかとが切れているかもしれない。

ものすごい力だ。

下に目を向けると、カニの大群が木の根元を通り過ぎていく。本能的に、おそらく年一回の大移動と同じ行動を取っているのだろう。カニは海へと向かっていた。

モンクはさらに上へと登り、グラフと同じ高さに達した。グラフは片方の腕を幹に回してしがみついている。彼はモンクの方に目を向けたが、すぐに視線を戻した。その先には、海から通じるトンネルの出口付近に広がるやや開けた岩場がある。

六人の海賊たちは、トンネルから外に出て左右に展開していた。だが、銃声を耳にして地面に伏せたままだ。ようやく身体を起こすと、周囲の様子をうかがい始めた。

そんな海賊たちの目の前に、ジャングルの中からアカガニの大群が飛び出してきた。

ジャングルから一番近い位置にいた海賊に、カニの群れが襲いかかった。男がカニに気づいて反応するより早く、そもそも目の前の赤い絨毯がカニだという事実を認識するより先に、カニたちは男の太腿のあたりまでよじ登っていた。突然、海賊は悲鳴をあげ、後ろによろめいた。次の瞬間、片足が身体を支えられなくなり、男はバランスを崩して地面に倒れこんだ。

グリーンベレー時代の実戦中に、モンクは仲間の隊員が銃弾でアキレス腱を切断された瞬間を目撃したことがあった。その時の不自然な倒れ方と、目の前の海賊の動きはまったく同じだった。

海賊は叫び声をあげながら、片手を地面について身体を支えている。

その海賊の身体を、カニの大群が覆いつくした。赤い波の下に、苦しそうにもがいている身体が見える。カニの下から聞こえる海賊の悲鳴は止まらない。ほんの一瞬、海賊の姿がカニの海の底から浮かび上がった。顔を覆っていたスカーフは剝ぎ取られている。そればかりか、鼻も、唇も、耳も、もぎ取られ、目のあった場所は血の塊と化している。断末魔の叫びとともに、海賊は再びカニの波の下に姿を消した。

仲間の海賊たちは恐怖におののき、トンネルへと駆け込んで姿を消した。ただ、海賊の一人は断崖の上に突き出た大きな岩に邪魔されて、トンネルへとすぐには戻れなかった。カニの大群が彼の方へと向かう。

絶望的な叫び声をあげながら、その男は断崖から身を投げた。

トンネルの内部からも、悲鳴がこだまする。

排水溝を流れ落ちる水のように、カニたちはトンネルへと吸い込まれ、鋭いはさみを持った赤い激流となって下っていった。

モンクのすぐそばにいるグラフは、まばたき一つせずに眼下の光景を見つめていた。呼吸が荒くなっている。

モンクが手を触れると、グラフはびくりと震えた。

「そろそろ時間だぜ。森が恋しくなってカニたちが戻ってくる前に逃げるんだ」

モンクの手を借りながら、グラフは地上へと降りた。周囲にはまだ数百匹ものアカガニがいる。二人はカニに注意しながら慎重に進んだ。

モンクは葉の茂ったタイヘイヨウクルミの枝を一本折り、近づこうとするカニを払いながら先を急いだ。

グラフも次第に落ち着きを取り戻したようだ。学者としての好奇心が頭をもたげてくる。

「カニを……カニを一匹捕まえたい」

「船に戻ったらカニなんか好きなだけ食べられるぜ」

「そうじゃない。研究のためだ。カニたちはなぜか有毒物質の影響を受けていない。何か重要な秘密があるのかもしれない」得意分野の話を進めるうちに、グラフは冷静な口調に戻ってきた。

「なるほど」モンクは答えた。「採集したサンプルは全部浜辺に置いてきてしまったし、手ぶらで船に戻るわけにもいかないからな」

モンクは左手を伸ばし、小さめのサイズのカニを選ぶと義手の指先で甲羅をつまんだ。興奮したカニははさみを盛んに振り回しながら、モンクの指を挟もうとする。

「おい、あんまり荒っぽいまねをするな。指の修理代は俺の給料から引かれるんだぞ」

木の幹でカニを叩きつぶそうとしたモンクを、グラフが傷めていない方の手を振りながら制止した。「だめだってば！　生きたカニが必要なんだ。さっきも言ったように、こいつらの行動はどこかおかしい。その観点からも調べる必要がある」

モンクはいらいらを抑えながら唇を嚙んだ。「わかったよ。だが、もしこの寿司ネタが逆に俺の指に食いついたりしたら、あんたに弁償してもらうからな」

二人は高台を覆う森を通って島を縦断した。

四十分ほど歩くと、次第に木々がまばらになり、崖の上から広大な景色が見渡せるようになった。島の中心都市であるセトルメントの街並みが、海岸と港に沿って広がっている。町の向こう側に広がるフライングフィッシュ・コーブには、純白の城のような海の女王号が停泊していた。群青色の空に浮かんだ一点の雲のように見える。

〈やれやれ、やっと船に帰れる〉

その時、モンクは小さな船に気づいた。十艘以上の小型船が、白い航跡を残しながら、町の北側にあるロッキーポイントの岬を回っている。船団は大きなV字形を作って進んでいた。戦闘機の攻撃隊形と同じだ。

港の反対側からも、同じような隊形の船団が姿を現した。

崖の上の高い位置からでも、小型船の形状と色が確認できる。

青いモーターボート。竜骨が長く、喫水は浅い。

「まだ海賊がいたのか……」グラフはため息をついた。

モンクは両方向から迫りつつある二つの船団をじっと見つめていた。二本のはさみのようだ。アカガニのはさみよりも脅威は大きい。その二本のはさみの間を、呆然と見ることしかできない。

海の女王号は挟み撃ちに遭っていた。

午後一時五分

リサはレントゲン写真を凝視していた。

船室内の机の上に、携帯型のライトボックスが設置されている。彼女の背後にあるベッドには、患者が仰向けに寝ており、シートが全身にかぶせられていた。

死亡した患者だ。

「肺結核のようね」リサはつぶやいた。レントゲン写真を見ると、患者の肺には結核結節と呼ばれる大きな白い塊が広がっている。「あるいは、肺癌かしら」

オランダ人の毒物学者、ドクター・ヘンリク・バーンハートは彼女の横に立ち、片手を机の上に置いている。リサはバーンハートに呼ばれてこの船室に来たのだった。

「そう（ヤー）だな。だが、患者の妻の話では、死の十八時間前まで、夫には呼吸器系疾患の症状がまったく見られなかったそうだ。咳も出ないし、痰も出なかった。それにタバコも吸わない。しかも、この患者はまだ二十四歳の若さだ」

リサは顔を上げた。船室内にいるのは二人だけだ。「肺の細胞は培養したの？」

「針を使って肺の内部にある塊から液体を吸い上げた。どこからどう見ても膿だったよ。バクテリアが繁殖してチーズのような状態だった。肺膿瘍であることは間違いない。癌ということはありえないな」

リサは顎ひげを蓄えたバーンハートの顔をじっと見つめた。やや猫背の姿勢で立っている。クマのような体格が恥ずかしくて、少しでも小さく見せようとしているかのような印象を受ける。それと同時に、秘密の情報を提供したがっているようにも見える。バーンハートはドクター・リンドホルムには声をかけていなかった。

「そうした膿瘍があったことを考えると、肺結核の線が濃厚ね」

結核は結核菌と呼ばれる極めて伝染性の高い菌によって引き起こされる。直前まで何の前触れもなかったこの患者のような例は非常に稀だ。結核は進行の遅い病気で、潜伏期間が数年に及ぶこともある。この男性は数年前に結核菌に感染し、いわば体内に時限爆弾を抱えている状態にあったのではないだろうか。今回の有毒ガスを吸引したことで、肺に大きな負担がかかり、結核が急速に広がったとの可能性は考えられなくもない。そうだとすれば、この患者からほかの人への感染の危険性は非常に高かったことになる。

彼女もバーンハートも、防護服は着用していない。

なぜ事前に警告してくれなかったのだろうか？

「肺結核ではないんだ」バーンハートはリサの疑問に答えた。「我々のチームにいる感染症の専門医、ドクター・ミラーによれば、膿瘍内のバクテリアはセラチア菌という非病原性の菌だということなんだ」

リサはさっきドクター・バーンハートと交わした会話を思い出した。皮膚に付着しているごく普通のバクテリアが放出した人食い毒素に侵された患者の話だ。

バーンハートは二つの事例の共通点を示した。「今回の場合も、良性で非日和見性のバクテリアが、毒性を持つように変化したんだ」

「ですが、ドクター・バーンハート、あなたのおっしゃっていることは……」

「ヘンリーと呼んでくれ。私は単なる憶測で話をしているわけではない。この数時間、同じような症例がないか探していたんだ。ほかに二名の患者を見つけたよ。一人は劇症赤痢にかかった女性。腸の内壁まで体外にあふれ出ているのではないかと思うほどひどい症状だ。原因はアシドフィルス菌で、ヨーグルトなどに含まれる腸内の乳酸桿菌の一種だ。もう一人は激しいひきつけを起こしている子供だ。脊椎穿刺をして調べたところ、異常な量のアセトバクター・アセチが見られた。酢に含まれる無害なはずの酢酸菌が、その子の脳を蝕んでいたんだ」

話を聞くリサの目には、すぐそばにいるドクターの姿が映っていなかった。彼の説明が意味する事の重大性に全神経を集中させる。

「おそらく、同様の症例の患者はほかにもいるに違いない」ヘンリーは説明を続けている。

リサは首を横に振った――ヘンリーの意見を否定しているわけではない。彼の言う通りだろうと思うにつれて、本当の恐怖が胸を締めつけてきたからだ。「つまり、何かが良性のバクテリアを人間の敵に変えているわけなのね」

「友達に裏切られたようなものだ。もしこれが全面戦争に発展したら、とてもじゃないが数の上で太刀打ちできやしない」

リサはヘンリーの顔を見上げた。

「人間の身体は百兆個の細胞で構成されているが、そのうち我々自身の細胞はわずか十兆しかない。残りの九十パーセントは、バクテリアや日和見性の有機物の細胞なんだ。我々人間は、体内にそんな異物を大量に抱えながらも平和に共存している。だが、もしこのバランスが崩れたら、そうしたバクテリアが我々に牙をむいたとしたら……？」

「そんな事態になるのを食い止めないといけないわ」

「だから君をここに呼んだんだ。信じてもらうためにね。有効な対策を考えるために、ドクター・ミラーと私にも、君の同僚が持っている法医学的な検査のできる装置を使わせてほしい。重大な疑問に対する答えを、すぐにでも見つけ出す必要があるんだ。今回の出来事は、そうしたバクテリアが毒性を持つように化学的に変異したのが原因なのか？　そうだとしたら、どのように治療すればいいのか？　もし感染力が強かったら？　隔離や検疫はどのように行なえば？」ヘンリーは顎ひげの下の顔をしかめた。「答えが必要なんだ。今すぐに」

リサは腕時計に目をやった。モンクの戻りはすでに予定よりも一時間遅れている。採集作業に没頭しているのか、あるいは島と砂浜の美しい景色に見とれているのか。観光気分でのんびり楽しんでいる場合ではないのに。

リサはうなずいた。「ドクター・コッカリスに無線を入れるわ。すぐにでも船へ戻ってくるように伝えないと。でも、待っている時間も惜しいのはその通りだわ。すぐ検査に取り掛かるべきね」

リサはヘンリーを案内して船室から出た。モンクが検査に使用する船室は、船の最上階に近い、ここから五つ上の階にある。大掛かりな装置を運び込む必要があったために、シグマはこのクルーズ船内で最も広い船室を確保していた。間に合わせの研究室を設置するために、船員たちは室内に固定されていたベッドや家具をわざわざ取り外したという。また、その船室には広いバルコニーがあって、右舷の景色が一望できる。リサはそこでくつろいでいる自分の姿を思い浮かべた。太陽の光を浴びて、顔にはさわやかな風が吹きつける。そうすることで、心の底から執拗に湧き上がってくる不安を追い払うことができればいいのに。

船のエレベーターへと向かいながら、リサはもう一度ペインターに電話をしなければいけないと考えていた。自分の一存で判断を下すのは荷が重過ぎる。シグマの研究開発部の全面的なバックアップが必要だ。

それに、ペインターの声が恋しくてたまらない。

リサはエレベーターのボタンを押した。

まるでそのボタンが合図だったかのように、船の反対側から大きな鈍い音が聞こえてきた。係留所の方角からだ。船と海岸との間を往復するボートに、乗客が乗り降りするための場所として使用されている。

何か事故が起きたのだろうか？

「今のは何だ？」ヘンリーは訊ねた。

二発目のさらに大きな爆発音は、もっと近い場所から響いてきた。船首に近い地点だ。遠くであがる悲鳴がかすかに聞こえる。その直後、リサの耳は聞き覚えのある音をとらえた。自動小銃による機銃掃射の銃声。

「この船は攻撃を受けているわ」

午後一時四十五分

モンクは錆びついたランドローバーのハンドルを握って、上下に揺られながら急な坂道を下っていた。島のリン鉱山近くの駐車場に停めてあった古い車を、無断で拝借したのだ。全島避難の際に乗り捨てられたものだろう。鉱山の裏手から海岸沿いの町へと下る未舗装の道を一気に飛ばす。

ドクター・リチャード・グラフは、しっかりとシートベルトを締めて助手席に座り、片手で屋根を押さえながら身体を支えている。「スピードを落としてくれよ」

モンクはグラフの言葉を無視した。何としても海岸までたどり着かなければならない。

モンクとグラフは鍵を壊して鉱山の作業小屋に入り、電話をかけようと試みた。だが、電話は通じていなかった。島はもぬけの殻も同然の状態だ。ただ、作業小屋に救急箱があったのはせめてもの救いだった。負傷したグラフの肩に抗生物質の軟膏を塗り、ガーゼを巻くことができた。

グラフが何とか自分で治療をしている間に、モンクはランドローバーのエンジンをかけることに成功した。坂道を下っている今も、グラフは救急箱を大事そうに抱えている。治療がすんで中身を空けた救急箱は、捕まえたカニのかごにぴったりだった。

ジャングルの中を縫う道が前方で大きくカーブしているのに気づき、モンクはギアを切り換えた。それでも飛ぶようなスピードでカーブを曲がったために、外側のタイヤが数センチほど浮き上がる。再び四本のタイヤが地面をつかむと、衝撃で車内は大きく揺れた。

グラフは息を呑んだ。「ジャングルの木に正面衝突したら、元も子もないじゃないか」

モンクはスピードを落とした。グラフに注意されたからではない。舗装された道が前方で交差していたからだ。島の海岸線沿いに走る大きな道の外れに到達したようだ。狭いながらも二車線の舗装道路が延びている。鉱山から下ってきた山道は、フライングフィッシュ・コーブのすぐ南に通じていた。北の方角にはセトルメントの町並みが見える。海岸沿いにはホテル、中華料理のレストラン、古ぼけたバー、観光客相手の店などが建ち並んでいる。

だが、モンクの視線は海上に向けられたままだ。フライングフィッシュ・コーブの沖に、海の女王号が停泊している。船の周囲には炎上する小船や爆破されたヨットが何艘も見える。オーストラリア沿岸警備隊のカッターも、残骸しか残っていない。真昼の太陽が照りつける空に、黒煙が高く上っている。轟音を響かせながら海上を走っている青いモーターボートは、まるで獲物を狙って泳ぐサメの群れのようだ。

上空に目を向けると、黄色と赤の二色で塗られたヘリコプターが入り江の上を旋回している。ユーロコプターのAスターだ。ローターの巻き起こす風で黒煙が吹き飛ばされる。開いたハッチから見える銃口が明るい光を放った。どう考えても味方であるはずがない。

鉱山からジグザグの山道を下ってくる途中で、モンクは船が襲撃される模様を目撃していた。爆破、発砲、閃光。爆発して炎上する破片。爆発音は山を下る途中の彼らのもとにまで、まるで遠くの空に打ち上げられた花火のように響いてきた。

ドーン……ドーン……ドーン……

北に目を向けると、同じような爆発音が再びとどろき、黒煙と炎を噴き上げている。町の中心部の方角からだ。かなり距離が近い。震動でランドローバーの窓が揺れる。

「テルストラの通信局だ」グラフはつぶやいた。「やつらは通信を完全に遮断しようとしている」

セトルメントの町の各所から火の手が上がっていた。

連中はただの海賊ではない。これほど大規模な攻撃を仕掛けてくるなんて……いったい何者だ？

モンクは再びギアを切り換えると、海岸沿いの道路を町の中心とは反対方向に走り始めた。

「どこへ――？」グラフは怪訝そうに訊ねた。

カーブを曲がると、ジャングルを模した広さ数ヘクタールほどの庭園の間から、小さなリゾートホテルが姿を現した。モンクは「マンゴー・ロッジ・アンド・グリル」と記された看板のところでハンドルを切った。ホテルへと通じる道を真っ直ぐ進む。ホテルは二階建てで、ジャングル風の庭園の中には数軒のバンガローも併設されている。プールの水面が太陽の光をまぶしく反射していた。

スタッフも宿泊客もいないようだ。

「ここにいれば安全だろう」そう言いながら、モンクはブレーキを踏んだ。ホテルの名前の由来となった、マンゴーの木陰に車を停める。

モンクは車から飛び降りた。

「待ってくれよ!」グラフはしばらくもたついた後、何とかドアを開けた。転がるようにランドローバーから降りると、急いでモンクの後を追いかける。

モンクはグラフを待たずに先を急いだ。小走りに海岸へと向かう。海沿いにあるリゾートホテルの例に漏れず、マンゴー・ロッジ・アンド・グリルにも様々なマリンスポーツの設備が整っていた。ホテルを訪れた観光客は、シュノーケル、カヤック、ヨットなどを楽しむことができる。敷地の外れにそうしたマリンスポーツの案内所があった。軽量コンクリート製の建物で、屋根には草を葺いてある。避難する際にふさいだのだろうか、入口には板が打ちつけてあった。

歩く速度を緩めずに、モンクはプール掃除用の長い棒をつかんだ。入口に駆け寄ると棒を差し込んで板をはがし、ガラスの扉を叩き割って中に入った。

ようやくグラフがモンクに追いついた。

モンクは手を伸ばして、グラフを太陽の光の届かない室内に引っ張り込んだ。ヘリコプターが建物のすぐ上を通過する。ローターの巻き起こす風にあおられて、ヤシの葉が大きく揺れている。ヘリはそのまま飛び去り、海岸に沿ってパトロールを続けた。

「見つかったらどうするんだ！」モンクは怒鳴りつけた。

グラフは大きく何度もうなずいている。

モンクは案内所の入口近くを見て回った。ビーチタオル、サングラス、日焼けオイル、土産物などが所狭しと並んでいる。建物の中にはココナッツと濡れた足のにおいが充満していた。モンクはカウンターの内側へと回り込み、ビーズのカーテンが垂れ下がった戸口の中をのぞいた。

探し物はそこにあった。

部屋の奥の壁にかけられた、スキューバダイビング用の装具。

モンクはブーツを脱ぎ捨てた。

浜辺に面した部屋の壁には、シャッター式の扉の前に、様々なタイプの乗り物が並んでいる。モンクは足こぎ式のボートやカヤックの前を通り過ぎ、一台のジェットスキーの前で足を止めた。車輪付きのトレーラーの上に置かれている。観光客の希望があれば、いつでも海岸へと持ち運びができるようにするためだ。

ありがたいことに、島のこの付近の海岸には有毒物質が漂着していない。

モンクはグラフの方を振り返った。「手を貸してくれ」

十八分後、モンクは脂で汚れた扉のガラスに肘をこすりつけていた。ウエットスーツのゴムとガラスがこすれて耳障りな音を立てる。首を伸ばして外の様子をうかがいながら、モンクは上空を旋回するヘリコプターがフライングフィッシュ・コーブの北へと戻っていくのをじっと待った。スミス岬に視界を遮られているので、湾内の様子を直接見ることはできない。岬の稜線の向こう側に漂う黒煙から判断すると、まだ戦闘が続いているに違いない。

ようやくヘリコプターが旋回をやめて、クルーズ船の方へと戻っていく。

「よし、行くぞ！」

モンクは体をかがめると、扉を一気に押し上げた。カチリと音がして扉が上に固定される。案内所の中では、グラフがトレーラーの後部の取っ手を持ち上げている。モンクはトレーラーの前に回り込んだ。モンクがジェットスキーの後部をつかんだのを合図に、二人は力を合わせてトレーラーを動かしながら海を目指した。大きなタイヤがついているので、砂の上でも運びやすい。

海岸線の近くでグラフがトレーラーからジェットスキーを降ろしている間に、モンクは案内所に戻ってBCベストとエアタンクを装着した。その上からマンゴー・ロッジのロゴの入ったお土産用のウインドブレーカーを羽織って装備を隠す。

重装備のモンクは波打ち際までよろよろと戻ると、グラフを手伝ってジェットスキーを海に浮かべた。「隠れているんだぞ」モンクはグラフに指示した。「無線でも何でもいい、もし通信手段を見つけたら、軍なり警察なりに連絡を入れるんだ」

グラフはうなずいた。「気をつけてな」

その一分後、モンクは加速しながらスミス岬へとジェットスキーを走らせていた。後ろを振り返ると、トレーラーを引きずりながら案内所へと戻っていくグラフの姿が見える。

モンクは体勢をさらに低くして、エンジンを全開にした。加速するにつれて、風にはためくウインドブレーカーの音が大きくなる。塩辛い海水が顔面にかかる。前方に見えるスミス岬があっと言う間に大きく迫ってくる。岩だらけの岬の先端に近づくと、モンクはスピードを落とすことなく岬を回った。

岬を通過して入り江に入ると、海の女王号を視界にとらえることができた。まるで敵軍に包囲された白亜の城のようだ。船の周囲では漏れた石油が炎上し、散乱した船の破片が煙を噴き上げている。入り江の桟橋も爆破されていた。まるで戦場のような湾内では、海賊たちのモーターボートが大きなエンジン音とともに何艘も旋回している。

さらなる獲物を探しているのだろう。

〈ここからが本番だ〉

水面をかすめて飛ぶ魚雷のように、モンクは敵の真っ只中へと突き進んだ。

午後二時八分

「私たちにも何かできることがあるはずだわ」リサは提案した。

「とりあえずは、大人しくしていた方がいいぞ」ヘンリー・バーンハートは応じた。

二人は使用されていない外側船室に隠れていた。リサは室内に二つある舷窓のうちの一つから外の様子をうかがい、バーンハートは船室の扉のすぐそばに立っている。

一時間ほど前、二人は逃げ道を探しながらクルーズ船の内部を走り回ったが、船内はすでに大混乱に陥っていた。制服を着た乗組員も、恐怖に怯えた乗客たちも、病人も、まだ発症していない者も、全員が通路に殺到したからだ。依然として爆発音と銃声は聞こえていたが、それをかき消すほどのけたたましさで非常ベルが鳴り響いていた。自動的に作動したのか、あるいは誰かが故意にスイッチを入れたのかはわからないが、船内の各所に設置された防火扉が閉まり、至るところで通路が封鎖された。

その間、顔をスカーフのようなもので隠した男たちが、銃を片手に通路を順番に点検し、抵抗する人や命令に従わない人を情け容赦なく射殺していた。リサとヘンリーの耳にも、一つ上の階の通路から、悲鳴と銃声と人々の逃げ惑う足音が届いた。それは二人のすぐ近くにまで、銃を持った男たちが近づいていることを意味していた。船内に設置されたショールームをすり抜け、さらに下の階の廊下へと駆け下りたことで、かろうじて敵の魔の手から逃れることができたのだった。

だが、ずっとこの船室に隠れていることができるとは思えない。

海の女王号がこれほどあっさりと敵の手に落ちたのは、乗組員の中に内通している者がいたからだろう。

リサは舷窓から外をのぞいた。海面に炎が広がっている。逃げ道を失った乗客が、何人も海へと飛び込む姿も目撃した。岸まで泳ぎ着ければ助かるかもしれないと思ったのだろう。

しかし、入り江では何隻もの小型砲艦が警戒に当たっており、海面に向かって銃弾の雨を降らせていた。

燃えさかる瓦礫の間に、多くの死体が浮かんでいる。

逃げ道はどこにもない。

いったいなぜこんなことが起こったのか？　何が目的なのか？

最後にチリンと苦しそうなうめきにも似た音を発して、ようやく非常ベルの音がやんだ。静寂が重くのしかかる。身体を上から押さえつけられているような感じだ。船内の空気までもが息苦しくなったような気がする。

上の階の方から、すすり泣く声と泣き喚く声が聞こえる。

ヘンリーはリサの目を見た。

室内にある船内放送用のスピーカーから、厳しい口調のマレー語が聞こえてきた。リサはマレー語が理解できない。ヘンリーに問いかけるような眼差しを向けると、彼も首を横に振った。放送の意味はわからないようだ。やがて、スピーカーから聞こえる声が北京語に変わった。同じ内容を繰り返しているのだろう。マレー語と北京語は、クリスマス島で使われている主要言語だ。

ようやくスピーカーからの声が英語になった。かなり訛りが強い。

「この船は我々の指揮下に入った。各階には護衛が見張りについている。廊下をうろつく者は、見つけ次第射殺する。我々の指示に従っている限り、危害は加えない。以上」

大きな雑音とともに、放送が終わった。

ヘンリーは船室の扉に鍵がかかっていることを確認してから、リサの方に歩み寄った。「この船は乗っ取られたんだ。連中は入念な計画を練っていたに違いない」

リサはアキレラウロ号のことを思い出した。一九八五年、パレスチナ人のテロリストに乗っ取られたイタリアのクルーズ船だ。もっと最近では二〇〇五年に、ソマリア人の海賊がアフリカの東海岸沖でクルーズ船を攻撃している。

リサは再び舷窓へと目を向けた。眼下の海面を何艘ものボートが警戒に当たっている。ボートに乗った男たちは、布切れで顔を覆って銃を持っており、確かに海賊風のいでたちをしている。しかし、リサはなぜか彼らが海賊ではないような気がしてならなかった。

ペインターの被害妄想が自分にも伝染してしまったのだろうか？

だが、ただの海賊にしては、あまりにも統制が取れすぎている。

「おそらく」ヘンリーは話を続けている。「連中は船内を荒らして、手当たり次第に盗み出すつもりだろう。それがすんだら根城にしている島に戻っていくさ。何とか生き延びられれば、やつらと顔を合わさないようにすれば……」

再びスピーカーが雑音を発すると、さっきとは別の声が船内に流れてきた。今度は初めから英語だ。マレー語や北京語ではない。

「これから名前を呼ぶ乗客は、ブリッジまで至急出頭すること。五分間の猶予を与える。両手を頭の後ろに組んだ姿勢で来るように。もし出頭しない場合には、一分間の遅刻につき乗客二名を殺害する。最初に子供から殺す」

続いて名前が読み上げられた。

「ドクター・ジーン・リンドホルム」

「ドクター・ベンジャミン・ミラー」

「ドクター・ヘンリー・バーンハート」

「ドクター・リサ・カミングズ」

「いいか、五分後だぞ」

スピーカーの声がやんだ。

リサはまだ舷窓から外の様子を観察している。「これはただの乗っ取りではないわ」

〈それに、ただの海賊でもない〉

外の光景から目をそらそうとした時、リサはクルーズ船に向かって一直線に進んでくるジェットスキーの存在に気づいた。後方に勢いよく水を噴射しているので、人目につきやすい。海面に浮かんだ瓦礫を巧みにかわしながら接近していた。ジェットスキーに乗っている人物が誰なのかまではっきり見えない。前かがみの姿勢で操縦しているからだ。

その理由はすぐにわかった。

ジェットスキーを二艘のモーターボートが追跡していた。炎上して煙を噴き上げている破片を弾き飛ばしながら、猛スピードで追っている。モーターボートに装備された銃が火を噴いた。

こんなところにジェットスキーで乗り込むような無謀な行動をとるなんて、いったい何を考えているのだろう？　リサは呆れて頭を振った。

クルーズ船の上から一機のヘリコプターが姿を現した。ジェットスキーに向かって急降下してくる。リサはこれ以上そんな光景を見ていたくはなかったが、なぜか目をそらすことができずにいた。自殺行為としか思えないジェットスキーの行動には、なぜか心当たりがあるような気がしたからだ。

ヘリコプターが急旋回して機体を傾けた。横の扉が開いている。

機内から激しい煙が噴き出した。

グレネードランチャーだ。

顔をしかめながら海面を見たリサの目に、真っ赤な火の玉と化したジェットスキーの姿が映った。煙と真っ黒に焦げた金属が空中に舞い上がる。

リサは海面の光景から目をそらした。どうすることもできず、身体が小刻みに震える。リサはヘンリーの方を見た。選択の余地はない。

「行きましょう」

午後二時十二分

ウエイトベルトとエアタンクの重さに引きずり込まれるように、モンクは深みへと沈んでいった。浮き上がろうとはせずに、息を止めたまま身を任せる。頭上では青い海が赤い炎に包まれていた。爆破されたジェットスキーの破片が海中を飛び交う。二メートルほど離れた海中を、ジェットスキーの残骸が真っ逆さまに海底へと落ちていく。

その残骸の後を追うように沈みながら、モンクはマンゴー・ロッジのウインドブレーカーを脱いだ。海中に潜ってまでエアタンクを隠している必要はない。スキューバ用のフェイスマスクをかぶり、手を伸ばしてエアタンクのホースをつかむ。レギュレーターを使って空気を送り込み、マスクの中に入った水を吐き出してから、ホースを装着した。

海水が急に澄んで視界が晴れたように感じる。

レギュレーターを固定すると、モンクは海中で初めて空気を吸い込んだ。

すぐに安堵のため息が漏れる。

敵の目を欺くことができただろうか？

まるで獲物のネズミを見つけたタカのようにヘリコプターが急降下してきた時、モンクはハッチの開いたヘリの機内にいる男の姿を目で追っていた。グレネードランチャーが自分に向けられていることを確認すると、ぎりぎりまで粘ってからジェットスキーをひっくり返し、海中に飛び込んでそのまま潜った。爆発の衝撃はまるで頭を万力でぶん殴られたかのような激しさだった。まだ耳ががんがんしている。

モンクは海底へと向かってさらに深度を下げた。フライングフィッシュ・コーブの水深は三十メートルあり、大型船舶も安全に航行することができる。だが、そこまで深く潜る必要はない。

浮力調整具を使ってエアタンクの空気をベストに送り込む。次第に降下速度が緩やかになり、やがてモンクは海中に静止した。水面には複数のモーターボートの影が映っている。プロペラの回転で海は白く泡立っていた。モーターボートは旋回を続けながら、ジェットスキーを操縦していた人間を捜索している。海面に浮上したら、すぐに射殺するつもりなのだろう。

だが、モンクには浮上する気など毛頭なかった。それに狙い通りに敵の目を欺くことができたとすれば、スキューバダイビングの装備を背負っていたことには気づかれていないはずだ。

モンクは身体を回転させて、手首に装着した小型コンパスをチェックした。明るく光る目盛りを確認すると、事前に計算していた方角へと向かう。

海の女王号の方向へ。

せっかく豪華なクルーズ船に乗れるのに、置き去りにされてはたまらない。

5　遺失物

七月五日午前一時五十五分
ワシントンＤＣ

「これ以上進むのは無理だ」グレイは宣言した。

この七分ほど、グレイはグローバー・アーチボルド公園の中を通り抜けながら、サンダーバードのハンドルと格闘していた。雑草の生い茂った古い通路を縫うように走ると、両側の灌木がサンダーバードの車体とこすれて音を立てる。左の前輪がパンクしたため、スピードは出ないし、ハンドル操作もかなり困難になっていた。

ワシントンＤＣに対して、歴史的な建物、道幅の広い遊歩道、博物館などが集まった都市、という印象を抱いている人は少なくないだろう。しかし、市の中心部の各所にはいくつもの緑地帯があり、それぞれがつながって長大な緑の帯を形成している。その総面積は四百ヘクタール以上にも及ぶ。そうした緑の帯の一方の端に位置するのがグローバー・アーチボルド公園で、ポトマック川にまで達している。

グレイはポトマック川とは反対の方向へと車を走らせた。川までは距離があるし、それに川岸に出てしまっては人目につきすぎるからだ。公園沿いの家並みと平行して走る裏道をたどりながら、グレイはヘッドライトを消して北へと向かった。そのうちに深い森の中心部へと通じる細い道を発見した。グレイは森の奥へと車を進めた。何とかして敵の追跡をかわさなければいけない。だが、サンダーバードにこれ以上の踏ん張りを期待するのは無理な相談だった。

車での移動はあきらめざるをえないと覚悟を決めて、グレイはスピードを落とした。

一行は深い谷の底にいた。木々の茂った斜面が両側に迫っている。前方に目を向けると、廃線になった鉄道の構脚橋が狭い谷を横切っていた。グレイは赤く錆びた鉄と木の板でできた橋の下へとサンダーバードを進めた。構脚を支えるコンクリート製の壁の横に車を停める。壁は落書きだらけだ。

「みんな車から降りてくれ。ここからは徒歩で進む」

構脚橋を挟んで向かい側に目をやると、星と三日月の光に照らされて、木製の道標が立っている。遊歩道だ。深く生い茂った森の中へと通じる小道は、遊歩道というよりもトンネルの入口のように見える。

姿を隠すにはその方が好都合だ。

反対の方角からは緊急車両のサイレンの音が響いてくる。夜空がかすかにオレンジ色に染まっていた。ロケット弾の爆発で火災が発生したのだろう。

だが、目の前の森には光が届かない。真っ暗な闇に覆われている。

それは同時に、ナセルと仲間の暗殺者にとっても、身を隠せる場所がいくらでもあることを意味していた。

前方にも、背後にも。すでに包囲網を狭めているかもしれない。

グレイの心臓の鼓動が激しくなった。恐怖で息が詰まりそうだ。自分が危険にさらされるのは別にかまわない――問題は両親の身の安全だった。二人を安全な場所へと連れていき、自分と距離を置くこと、自分に迫りつつある危険から遠ざけることが必要だ。そのためにはまず、セイチャンの傷の手当てをしなければならない。

しかも、人目につかない形で治療を行なう必要がある。

スクランブルのかかった携帯電話を持っているとはいえ、シグマあるいはクロウ司令官に連絡を入れることはためらわれた。情報伝達のルートに問題が発生している。隠れ家の情報が筒抜けだったのは、その何よりの証拠だ。このような状況下では、一切の連絡を絶って姿を隠すよりほかない。どこかで情報が漏れているからには、両親を安全な場所にかくまうまでは、居場所を明かしかねない行動を迂闊に取るわけにはいかなかった。

そのため、セイチャンの怪我の治療には別の手段を考える必要があった。母が一つの選択肢を提案してくれた。母は自分の携帯電話から電話を二本かけ、すでに計画を実行に移している。通話終了後、グレイは母の携帯電話の電池を外した。電波を逆探知して居場所を突き止められないようにするためだ。

「モルヒネがだいぶ効いてきたみたいね」後部座席から母の声がする。

途中で車を停めた際、グレイの母は後部座席に移動していた。母とコワルスキとの間に、セイチャンが横たわっている。隠れ家に置いてあった治療器具の中から、事前に処理済みのモルヒネの入ったシレットを使って、セイチャンに注射をしていたのだ。

「ここから先は」グレイは口を開いた。「彼女を抱えて移動しなければならない」

「任せてくれ」コワルスキは応じると、母に向かって車の外に出るように合図した。

父は母がサンダーバードから降りるのに手を貸した。母が外に出ると、父は車の状態をじっと眺めていたが、やがて首を左右に振った。小声で悪態をついている。

コワルスキはセイチャンを両手で抱えて立ち上がった。橋の下の暗がりにいるにもかかわらず、腹部に巻かれた包帯ににじむどす黒い血が確認できる。その時、急に身体を持ち上げられて、セイチャンが目を覚ました。意識が朦朧としていながらも、車から降りようとするコワルスキの動きに驚いてもがき始める。短い悲鳴とともに、手のひらの付け根でコワルスキの頬を激しく打った。

「何をしやがる！」コワルスキは大声をあげると、次の一発に備えて身構えた。

セイチャンの叫び声は止まらない。怒りの込められた声が夜の闇にこだまする。英語とアジアのどこかの言語とが入り混じっていて、何を話しているのかはわからない。

「静かにさせろ」そう言いながら、父は暗い森の方に目を向けた。

コワルスキはセイチャンの口を押さえようとしたが、危うく指を食いちぎられそうになった。

「何なんだ、この女は！」

セイチャンは手のつけられない状態になりつつあった。

大きなバッグの中を探りながら、母が近づいてくる。「まだモルヒネがあったと思うわ」

グレイは首を横に振った。「ちょっと待って」セイチャンはかなり失血している。そのうえ、モルヒネには呼吸を抑制する副作用がある。モルヒネを二本も注射すれば命に関わるかもしれない。グレイはまだセイチャンから答えを引き出す必要があった。

グレイは母に向かって手のひらを差し出した。「気付け薬の方がいい」コワルスキの話では、救急箱の中に気付け薬も用意されていたはずだ。

母はうなずいた。バッグの中に手を入れ、しばらく探してから、グレイに数個のカプセルを手渡した。グレイはカプセルを一個つまむと、コワルスキのもとへ近づいた。

コワルスキの頰には、大きな引っかき傷がついていて血が流れていた。「頼むから、この女を何とかしてくれよ！」

グレイはセイチャンの髪の毛をわしづかみにすると、首を後ろに引っ張り、鼻の下でカプセルを割った。セイチャンは首をねじりながらもがいたが、グレイはカプセルを彼女の上唇から離さない。半ば錯乱したかのような叫び声はやみ、セイチャンは咳き込み始めた。

片手でグレイの手を押しやろうとする。

だが、グレイはカプセルを強く押しつけた。

「もうやめて……」セイチャンは絞り出すような声で言うと、グレイの手首をつかんだ。

彼女の指の力に驚きながら、グレイは手を口元から離した。

「深呼吸させて。あと、立たせてくれない？」

グレイはコワルスキに向かってうなずいた。護衛は待ってましたとでも言うかのようにセイチャンを地面に立たせると、片手を肩の下に入れて支えた。セイチャンは自分の身体の状態を十分に把握できていなかったようだ。両足で身体を支えることができない。コワルスキの手にぶら下がるような体勢で立っている。

顔をしかめながら、セイチャンは周囲を見回した。体内で痛みとモルヒネが戦っている中、自分の置かれた状況を量りかねて困惑している様子だ。セイチャンはすぐにグレイの方に向き直った。

「私は……オベリスク……」その声は不安で震えていた。

グレイはオベリスクの話にいい加減うんざりし始めていた。「あとで取りに戻ればいいだろう。君が転倒した時に割れてしまったんだ。そのまま家の前に置きっぱなしだ」

銃弾による傷よりも、グレイの今の言葉にセイチャンは大きなショックを受けた様子だった。ナセルに聞かれるまでグレイはオベリスクのことを完全に失念していたが、そのことはむしろ好都合だったのかもしれない。もしかすると、ナセルは自分たちを追跡せずに、オベリスクの回収に向かっているのではないだろうか？

グレイたちの会話を耳にした母が近づいてきた「あの壊れた黒い柱の話をしているの？」母は大きなバッグをぽんと叩いた。「それだったら、包帯を取りに家に戻ったついでに拾っておいたわ。ずいぶんと古そうだったし、大切なものじゃないかと思ったのよ」

安堵のため息をついて目を閉じながら、セイチャンはオベリスクに関して母が下した二つの判断に同意するかのようにうなずいた。疲れ切っているのか、首を動かすだけでもつらそうだ。

「よかった」

「あれの何がそんなに重要なんだ？」グレイは訊ねた。

「あれなら……世界を救うことができるかもしれない。すでに手遅れでなければの話だけれど」

グレイは母が手に抱えたバッグに目をやると、再びセイチャンに視線を戻した。「いったい何の話だ？」

セイチャンは弱々しく手を動かした。意識が薄れ始めているようだ。「簡単には説明できない。あなたの助けが……無理なの……一人では……とにかく、逃げないと」

再び意識を失い、セイチャンの頭ががくんと前に倒れた。コワルスキは腰で彼女の体重を支えている。

グレイはもう一度気付け薬を使おうかとも考えたが、これ以上無理やり話を聞き出すのは危険だと判断した。包帯の下からまた出血が始まっている。

母も同じ判断を下したようだ。遊歩道の方を指差している。

「病院までそれほどの距離はないはずよ」

グレイは構脚橋の向かい側に見える真っ暗な小道に目をやった。サンダーバードを北に向けて走らせたもう一つの理由がそれだった。母の出した案だ。グローバー・アーチボルド公園のこちら側には、ジョージタウン大学のキャンパスが広がっている。大学の付属病院は公園に隣接していた。しかも、母のかつての教え子がここに勤務している。

もし秘密裏に連絡を取ることができれば……

だが、あまりに見え見えの行動ではないだろうか？

公園の出口はいくらでもあるが、獲物が重傷の女性を同行していて、すぐに治療を必要としていることくらい、ナセルは百も承知だろう。

リスクが大きいことは否めない。だが、そのリスクを回避する方法も思い浮かばない。

グレイの頭の中に、オベリスクの所在について詰問した時のナセルの目がよみがえってきた。血に飢えた、慈悲のかけらもない目だった。あのエジプト人は、オベリスクを置き去りにしてきたというグレイの話を信じた――グレイ自身も、そう信じて疑わなかったからだ。あとはあの男にとって、どちらが重要なのかという問題だろう。オベリスクの入手か、それともグレイたちへの復讐か？

グレイは目の前にいる四人の顔を見回した。

彼らの命は、その答えにかかっている。

その三十分後、ペインターはオフィスの中を大股で歩き回っていた。ヘッドホンを耳に装着している。「全員の死亡を確認したのか？」

背後のプラズマディスプレイには、炎上する三軒の家をとらえた生の映像が送信されていた。近隣の公園の木々の間にも、ところどころで火の手が上がっている。ワシントンＤＣではこのところ乾燥した好天が続いていたため、森の木々は非常に燃えやすい状態にあった。消防車と救急隊員が、非常線の張られた現場に集結している。衛星放送用のアンテナの準備を始めたテレビ局のバンの姿も見える。上空には警察のヘリコプターが旋回し、サーチライトで照らしながら地上の捜索に当たっていた。

だが、広い公園内をくまなく捜索するには人手が足りないし、時間が経過しすぎている。グレイが隠れ家まで運転してきたサンダーバードも、何者かに乗っ取られた医療班のバンも、爆発現場の残骸の中には見当たらない。荒れ狂う炎の前で、それ以上の捜索は難航していた。

唯一、確認の取れた情報がある。悪い知らせだ。バンで隠れ家に到着するはずだった本物の医療班の死体が、人気のない空き地で発見された。銃で頭を撃ち抜かれていたという。ペインターの目の前には四つのファイルが置かれている。彼は椅子に腰を下ろした。何よりも先に、夜明け前につらい電話を四本かけなければならない。死んだスタッフの家族への電話だ。

補佐官のブラントが車椅子でオフィスの入口に姿を現した。「よろしいでしょうか」

ペインターは話を続けるよう促した。

「ドクター・マクナイトから三番にお電話が入っています。電話でも、あるいはビデオ回線でもお話ができます」

ペインターは炎ばかりが映っている画面に親指を向けた。「火事の映像は見飽きた。ショーンにつないでくれ」

ペインターはヘッドホンを外した。いちいち着脱しなくてすむように、頭の中にヘッドホンを埋め込んだ方が楽かもしれない。そんなことを考えながら、ペインターは椅子を回転させてディスプレイに向かい合った。火災現場の映像が途切れ、上司の顔が映し出された。

ショーン・マクナイトはシグマの創設者で、その後ＤＡＲＰＡの長官へと昇進した。セイチャンがグレイの目の前に突然姿を現したとの情報を受けると、ペインターはすぐにマクナイトへと連絡していた。かつての上司のアドバイスと判断を仰ぐためだ。同時に、もっと急を要する理由もあった。

「つまり、ギルドが再び我々の庭先に侵入してきたというわけか」ショーンは切り出した。白いものが目立つようになった赤毛を手でかき上げる。髪はくしゃくしゃに乱れていた。寝ていたところを叩き起こされたばかりのように見える。しかし、白いシャツはきちんと折り目がついていて、アイロンをかけてある。ネイビーブルーのピンストライプのジャケットは、椅子の肘掛けに乗せたままだ。長い一日になるのを覚悟しているのだろう。

「庭先に侵入されただけではすまないかもしれません」ペインターは答えた。「現段階までの情報を分析すると、すでに家の中に土足で入り込まれている可能性もあります」ペインターは背後の机の上に置かれたファイルを指差した。「状況報告はすでにお読みですね？」

マクナイトはうなずいた。「ギルドが隠れ家の位置をつかんでいたことは明らかだ。逃亡した自分たちの工作員とともに、グレイがその隠れ家へと向かっていることも知っていた。情報が外部に漏洩しているようだな」

「どうやらそう判断しなければならないようです」

ペインターは返事をしながら首を左右に振った。それが事実ならば致命的だ。ギルドのスパイがかつてシグマの組織に侵入していたという前歴はあるものの、ペインターは今のシグマの内側にスパイなどいないと信じていた。前回のスパイの正体が明らかになった後、彼はシグマを事実上解体し、無数の予防策や対抗策を張り巡らせたうえで、組織を一から構築したのだ。

それなのに、こんな事態が起こるとは。

いまだに情報の漏洩が存在するとすれば、シグマという組織の基盤そのものに疑惑の目が向けられる。そうなれば、シグマは解散を命じられるだろう。すでに内部監査が進行中だ。米国内の諜報機関を国土安全保障省の管轄下に統合するという名目のもとに、シグマの基本的な命令系統の費用便益分析が行なわれている。

だが、こんなに早く人員を削減することになるとは思ってもいなかった。

机の上に置かれた四名のファイルを処理しなければならないと考えると気が重い。

ショーンの声にペインターは我に返った。「テロリストの手先となって暗躍するギルドの侵入に悩まされているのは、シグマに限ったことではない。二カ月前、イギリスのＭＩ６は、グラスゴー郊外にあるブリティッシュ・エアロスペース社の極秘プロジェクトに潜入した工作員の駆逐に成功した。だが、作戦の過程で五名の捜査官の命が失われている。ギルドは神出鬼没だ。米国内でもNSAとCIAが躍起になって、ギルドにおけるオサマ・ビン・ラディン格の人物が誰なのか、正体を突き止めようとしている。我々はギルドのリーダーおよび組織に所属する主要な工作員に関して、ほとんど情報を持っていない。そもそも、本当に『ギルド』という名称なのかすら定かではない状態だ。『ギルド』という呼び名は、英国空軍特殊部隊のある将校がつけたニックネームに由来すると言われているが、その将校もすでに死亡している。だが、どうやら複数の小さな組織がギルドを名乗るようになり、最初は面白半分に使われていた名称が、次第に定着したと見られている。我々のもとにはその程度の情報しか存在しないのだよ」

マクナイトは言葉を切った。情報不足を嘆くのがこの会談の目的ではない。

ペインターが後を引き継いだ。「ところが今、我々はギルドの裏切り者を手にしています」

マクナイトはため息をついた。「もう何年もの間、ギルドという組織の正体をつかむため、何とかして手がかりを得ようと腐心してきた。何度となく、そのための作戦を会議に諮ってきた。だが、ギルドの工作員が、それも精鋭中の精鋭とも言える工作員が、向こうからシグマのもとに飛び込んでくるような事態はまったく想定していなかった。何としてでも彼女の身柄を確保しなければならん」

「ギルドの側も全力を挙げて我々を妨害しようとするでしょう。なりふりかまわぬ手段を取るはずです。彼女を抹殺するために、シグマ内部に潜入しているという事実を明かす道を選んだくらいですから。苦渋の選択だったでしょう。その代わり、作戦の遂行のために最も有能な工作員を、こちらの動きを読んで行動のできる人物を送り込んでいるはずです。セイチャンと並ぶ腕を持つ精鋭を」

「隠れ家にいた男の映像を見たよ。彼に関するファイルも読ませてもらった」マクナイトは顔をしかめた。

ペインターも同じファイルに目を通していた。「カルカッタの切り裂き魔」との異名を持つ男だ。本当の出生地や、どのような主義を信奉しているのかなどは一切不明。複数の民族の血が混じっており、これまでにもインド人、パキスタン人、イラク人、エジプト人、リビア人を名乗って活動している。セイチャンに太刀打ちできる男の工作員を選ぶとしたら、まさに適任といえる人物だ。

「手がかりが一つあります」ペインターは応じた。「ビデオの音声から彼の名前を聞き取ることができました。『ナセル』です。ただ、それ以上の情報はつかめていません」

マクナイトは当てにならないとでも言うように片手を振った。「手がけた暗殺の数だけ偽名を持っているような男だぞ。暗殺をしながら世界旅行を楽しんでいるようなやつだが、特に北アフリカ、および中近東での活動が目立っている。ただし、最近は地中海の北側にも出没したようだ。ギリシアでの考古学者の惨殺、およびイタリアでの美術館学芸員の暗殺に関与していると思われる」

マクナイトの言葉に、ペインターは素早く反応した。「イタリア？　イタリアのどこです？」

「ヴェネツィアだ。ドゥカーレ宮殿の地下にある牢獄内で、学芸員の射殺死体が発見された。ナセルの――本名かどうかはわかったものではないが、そいつの姿が宮殿の外の広場にある監視カメラに映っていた」

ペインターは顎をこすった。うっすら生えてきたひげが当たって手がひりひりする。「先ほど、ヴァチカンのモンシニョール・ヴェローナから連絡がありました。詳細は報告書に記してあります。ちょうど同じ頃に、セイチャンもイタリアで何らかの行動を起こそうとしていた可能性が高いようなのです」

マクナイトはかすかに目を細めた。「実に興味深い一致だな。単なる偶然とは考えられん。さらに調査を進める必要がありそうだ。数日前、二名の暗殺者が同時期にイタリア国内にいた。今度はその二人がアメリカにいる。しかも、一方がもう片方の命を狙っている。二人の名高い暗殺者、ギルドの精鋭二人か……ナセルがセイチャンを我々の手の中に追い込んでくれたと形容することもできるな」

〈正確には、グレイの手の中にだ〉……ペインターは心の中でつぶやいた。

「とにかく、その女を保護する必要がある。一刻を争うぞ。この機会を逸したら、取り返しのつかないことになる」

ペインターは状況の厳しさを十分に認識していた。その一方で、グレイの性格も熟知している。彼の考え方を読むこともできる。自分のものの見方は被害妄想の域に近いが、それに負けず劣らず被害妄想的な人間がいるとすればグレイだった。そんなグレイに、大人しくセイチャンを引き渡させるのは至難の業だ。

「ピアース隊長は現在逃走中です。隠れ家で敵の待ち伏せに遭ったわけですから、彼も情報漏れの可能性を疑っているでしょう。セイチャンとともに姿を隠すと思われます。安全だと確認できるまで、向こうから接触してくることはないはずです」

「待っている余裕などないかもしれん。二人とも『カルカッタの切り裂き魔』に追われているんだぞ」

「それでは、私にどうしろとおっしゃるのですか？」

「ピアース隊長を発見し、セイチャンとともに連れ戻すのだ。私としても、捜索範囲を広げ、地元の警察やＦＢＩにも協力を要請するしかない。すでにすべての病院やあらゆる医療施設の捜索を指示してある。彼に潜伏してもらっては困るのだ」

「むしろ、ピアース隊長には彼自身の判断で状況に対処する自由を与えるべきだと思います。彼の捜索に人員を割いたりすると、かえってナセルに感づかれるおそれがあるのではないでしょうか」

「もしそうなれば、ギルドの工作員二名の身柄の確保を考えればよい」

マクナイトの発言に、ペインターはショックを隠すことができなかった。「グレイを囮に使うおつもりですか？」

画面に映し出されたマクナイトは、ペインターを凝視し続けている。マクナイトの表情はこわばっていた。きちんとアイロンがけされたシャツとジャケット。マクナイトが今夜話をした相手は、自分が一人目ではなかったのだ……ペインターは不意に悟った。

「今のは国土安全保障省が下した決定だ。大統領も署名している。指令の撤回はないと考えるように」マクナイトの口調が厳しくなる。「グレイおよびギルドの工作員は、あらゆる手段を行使してでも発見して連れ戻すこと、以上だ」

ペインターには返す言葉がなかった。どうすることもできない。すでに新しい指揮系統が確立されてしまっている。ペインターはゆっくりとうなずいた。指示に従うよりほかない。

それでも、ペインターにはグレイの考えが手に取るようにわかる。

逃亡中の身で、敵からも味方からも追われていると知ったら、あの男は手強い存在になる。いっそう深く潜伏するに違いない。

午前三時四分

「下のロビーにスターバックスがあったぜ」コワルスキがつぶやいた。「そろそろ開店時間かもしれない。コーヒーを飲みたい人はいるかい?」

「いいからじっとしていろ」グレイはたしなめた。

コワルスキはやれやれといった調子で頭を振った。「本気にするなよ。冗談だって」

コワルスキの言い訳を無視して、グレイはセイチャンの持っていたオベリスクの調査を続けた。彼らは歯科医院の小さな待合室にいた。グレイの手元にある電気スタンドが室内を照らしている。狭苦しい部屋は、病院の待合室と聞いて思い浮かべるイメージにぴったりだった。何カ月も前の雑誌、印象に残らない水彩画、元気のないイチジクの鉢植え、電源の入っていない壁掛け式のテレビ。

四十分前に、一行は森の中の小道を抜けて、グローバー・アーチボルド公園の外れに出た。通りを隔てた向かい側にあるのが、ジョージタウン大学のキャンパスだった。この時間帯では車も走っていないし、歩く人の姿も見当たらない。彼らは小走りに通りを横切ると、二つの研究棟に挟まれた暗がりに潜り込み、大学病院の歯科別館にたどり着いた。大学病院の本館はその先にあり、煌々と明かりに照らされている。本館まで進む気にはなれなかった。あまりに危険が高すぎる。

そのため、別の手段を講じる必要があった。

グレイの向かいに座っているコワルスキが、ぶつぶつと何かつぶやきながら腕を組み直した。待ちくたびれていると同時に、まだ神経が張り詰めているのだろう。彼らは新しい知らせが入るのを心待ちにしていた。

「何でこんなに時間がかかっているんだ？」コワルスキは不満そうだ。

グレイは本人の口から、この男が元米国海軍の水兵だと聞かされていた。ブラジルでシグマの作戦を支援した時の活躍が目に留まり、スカウトされたのだという。ただし、工作員としてではなく、腕っ節の強さを買われての採用だったらしい。待っている間、コワルスキはブラジルでの任務中に負った傷を見せてやるとうるさく言ってきたが、グレイは遠慮した。図体がでかいくせに、ぺちゃくちゃとよくしゃべるやつだ。隠れ家の護衛を割り当てられたのも当然だ。一人きりなら誰にも迷惑はかからない。

しかし、コワルスキのおしゃべりをちゃんと聞いている人もいた。

部屋の隅では、父が椅子を三つ並べて横になっていた。目は閉じているが、眠っているわけではない。しかめ面のまま長時間表情を変えないというのは、なかなかできる芸当ではない。

「つまり、おまえは科学スパイみたいなものか」コワルスキの話を聞いている時に、父はつぶやいていた。「道理で。「道理で……」

何が「道理で」なのか、グレイは父の言葉の真意がわからなかった。だが、今は父に問いただしている場合ではない。セイチャンに治療を施して、できるだけ早く両親から引き離すことが先決だ……それが全員のためになる。

グレイはオベリスクの調査を続けた。オベリスクをひっくり返しながら、表面をくまなく調べていく。黒い石でできた石柱はかなり古い代物で、表面には窪みができたり傷がついたりしているが、それ以外には特に変わった点は見当たらない。エジプト時代の遺物のような気がするが、考古学はグレイの専門ではなかった。エジプト時代ではないかと思ったのも、暗殺者がエジプト訛りの英語を話していたという先入観のためかもしれない。

だが、オベリスクには一つだけ、明らかに人の手を加えられた痕跡があった。

グレイは折れた上半分を下に向けた。オベリスクの割れた断面から、銀色をした棒状の物体が突き出ていた。小指くらいの太さがある。グレイは棒に指を触れた。突き出しているのはほんの一部だけのようだ。オベリスク本体の中心部に、何かが隠されている。破損した断面を注意深く観察すると、セメントで接着した継ぎ目が確認できた。外から見るだけではわからなかっただろう。このオベリスクは二本の大理石を精巧につなぎ合わせた作品で、内部に何かを隠すために製造されたのだ。厚い本のページを抜き取って、中に拳銃や宝石を隠すのと同じ要領だ。

グレイはセイチャンの言葉を思い返していた。

〈世界を救うことができるかもしれない……すでに手遅れでなければの話だけれど〉

セイチャンが何を意図していたのかはわからない。だが、ギルドを裏切り、グレイに助けを求めるほど重要な事実を発見したのだろう。

グレイはその答えを必要としていた。

扉の開く音を耳にして、グレイは我に返った。母が扉を押し開けて待合室の中に入ってきた。外科用のマスクを顔から外している。

グレイは立ち上がった。

「あの子は運がよかったわね」母は説明を始めた。「出血箇所を焼灼して、二本分の輸血をしたわ。ミッキーの話では、大丈夫だろうとのことよ。今、彼が包帯を巻いているわ」

ミッキーというのは、ドクター・マイケル・コリンのことだ。大学院時代に母の助手を務めた後、母の推薦のおかげで医学部へと進むことができた。そうした信頼関係を築いていたからこそ、こんな深夜に自宅へ電話を入れることもできたし、病院に隣接する歯科医院で密かに落ち合うこともできたのだ。超音波を用いた診断により、この夜としては初めてのいい知らせがもたらされた。銃弾はセイチャンの内臓に損傷を与えていなかった。骨盤のすぐ横を貫通していたのだ。

「彼女を動かしても大丈夫かい？」グレイは訊ねた。

「ミッキーの意見では、最低でも数時間、ここで休ませた方がいいということよ」

「そんな時間の余裕はない」

「そのことは彼にも説明したわ」

「彼女は目を覚ましているの？」

母はうなずいた。「最初の一本分の輸血が終わった頃から、反応を示すようになってきた。ミッキーは抗生物質と鎮痛剤を大量に投与したわ。今はベッドの上に身体を起こしているわよ」

「それなら、出発した方がいいな」グレイは母を押しのけるように扉へと向かった。超音波検査が行なわれるところまでは付き添っていたのだが、傷の手当てを始める段になると部屋の外へと追い出されたのだった。いくら言い聞かせても、ドクター・コリンは譲ろうとしなかった。グレイはセイチャンから目を離すことは危険だと考えていた。そのため、待合室で待機する代わりに、壊れたオベリスクを確保しておいたのだった。オベリスクを置き去りにしたままセイチャンが姿をくらますことはありえない。

二つに割れたオベリスクを手に、グレイは扉を押し開けた。母も後からついてくる。一番手前にある歯科治療室へと入ろうとしたところで、部屋から出てくるドクター・コリンと鉢合わせになった。ドクター・コリンはまだ若く、背丈はグレイと同じくらいだが、髪は砂色で、がりがりにやせている。顎ひげはきちんと刈り揃えてあった。顔をしかめたまま、ドクター・コリンは室内を顎で示した。

「彼女はカテーテルを引き抜いてしまって、君を呼んでくるようにと言って聞かないんだ。あと、紫外線灯が必要なんだとさ」ドクターは歯科医院の奥の方を指差した。「歯の治療で兄が使っているやつがある。すぐに取ってくるよ」

ドクター・コリンと入れ違いに、グレイは室内に入った。

セイチャンは入口に背中を向けて、歯科治療用の椅子に腰掛けていた。上半身は裸で、借り物のワシントン・レッドスキンズのTシャツを頭からかぶろうとしている。だが、苦労しているのは傍目にも明らかだ。透明の手術用ドレープが、足元に丸められて転がっている。背中しか見えないものの、彼女がかなり無理をしている様子は見て取れる。途中で手を止めて肘掛けにもたれかかり、呼吸を整えているほどだ。

いつの間にか母が隣に立っていた。「手を貸すわ。一人で着るのはまだ無理よ」

セイチャンはすぐにはうんと言わない。「平気よ」彼女は母の申し出を断ろうとして片手を上げたが、身体をこわばらせて小さなうめき声を漏らした。

「いい加減にしなさい」

そう言うと母はセイチャンのもとに歩み寄り、Tシャツを下ろしてやった。裸の胸と包帯を巻いた腹部が隠れる。振り返ったセイチャンは、グレイが室内にいることに初めて気づいたようだ。表情が曇り、当惑している様子がうかがえる。だが、それは裸でいるところを見られたせいではない。弱みを見せてしまったことへの悔しさのせいだろう。

セイチャンはゆっくりと立ち上がった。苦痛で顔が歪む。背もたれを倒した椅子に寄りかかって体重を支えながら、セイチャンはズボンのボタンを留め直した。腰から尻にかけてのラインがくっきりと浮き出ている。

「あなたの息子と話がしたいの」セイチャンはグレイの母に声をかけた。かすれているが、有無を言わせない口調の声だ。

母がグレイの方に目をやる。グレイはうなずいた。

「お父さんの様子を見てくるわ」母は抑揚のない声でそう言い残して部屋を出た。待合室の方から、かすかにテレビの音声が聞こえてきた。コワルスキがリモコンを見つけたのだろう。

二人きりになると、グレイとセイチャンはお互いの目を見つめた。どちらも口を開かない。相手の様子をうかがっている。

ドクター・コリンが部屋の入口に姿を現した。小型のランプを手に持っている。「これしか見当たらないんだけど」

「それでいいわ」セイチャンはランプを受け取るために手を差し出そうとした。だが、彼女の腕は震えていた。

オベリスクの破片を片手に持ったまま、グレイはもう片方の手でランプを受け取った。

「ちょっと席を外してくれないかな」

「わかった」ドクター・コリンはすぐにグレイの母の後を追った。室内に漂うただならぬ気配を察したのだろう。

セイチャンはグレイの顔から視線をそらそうとしない。「ピアース隊長、あなたの両親を危険に巻き込んでしまったことは申し訳ないと思っている。ナセルを甘く見ていたわ」彼女は包帯を巻いた傷口のあたりにそっと手を触れた。苦々しげな口調に変わる。「同じ過ちは絶対に犯さないつもりよ。ヨーロッパでうまくまいたと思っていたのに」

「逃げ切れなかったんだな」グレイは言葉を挟んだ。

セイチャンはグレイをにらみ返した。「逃げ切れなかったのは、シグマの司令部側に問題があるからよ。ギルドはシグマの保有する情報を利用して、私を追跡し、居所を突き止めた。私が全面的に悪いような言い方をされる覚えはないわ」

グレイは何も言い返せなかった。

セイチャンは額に手を当てている。忘れたことを思い出そうとしている動作に見えるが、グレイはそうでないとわかっていた。自分に対して何を明かし、何を秘密にしておくべきか、慎重に判断を下しているところなのだろう。「私に聞きたいことが、いくつもあるでしょうね」

「要約すれば一つだけだ。いったい何が起こっているんだ？」

　セイチャンは軽く左の眉毛を吊り上げた。どこか見覚えのある動作だ。共有する過去の記憶だろうか。「それに対する答えの手がかりはそこにあるわ」彼女はオベリスクの方を見てうなずいた。「器具台の上に乗せて……」

　答えを知りたいグレイは、黙って彼女の指示に従った。オベリスクを立て、折れた先端部分をはめ込む。

「ランプを……」セイチャンは再び指示した。

　紫外線灯をつけ、天井の明かりを消すと、オベリスクの黒い四つの表面に光る文字の列が浮かび上がった。グレイは表面に顔を近づけて文字を観察した。

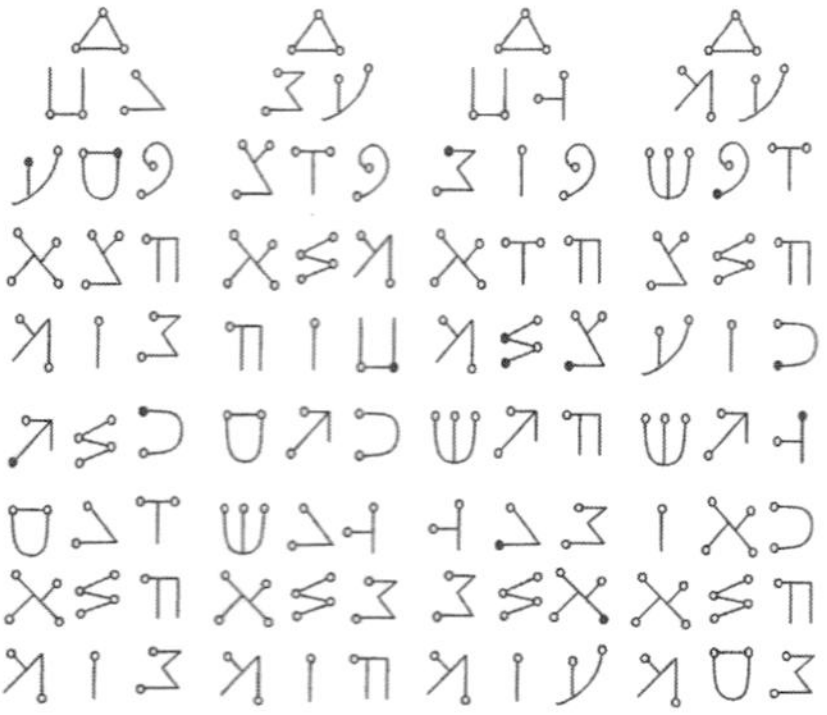

　今までに見たことのない文字だ。ヒエログリフとも、ルーン文字とも違う。グレイはセイチャンの方に目をやった。紫外線の光を浴びて、彼女の白目が光を発している。

「そこに浮かんでいるのは、天使の文字よ」セイチャンは説明した。「大天使の言語だわ」

グレイは眉間にしわを寄せた。この女は何の話をしているんだ？

「そうよね」セイチャンは続けた。「確かに馬鹿げているわよね。その文字の起源は、キリスト教の初期や古代へブライの神秘主義の時代にまでさかのぼるの。詳しく説明すると——」

「今はいい。それより、このオベリスクは『世界を救うことができるかもしれない』と言ってたな。その意味を教えてくれ」

セイチャンは身体を起こすと、視線をそらした——だが、すぐにグレイの方に向き直る。

「グレイ、あなたの助けが必要なの。彼らを止めないと。でも、一人では無理なのよ」

「何が一人では無理なんだ？」

「ギルドに対抗することよ。彼らの狙いは……」再び、彼女の表情に恐怖の影がよぎった。

グレイは困惑した。セイチャンと初めて出会ったのは、彼女がフォート・デトリックで炭疽菌爆弾を爆破しようとしていた時だ。そんな冷酷な女が恐怖に怯える理由とは、いったい何なのか？

「前にあなたの命を助けたことがあったわよね」セイチャンは話を切り替えた。グレイの情に訴えかけてくる。

「共通の敵を倒すためだ」グレイは反論した。「同時に、おまえの命を助けるためでもあった」

「今回こっちが頼んでいるのも同じことよ。共通の敵を倒すための協力。でも、今度の場合、危険にさらされているのは私の命だけではないわ。何億という人々の命がかかっているのよ。

しかも、もう始まっている。すでに計画の種は蒔かれているわ」

セイチャンは光る文字の浮かび上がったオベリスクを顎で示した。「ギルドを阻止するための手段が、この謎の中に隠されている。こっちが先に謎を解明できれば、まだ何とか望みはあるわ。でも、私一人の力では限界があるのよ。新しい目で見てもらう必要がある。もっと知識を持った人が必要なの」

「俺たち二人だけで、無限に近い情報源を持つギルドに対抗できるとでも思っているのか？そのためには、シグマの全面的な協力が――」

「そんなことをしたら、戦う前からギルドに勝利を献上するようなものよ。シグマの内部にはスパイがいるわ。シグマが得た情報は、ギルドにも筒抜けなのよ」

彼女の言う通りだった。そこが厄介なところだ。厄介ではすまされない問題ではあるが。

「つまり、ほかに頼る相手がいないということか。二人きりで解決しなければならないわけだな」

「もう一人いるわ……協力してくれるかどうかはわからないけど」

「誰だ？」

「天使とか考古学とかが関わってきた場合に、私が一目置いている人物は一人しかいないわ」

セイチャンが誰のことを指しているのか、グレイはすぐにぴんときた。「ヴィゴーか」

セイチャンはうなずいた。「モンシニョール・ヴェローナには挨拶代わりのメモを残しておいたわ。手始めに解いてもらう謎と一緒にね。あなたが協力を約束してくれるならば、先へ進むことができる」セイチャンはオベリスクに手を触れた。上半分がかすかに揺れる。「天使の示してくれる次の目的地へとね」

「それはどこだ？」

セイチャンは首を横に振った。簡単にすべてを明かすつもりはなさそうだ。「途中で教えてあげるわ。そろそろここから移動しないと危ないし。一カ所に長時間とどまっていたら、居場所が露呈する危険も高まるのよ」

セイチャンはオベリスクに手を伸ばした。

だが、グレイの方が早かった。二つに割れていたオベリスクのうち大きい方をつかむと、頭の上に掲げた。こんな駆け引きはもううんざりだ。

「壊したいならどうぞご自由に」セイチャンは警告した。「それでも、これ以上は話すつもりはないから。安全な場所にたどり着いて、あなたから協力するという約束を取りつけるまでは」

グレイはセイチャンの言葉を無視した。「この表面に浮かび上がった文字はすでに書き写してあるんだろう？　写真も撮影済みなんじゃないのか？」

「複数の場所に保管してあるわ」

「それならいいだろう」

グレイは腕を振り下ろして、オベリスクを床の上に叩きつけた。オベリスクはいくつもの破片に砕け、リノリウムの床の上を滑っていく。セイチャンの口から息を呑む声が漏れた。中に何かが隠されていることに、まったく気づいていなかった証拠だ。

「どうして……どうして壊したの？」

グレイはかがむと、散らばった破片の中から銀色の塊を拾い上げた。立ち上がってから、オベリスクの内部に隠されていた物体を改めて観察する。自分でも予想していなかった形状に、グレイは一瞬言葉を失った。

グレイが手に握っていたのは、大きな銀色の十字架だった。

十字架に気づくと、セイチャンは大きく目を見開いた。身体の痛みも忘れて、身を乗り出してくる。「まさか。あなたが発見したのね」

「何を発見したというんだ？」

「アグレー修道士の十字架よ」セイチャンの声は小さくなっていた。怒りと悔しさが入り混じっている。「ずっと自分で持っていたなんて」

「そのアグレー修道士とは誰のことだ？」

「アントニオ・アグレー修道士。マルコ・ポーロの聴罪司祭よ」

〈マルコ・ポーロの？〉

謎ばかりの話と中途半端な答えにいらだちが募っていたグレイは、セイチャンに向かって思わず言葉を荒げた。「セイチャン、いったい何が起こっているんだ。教えてくれ」

セイチャンは脇にある椅子を指差した。裂け目の入った彼女のボンバージャケットが置かれている。「ここから出るのが先だわ」

グレイはその意見を無視すると、椅子へと向かおうとする彼女の行く手をふさいだ。

セイチャンは顎を引いて、ひるむことなくグレイをにらみ返してくる。「グレイ、いい加減に覚悟を決めてくれない。時間がないのよ」そう言うと、グレイを押しのけようとする。

だが、グレイはセイチャンの上腕部をつかんだ。「このままおまえの身柄をシグマに引き渡したってかまわないんだぜ」

セイチャンはグレイの手を振りほどいた。頬が紅潮している。輸血の効果があったのか、それとも激しい怒りのせいなのか。

「そんなことをして何になるの？　自分が一番よくわかっているはずよ。ギルドに捕まったら、私の命はない。あなたの国の政府に捕まったら、地の果ての収容所に永遠に閉じ込められるのがおちね。そうなったら、これから起こる事態を阻止する術はなくなる。だからあなたを頼ってきたのよ。でもいいわ。少しは譲歩してあげる。取引をしましょう。こういうのはどう？　もし私を助けてくれたら、そしてヴィゴーにも協力するように説得してくれたら、すべてが解決した後で、シグマにいるスパイの名前を教えてもいいわ。世界の人々の命を救うだけでは意欲が湧かないみたいだから……いいこと、シグマを餌食にしようと狙っているオオカミはすぐ身近にいるのよ。まだ気づいていないのかもしれないけれど、シグマの存在を疎ましく思っている人物が、組織を葬り去ろうと考えている人間が、政府の上層部にいるわ。そんな時にスパイが――それも二人目のスパイが、シグマの内部に潜入していると判明したら、そうした人たちは千載一遇のチャンスとばかりに組織の存在そのものを抹消しようとするでしょうね。シグマも終わりよ。二度と立ち直れないわ」

グレイの気持ちは揺れていた。確かに、そうした噂は耳に入ってきている。NSAとDARPAによる内部監査が入っていることが何よりの証拠だ。だがその一方で、グレイは敵としてのセイチャンの姿を忘れたことはなかった。上から身体を押さえつけられ、目の前には銃口がある……初めて会った時、グレイはセイチャンに殺されかけたのだ。こんな女の言葉を、どこまで信用することができるのか？

沈黙を破ったのはグレイでもセイチャンでもなく、待合室の方から聞こえてきた大声だった。

「ピアース隊長！　早く来ないと見逃しちゃうぜ！」

場違いな大声にグレイは頭を抱えたくなった。何のために苦労しながら人目につかないように行動しているのか、コワルスキはまったく理解していないとしか思えない。

グレイはセイチャンの目を見た。その目はまだ激しい怒りに燃えている。だが、両親の家の前で血を流しながら彼女が発した言葉の裏に存在していた恐怖は、今も瞳の奥に残っている。

グレイは脇にある椅子へと歩み寄ると、ジャケットを手に取り、セイチャンに手渡した。

「しばらくはおまえの言う通りにしよう。だが、それ以上のことはまだ約束できない」

セイチャンはうなずいた。

「おーい、隊長！」

半ば呆れながら、グレイは治療室を出た。テレビの音量がさらに大きくなっている。グレイは待合室へと急いだ。手のひらに銀の十字架を握り締めたままだったことに気づき、ポケットにしまってから待合室に入る。

全員がテレビの画面を食い入るように見つめていた。見慣れたCNNヘッドラインニュースのロゴが映っている。炎上している三軒の家と、その火が燃え移ったと思われる森林火災の映像が流れていた。

「……放火と見られています」記者の声が聞こえる。「繰り返します。警察はこの人物の行方を追っています。名前はグレイソン・ピアース。ワシントン在住の男性です」

画面の端にグレイの顔写真が映し出された。軍服姿に、短く刈り込んだ黒い髪。目は怒りに燃え、口元がこわばっている。レヴェンワースで服役中に撮影された写真だ。視聴者の好感度がアップする写真とはいえない。どう見ても凶悪犯だ。

隣で父がつぶやいた。「過去からはなかなか逃れられないものだな」

グレイはニュースの内容に神経を集中させた。

「今のところ、警察はこの元陸軍レンジャー部隊所属の男性を、参考人として捜しています。それ以上の情報はありません。この男性が何らかの事情を知っているものと思われます。男性の行方をご存じの方は、至急警察に連絡を入れてください」

コワルスキはリモコンをテレビに向け、音声を消した。

ドクター・コリンはテレビを見ているグレイたちから後ずさりした。「今の話を聞いてしまったら、これ以上黙って――」

コワルスキはリモコンをドクターの方に向けた。「今さら途中下車はできないぜ、先生。幇助罪だな。黙ってこのまま協力するか、それとも医師免許におさらばするか、どっちを選ぶ？」

ドクター・コリンの顔から血の気が引いた。さらに一歩後ろに下がる。

グレイの母が手を伸ばして、ドクターの腕にそっと触れた。「馬鹿も休み休み言いなさい」

母はコワルスキをにらんだ。「彼を脅してどうするの」

コワルスキは肩をすくめた。

「何とかして我々の居場所を突き止めようとしているようだな」グレイは言った。

「でも、それはおかしいわ」母は反論した。「隠れ家でクロウ司令官と電話で話をしたのよ。私たちが待ち伏せに遭ったことは、司令官も承知のはずだわ。それなのに、どうしてこんな噓を広めているの？」

その質問に対する答えは、背後から聞こえた。「本当の目的は私だからよ」セイチャンが待合室に入ってきた。すでにボンバージャケットを着込んでいる。「せっかく私が手の届くところにいるのに、逃げられてしまっては元も子もないからよ」

グレイは全員に向き合った。「彼女の言う通りだ。彼らは徐々に包囲網を狭めてくるだろう。すぐに移動しないといけない」

グレイの判断が正しいことは、コワルスキによって確認された。母にたしなめられた後、コワルスキは窓際に移動して、待合室にある唯一の窓のブラインドの隙間から、外の景色をのぞいていたのだ。「どうやらお客さんが到着したようだ」

グレイはコワルスキのもとに歩み寄った。窓は病院の本館の方を向いていて、救急車用の駐車スペースが見える。そこに四台のパトカーが乗りつけた。サイレンは鳴らしていないが、回転灯が光っている。地元の警察が病院内の捜索に取り掛かろうとしているのだ。

室内に向き直ると、グレイはかつて母の助手を務めていた医師の顔を見た。「ドクター・コリン、あなたにはずいぶん無理をお願いしてしまった。だが、もう一つだけ頼みを聞いてほしい。両親を安全な場所に連れていきたいんだが、どこか心当たりはないか？」

「グレイ」母は何か言いたそうだった。

「母さん、言う通りにしてもらうからね」グレイはドクターの顔を見たまま答えた。

ドクター・コリンはゆっくりとうなずいた。「賃貸用にマンションの部屋を何カ所か所有している。デュポン・サークル近くにある部屋は、家具付きだが今は空室なんだ。まさか君のご両親がそこにいるとは、誰も思わないだろう」

悪くないアイデアだ。

「あと、父さんと母さんだけど……外と連絡を取ってはだめだ。クレジットカードも使わないこと」そう告げてから、グレイはコワルスキの方を向いた。「二人の警護を頼みたい」

コワルスキは肩を落とした。失望している様子がありありとうかがえる。「また護衛の任務かよ」

かまわず指示を与えようとしたグレイを、母が遮った。「私たちなら二人だけで大丈夫よ、グレイ。セイチャンはまだ本来の体調には程遠いわ。助けが必要なのは、私たちよりもあなたの方じゃないの？」

「建物は二十四時間体制で警備されている」ドクター・コリンは付け加えた。なぜか母の提案に乗り気になっている。「警備員も、防犯カメラも、緊急通報ボタンも完備されている」

ドクターがマンションの警備システムを盛んに宣伝しているのは、両親の身の安全のためというよりも、コワルスキを自分の部屋に近づけないようにするためなのだろう。事実、今もドクターはコワルスキの方をうかがいながら、微妙な距離を取っている。

確かに母の言う通りだ。セイチャンがこの状態では、大男の馬鹿力が頼りになるかもしれない。腕力だけが取り柄なのかもしれないが、シグマにスカウトされたほどの男だ。実戦の方が向いている可能性もある。

コワルスキはグレイの表情に浮かんだ変化に気づいたようだった。「やっと俺の出番が来たようだぜ」彼は両手をこすり合わせた。「そろそろパーティーの始まりだ。手始めとして、銃が必要だな」

「いや、車の手配が先だ」グレイはドクター・コリンの方を向いた。

ドクターは間髪を入れずに車のキーを取り出した。「医師専用の駐車場に停めてある。一〇四番だ。白いポルシェのカイエン」

一刻も早くグレイたちから離れたくて仕方ない様子だ。

だが、そうは思っていない人もいた。

母はグレイをしっかりと抱き締めながら、耳元でささやいた。「気をつけてね、グレイ」さらに声を落としてから、母はこう付け加えた。「あと、彼女を信用してはだめ……完全に気を許すのは禁物よ」

「心配いらないよ……」グレイは母の二つの忠告に同時に答えた。

「母親というのは心配性なのよ」

グレイは母に最後の指示を与えた。母だけに聞こえるような小声で伝える。母はうなずくと、もう一度きつく抱き締めてから、グレイから離れた。

グレイの目の前に手が差し出された。父の手だ。グレイは父と握手をした。これが彼らのやり方だった。抱き合ったりはしない。テキサス出身の男とはそういうものなのだ。父はコワルスキの方を見た。

「息子が馬鹿なことをしでかさないように、見張っていてくれ」

「最善を尽くしますよ」コワルスキはドアの方を見てうなずいた。「準備はいいかな?」

グレイがドアの方に足を踏み出そうとした時、父はグレイの肩に手を置き、ぎゅっと握ってきた。さらに、別れの挨拶代わりに軽くぽんと叩く。父のそうした動作は、「おまえを愛しているぞ」と言ってくれたに等しい。そんな父の心遣いに、グレイは心の中に暖かいものが湧き上がってくるのを感じた。それは自分でも意外な感情だった。

一言も発することなく、グレイは一番先に待合室から外に出た。

午前三時四十九分

「ピアース隊長の居場所について、まだ何の情報も入っていません」インターコムを通じてブラントが報告した。

ペインターは机の前に座っていた。情報がないことに対して、失望している自分と安堵している自分がいる。心の中のそんな相反する感情の理由について考えを巡らせるより先に、ブラントから別の知らせがもたらされた。

「それから、ドクター・ジェニングズがたった今到着しました」

「通してくれ」

シグマの研究開発部の部長であるドクター・マルコム・ジェニングズは、三十分ほど前に電話をしてきて、至急話がしたいと申し入れていた。だが、隠れ家での事件の処理に追われていたため、ペインターは面会を遅らせていたのだ。今まで待ってもらったとはいえ、時間は五分くらいしか割くことができない。

扉が開くと、ジェニングズが大股で部屋に入ってきた。ペインターが何も言わないうちから、すでに片手を上げて言葉を遮ろうとしている。「わかってる……忙しいと言いたいんだろう……だが、こちらも急を要するんだ」

ペインターは机の前に置かれた椅子に座るように合図をした。

元法医学者のジェニングズは、細い身体を折り曲げるようにして椅子に腰を下ろした。だが、椅子の端に尻を置いただけで、身を乗り出してくる。確かに急を要しているようだ。片手にはファイルの入ったフォルダーが握られていた。すでに六十歳近いジェニングズは、ペインターが司令官を引き継ぐ以前からシグマに所属している。ジェニングズは眼鏡に手を触れた。ペインター形のレンズには薄く青い色が入っている。コンピューターの画面を見ている時間が長いので、半月その方が目の疲労をやわらげてくれるからだ。また、淡い褐色の肌と白いものの目立ち始めた髪が、レンズの色のおかげで引き立って見え、ちょっとお洒落な大学教授といった印象を与えている。だが、今ペインターの目の前にいるジェニングズには、おそらく一睡もしないまま未明のこの時間を迎えているせいで、疲労の色がはっきりと浮かんでいた。その一方で、彼の目には研究者独特の好奇心の光が輝いている。

「リサがクリスマス島から転送したファイルの内容に関して、話があるということでしたが」

ペインターは切り出した。

ジェニングズはうなずいてフォルダーを開いた。二枚の写真をペインターに見せる。どちらも男性の足を撮影した目をそむけたくなるような写真だ。壊疽のような症状のために、皮膚の腐敗が進行している。「毒物学者と細菌学者によるメモには目を通させてもらった。この写真の患者の場合、皮膚に存在する普通のバクテリアが突如として毒性を持つようになり、足の柔組織を食い荒らしている。今までこんな症状は見たことがない」

ペインターも写真を観察した。だが、ペインターが質問をするよりも先に、ジェニングズは立ち上がるとオフィスの中を歩き回り始めた。

「当初、我々は今回のインドネシアでの災厄を『優先度が低い』と判断し、情報収集程度の任務と分類した。だが、この調査結果を見る限り、優先順位を引き上げる必要がある。それも大至急にだ。私が自らここに来たのも、危険度レベル２への指定を司令官に直接要望するためだ」

ペインターは思わず座り直した。レベル２の任務となると、大量の人員を割かなくてはならない。

「二人だけで事情を探っている状況ではない」ジェニングズの説明は続いている。「すぐにでも、フル装備の法医学調査チームを現地に派遣するべきだ。人員が足りないのなら、軍部への協力を要請してもかまわん」

「もう少し慎重に判断した方がいいのではないですか？　モンクとリサからの定時報告が――」ペインターは腕時計を確認した。「あと三時間もすれば入る予定です。その時点ならもっと詳しいデータが揃っているでしょうから、作戦を練るのはそれからでもいいのでは？」

ジェニングズは眼鏡を外すと、拳で目をこすった。「君は理解できていないようだ。毒物学者による仮説が正しいとしたら、我々は生態系の破滅に直面しているおそれがある。地球上の全生物圏が一変してしまう可能性もあるのだぞ」

「マルコム、それはいくらなんでもオーバーでしょう。これらの調査結果はあくまで仮のものです。ほとんどが単なる憶測に過ぎません」ペインターは写真を指差した。「これだって、たまたま発生した有毒物質の流出による症状なのではありませんか？」

「たとえそうだとしても、私個人としてはこの島を焼夷弾で焼き払ったうえに、今後数年間は周辺の海域を含めて封鎖するべきだと思う」ジェニングズはペインターに向き合った。「もう一言付け加えさせてもらえば、もしこの脅威が人から人へと感染するものだとしたら、地球規模での環境崩壊の危機に瀕している可能性もあるんだぞ」

ペインターは呆然としながらジェニングズの顔を見つめていた。このドクターは根拠もなく騒ぎ立てるような男ではない。

ジェニングズは話を続けている。「必要なデータはすべてここにまとめたし、簡単な要約も添えておいた。目を通したらすぐに連絡をくれ。早ければ早いほどありがたい」

ペインターはフォルダーをペインターの机の上に置いた。

ペインターはフォルダーの上に手のひらを乗せ、自分の方へと引き寄せた。「すぐに読んで、三十分以内に連絡します」

ジェニングズはうなずいた。話を聞いてくれたことへの感謝と同時に、安堵の表情を浮かべている。立ち去ろうとして扉の方へと向かいかけたが、不意に立ち止まると、最後に警告ともとれる言葉を発した。「忘れないでほしいのだが……恐竜が絶滅した本当の原因は、まだ解明されていないんだ」

冷静にそう言い残すと、ジェニングズはペインターのオフィスを後にした。ペインターは机の上に置かれたままになっていた恐ろしい写真に視線を落とした。ジェニングズの判断が間違っていることを祈るしかない。この数時間のごたごたで、ペインターはインドネシア周辺の島々で起こっている事態をほとんど忘れかけていた。

もちろん、完全に頭から抜け落ちていたわけではない。

一晩中、常にリサのことは頭の中にあった。

しかし、ここへきて新たな懸念が発生した。ジェニングズがあれほど狼狽するような事態になろうとは。ペインターは司令官としての判断に私情を挟まないように努めた。日付が変わった直後に連絡があって以降、リサから新たな報告は入っていない。どうやら今のところ、現地の状況は再び緊急の連絡が必要なほどには差し迫っていないのだろう。

そうは思っても……

ペインターはインターコムのボタンを押した。「ブラント、リサの衛星電話を呼び出してもらえるか?」

「承知しました」

ペインターはジェニングズが置いていったフォルダーを開いた。ファイルにあった報告書を読み進めるにつれて、ペインターは背筋に普段は感じないような寒気を覚えた。

インターコムからブラントの返事が返ってくる。「司令官、電話をかけ続けているのですが、応答がないままボイスメールの案内になってしまいます。メッセージを残しておきましょうか?」

ペインターは手首をひねって腕時計を確認した。予定より数時間も早い。リサの方も多くの作業に忙殺されているはずだ。それでも、ペインターは不安で声が上ずりそうになるのを必死で抑えた。

「ドクター・カミングズに至急連絡するよう伝えておいてくれ」

「かしこまりました」

「それからブラント、クルーズ船の交換手につないでみてくれないか？」

考えすぎだとは自分でも十分に承知している。ファイルの続きを読もうとするのだが、なかなか内容に集中することができない。

「司令官……」しばらくしてブラントの声が返ってきた。「海上無線の通信士と連絡が取れました。船の通信機器に何らかのトラブルが発生しているようで、衛星電波の受信も極端に悪くなっているとのことです。なにぶん新しい船なので、システムにまだいろいろとバグが見つかっているようですね」

ペインターはうなずいた。海の女王号は今回が処女航海だ。半ば試運転のような航海の時に、今回の緊急事態の発生を受けて徴用されたのだった。

「ただ、それ以外に大きな問題は発生していないとのことです」ブラントは報告を終えた。

ペインターはため息をついた。まったく、深読みのしすぎにもほどがある。リサのことを思うあまり、正常な判断ができなくなりつつある。もし、インドネシアに派遣しているのがほかの隊員だったら、わざわざ電話をかけようなどと思っただろうか？

ペインターは報告書に頭を切り替えた。

リサなら大丈夫だ。

それに、モンクがついていてくれる。彼がそばにいる限り、心配はない。

6　疫病

七月五日　午後三時二分
海の女王号の船上

〈いったい何が起こっているのだろう?〉

リサはほかの三人の科学者とともに並んで立っていた。ここはクルーズ船のスイートルームだ。制服を着た執事が、銀色のトレイの上に一列に置かれたチューリップ型のスニフターにシングルモルトのウイスキーを注いでいる。モルトウイスキーを好むペインターと過ごす時間が長いため、リサはボトルのラベルに見覚えがあった。六十年物のマッカラン。なかなか手に入らない貴重な逸品だ。執事の両手は震えていた。手元が定まらず、高価なウイスキーがグラスからこぼれる。

執事が怯えているのも無理はない。室内にはマスクで顔を隠した二人の護衛が、アサルトライフルを手に、もう一つの部屋へと通じる二重扉の前で警備に就いているからだ。部屋の反対側に目を向けると、開いたフランス窓から広々としたバルコニーが見える。バスが一台停まれるほどの広いバルコニーでも、銃を持った別の護衛が警戒に当たっていた。

室内はチーク材の高級家具とレザーのソファーが豪華なスイートルームに彩りを添えている。アイランドローズの小型種が花瓶に飾られ、壁に埋め込まれたスピーカーからはモーツァルトのソナタの旋律が優しく流れてくる。科学者たちは室内の中央に固まって立っていた。知らない人が見れば、これから大学主催のカクテルパーティーでも始まるのかと勘違いするだろう。科学者たちの顔が恐怖で歪んでいることに気づかなければの話だが。

船内のスピーカーで呼び出された後、リサとヘンリー・バーンハートは指示に従って船のブリッジへと通じる階段を上った。ほかにどうすることができただろう？　ブリッジに到着すると、WHOチームのリーダーのドクター・リンドホルムがすでに室内にいて、鼻血を拭っているところだった。どうやら顔面を殴打された直後だったようだ。感染症を専門とするドクター・ベンジャミン・ミラーも、リサたちの直後にブリッジへと姿を見せた。

彼らを出迎えた海賊のリーダーは、見上げるような巨漢だった。アメリカンフットボールのラインバッカーにも引けを取らない体格をした、全身が筋肉の塊のような男で、ぞっとするような太い腕をしている。カーキ色の軍服を着て、迷彩柄のズボンの裾は黒いブーツの中にたくし込んでいた。ほかの海賊たちとは違い、マスクで顔を隠していない。湿った泥のような色をした髪を短く刈り込み、肌は磨き上げられた青銅のように輝いている。顔の左半分には、緑と黒の刺青が彫られていた。モコと呼ばれるマオリ族の刺青で、渦巻きと風になびくような線で描かれた模様が特徴だ。

その大男に連れられて、リサたちはブリッジからこのスイートルームへと移動し、外部と接触せずに待つよう命令を受けた。

リサはブリッジを早々に離れることができてほっとした。船の最上部ではすでに激しい戦いが展開されていたに違いない。窓や機器に銃弾で穴が開いており、床には真っ赤な血の帯が付着していた。死体を引きずり出した跡だろう。

スイートルームへと連れてこられたリサは、海賊たちに身柄を拘束されたもう一人の意外な人物の姿を発見した。

このクルーズ船のオーナー、ライダー・ブラントだ。執事の隣に立っていたライダーは、ウイスキーの注がれたスニフターを両手で抱えた。ジーンズにラグビーシャツというラフな服装のライダーは、若い頃のショーン・コネリーが日焼けをしたうえに髪を脱色したら、こんな感じになるだろうと思わせる容貌をしていた。

ライダーはリサたちの方へと歩み寄ると、スニフターを四人に手渡した。「このマッカランを一口でもあおっておいた方がいいよ」口にくわえたままの葉巻から煙を吐きながら、ライダーは勧めた。「少しは気分を落ち着かせるのに役立つさ。それにあの連中が見つける前に、せっかくの高い酒は飲んでおいた方がいいからな」

ライダーの成功談はリサもよく知っていた。オーストラリア人でまだ四十八歳。コンピューター産業が好景気に沸いていた時代、コピーライトのかかった素材をネットからダウンロードする際の解読用ソフトを開発して一財産を築いた。そこで得た利益を不動産やベンチャー企業への投資につぎ込み、資産を次々に膨らませていったのだ。そんな彼の投資の中には、クルーズ船も含まれている。これまで独身を通してきたライダーは、人をあっと言わせる行動でもたびたび世間の注目を集めていた。ホオジロザメの群れと一緒に泳いだり、世界の果てでヘリスキーを楽しんだり、クアラルンプールや香港の高層ビルからベースジャンプをしたり。その一方、金離れのいいことでも評判で、慈善事業への寄付を求められればいつでも気前よく応じていた。

今回の緊急事態への援助を要請されて、ライダーがこの船を喜んで貸与したのは当然とも言える。もっとも、今では自分のそうした性格を後悔しているかもしれない。

ライダーはウイスキーの入ったスニフターをリサに手渡そうとした。リサは首を横に振った。「お嬢さん、難しく考えない方がいいよ」ライダーはクリスタルのグラスを差し出したまま、さらに勧めた。「こんないい酒を飲める機会は、二度と巡ってこないかもしれないぜ」

リサはスニフターを受け取った。別にウイスキーを飲みたいわけではない。ライダーを追い払いたかっただけだ。彼の吸っていた葉巻の煙が目にしみる。リサは琥珀色の液体を一口飲んだ。熱い液体が胃の中へと流れ落ち、身体の芯から温まってくる。リサは熱い息を吐き出した。確かに、少しは気分が落ち着いたように感じる。

全員にグラスを手渡すと、ライダーはそばにあった椅子にゆったりと腰を下ろした。両肘を膝の上に乗せて身を乗り出し、銃で武装した護衛の方をにらみつけながら葉巻を吹かす。

リサの隣にいたヘンリーが、全員の頭を悩ませていた疑問をようやく口にした。「この海賊たちは我々をどうするつもりなんだ？」

リンドホルムは小馬鹿にしたかのように鼻を鳴らした。目が赤く腫れ上がっている。殴られた顔面はかなり痛そうだ。「人質だろ」そう言いながら、椅子に座った億万長者の方に視線を向ける。

「ライダー卿の場合はそうかもしれない」ナイトの位を授かっているライダーをわざわざ称号付きで呼びながら、ヘンリーは小声で応じた。「でも、それなら私たちは関係ないんじゃないのか？　我々の全財産を合わせても、この男とくらべたらはした金に過ぎない額だ」

リサは顔の前に漂う葉巻の煙を手で払った。「彼らはこの船に乗っている主な科学者が全員必要だったようね。でも、呼び出すべき科学者の名前を、どうやって入手したのかしら？」

「船の乗組員から乗客名簿を手に入れたのだろう」リンドホルムは不機嫌そうに答えた。もう一度、ライダーを横目でちらりと見る。「乗組員の中に、襲撃者の手引きをした人物がいたのは確実だな」

その言葉を聞きつけたライダーは、小声でつぶやいた。「そいつらを見つけたら、船から吊るして絞首刑にしてやる」

「でも、待ってくれよ……乗船している優秀な科学者を集めたかったのなら、どうしてドクター・グラフも一緒に呼び出されなかったんだ？」モンクと一緒に島へサンプルの採集に出かけた海洋調査官の名前をあげながら、ベンジャミン・ミラーは訊ねた。彼はリサの方を見た。

「それに、君の相棒のドクター・コッカリスは？　どうして我々だけが集められて、彼らの名前は呼ばれなかったんだ?」

ミラーはスニフターのウイスキーを口に含んだ。シングルモルトの濃厚な香りを嗅いで、鼻にしわを寄せている。オックスフォード出の細菌学者はなかなか端整な顔立ちで、赤褐色の豊かな髪に緑色の瞳が印象に残る。だが、身長は百五十センチそこそこしかなく、そのうえ何十年も顕微鏡とにらめっこをする生活の中で猫背の姿勢が染みついてしまったために、さらに背が低く見える。

「ドクター・ミラーの言う通りだ」ヘンリーは応じた。「どうして二人は呼ばれなかったんだ?」

「連中は二人が船に乗っていないことを知っていたのだろう」リンドホルムは答えた。

「それとも、あの二人もすでに捕まっているのかもしれない」ミラーはリサの方を申し訳なさそうに見た。「あるいは、殺されたのかも」

リサは不安でいっぱいになった。モンクがこの罠を無事に逃れ、すでに救援を要請してくれているのではないかと密かに願っていたが、どうやら淡い期待に過ぎなかったようだ。海賊が船を襲撃する前から、モンクの戻りが予定より遅れていた事実は否定できない。

ヘンリーは首を横に振ると、スニフターの中に残っていたウイスキーを一息で飲み干した。空のグラスを下に置く。「二人の運命をあれこれ詮索しても仕方がない。だが、我々の仲間が島でサンプルの収集作業をしていたことまで海賊たちが把握していたとすると、この船で今起こっている出来事は、単なる人質目的の乗っ取りではないぞ」

「しかし、それなら連中の目的は何なんだ?」ミラーは訊ねた。

ヘリコプターのプロペラ音が近づいてくるのを耳にして、全員がいっせいにバルコニーの扉の方へと目を向けた。湾内での攻撃を上空から援護していたユーロコプターの小型ヘリに比べると、エンジン音がかなり低い。四人はバルコニーの方へと向かった。ライダーも椅子から立ち上がると、大きく葉巻の煙を吐き出してから四人の横に並んだ。

海から風が吹きつけてくる。潮の香りとともに、化学物質特有の苦味をかすかに感じ取ることができる。有毒物質がまだ空気中から完全に消えていないためか、あるいは海面で燃え上がる石油のせいか。クルーズ船の近くでは、ロケット弾の直撃を受けて破壊されたオーストラリア沿岸警備隊のカッターが、黒煙を噴き上げながら側面から浸水して、半ば沈没しかけていた。

上空から灰色のヘリコプターが斜めに旋回しながら姿を現した。機体の前部と後部に二機のローターがついた軍用ヘリだ。海上を通過すると、ローターの巻き起こす風で煙が横に流れる。ヘリは海岸沿いの町へと向かった。町では数カ所で火災が発生していた。町の上空を一回りしたヘリは、地上の様子に満足したのか、再び船の方へと戻ってきた。機体はバルコニーの視界から消えたが、エンジン音の聞こえる方角からすると、船の最上部にあるヘリポートに着陸した様子だ。

ローターの回転音が緩やかになり、やがて停止した。

それと同時に、リサの耳は別の低い音をとらえた。足元からかすかな振動が響いてくる。

「船が動いているぞ」ヘンリーも気づいたようだ。

ライダーは葉巻をくわえたまま舌打ちをした。

リサは目でもその事実を確認できた。非常にゆっくりと、時計の針が進むかのように、炎上する町の光景が移動している。

「連中は船ごと奪うつもりなんだ」ミラーは指摘した。リンドホルムはきつく握り締めた拳を胸元に当てた。

リサも同じ恐怖を感じていた。陸が間近に見えていれば、まだある程度の安心感を得ることができる。だが、今やそのわずかな希望さえも失われようとしていた。いくら息を吸い込んでも、肺に空気が入ってこないような気がする。きっと誰かが異変に気づいて、調査に来てくれるはずだ。ペインターに定時報告を入れる予定も三時間後に迫っている。彼女から連絡が入らなければ――

リサは腕時計をチェックしてからライダーの方を向いた。「ブラントさん、あなたのこの船の最高速度は？」

ライダーは葉巻を灰皿に押しつけて消した。「クルーズ船での大西洋横断最速記録に贈られるヘイルズ・トロフィーの現在の持ち主は、時速四十ノットの船を所有している。かなりの高速だな」

「それで、この海の女王号は？」リサは訊ねた。

ライダーは船の隔壁を手で叩いた。「こいつは我が社が所有する船の最高峰だ。ドイツ製のエンジンを備えた単殻船体船。四十七ノットは出せる」

リサは頭の中で計算した。三時間後に予定の時刻が来ても連絡が入らなかった場合、ペインターはいつ頃から不審に思うだろうか。四時間後、あるいは五時間後か？　リサは首を左右に振った。連絡が予定より一分でも遅れたら、ペインターは落ち着かなくなるだろう。

「三時間だわ」リサはつぶやいた。〈それでも遅すぎるかもしれない〉……リサは再びライダーの方を見た。「この周辺の地図はありますか？」

ライダーは部屋の片隅を指さしながら歩き出した。「地球儀ならあるよ。書斎のアルコーブに」

ライダーの後をついていくと、室内に壁の奥まった一角があり、チーク材でできた本棚が据えつけられている。本棚の中央には木製の地球儀が置かれていた。リサは顔を近づけ、地球儀を回してインドネシアの付近を正面に持ってきた。暗算しながら、指を使ってだいたいの距離を測る。

「三時間もあれば、この船はインドネシア領内の島々のどこへでも行けるわ」

ジャワ島とスマトラ島という二つの大きな島のほかに、この海域には無数の環礁や小島が点在しており、複雑な海岸線を形成している。一万八千以上の島々が、アメリカ合衆国本土とほぼ同じくらいの面積の中に広がっているのだ。ジャカルタやシンガポールといった大都市がある一方で、石器時代とそれほど変わらない生活様式を送っている人々も少なくない。いまだに人食いの風習が残る島も存在すると言われている。クルーズ船の存在を隠すのには格好の場所だ。

「船を丸ごと盗もうなんて、無理に決まっている」みんなの後をついて本棚の前まで来ていたリンドホルムが大声をあげた。「空から衛星で監視できる時代だぞ。クルーズ船のような大きなものを隠せるわけがないじゃないか」

「相手を甘く見ない方がいいと思うな」ヘンリーは応じた。「だいたい、我々が行方不明になったことに、誰がいつ気づくんだ？」

リサはヘンリーの意見にうなずいた。襲撃の手際よさ、さらには主だった乗組員の中に共謀者が何人も紛れ込んでいたに違いないことを考え合わせると、乗っ取り計画は何週間も前から周到に練られていたとしか思えない。つまり、クリスマス島で異常事態が発生した事実に、誰よりも早く気づいた人間がいたということだ。リサは隔離病棟に収容されている患者のことを思い出した。人食いバクテリアに侵された身元不明の患者。あの男性は、五週間前に島内をさまよっているところを発見されたという。

襲撃者たちは、そんなに以前から気づいていたのだろうか？

スイートルームの入口付近で物音がする。全員が二重扉の方を見た。二人の男が入ってくる。前を歩いている男は、リサも見覚えがあった。顔にマオリ族の刺青のある、海賊のリーダー格の男だ。

そのマオリ族の戦士の後ろから、背の高い男が前へと歩み出た。つばの広いパナマ帽を素早く脱ぎ、刺青のある戦士の背後にいつの間にか現れた女性に手渡す。颯爽と歩くその姿は、まるで園遊会にでも招待されたかのようないでたちだ。ゆったりとした白いリンネルのスーツで決め、同じ色の杖を持っている。白いものが混じった髪は、襟に届くくらいの長さだ。磨きあげられたようなつやのある顔色と両目がいくらか寄っていることから判断すると、男はインド人、あるいはパキスタン人だろうか。

男は杖をつきながら、リサたちの方に近づいてきた。だが、杖が必要なほど足腰が悪いようにはとても見えない。単にお洒落のつもりなのだろう。その目は場違いな明るさで輝いている。「ナマステ」男はヒンディー語で挨拶をして軽く頭を下げた。「お集まりいただきありがとうございます」

男は立ち止まると、海の女王号のオーナーに向かってうなずいた。「ライダー卿、あなたのおもてなしと、この素晴らしい船を提供していただいたことに感謝します。船に損害を与えることなくお返しできるよう、最善を尽くす所存です」

ライダーは言葉ともうなりともつかぬ声を発した。男の意図を量りかねているのだろう。

男は科学者たちの方を向いた。「今回の壮大な事業を開始するに当たり、世界保健機構から派遣された名だたる専門家の方々にこの部屋で一堂に会していただけたことは、誠に光栄であります」

リサはヘンリーが眉間にしわを寄せていることに気づいた。男を警戒していると同時に、混乱している様子がうかがえる。

男は最後にリサの顔に視線を止めた。「そしてもちろん、アメリカからのお仲間を忘れるわけにはいきません。機密組織の、確かシグマフォース、でよろしかったですね」

唖然としたリサは、男の顔をにらみ返すことしかできなかった。いったいどうして――？　男はリサに向かってかすかにお辞儀をした。気取った動作だが、からかっている様子は見受けられない。「あなたの同僚の方もご一緒できないのは残念ですな。我々が彼をお連れしようとした際に、ちょっとした事故に遭遇されたようです。島に生息するカニに関係した事故のようでしてね。詳細についてはまだはっきり判明しておりません。我々の仲間の命も何名か失われたのですよ。無事に帰還できたのは一名だけでした」

恐ろしい知らせに、リサは目の前が暗くなったように感じた。

〈まさかモンクが……〉

慰めるかのように、誰かの手がリサの肩に触れた。ライダー・ブラントだ。彼は謎の男に向き合った。「君はいったい何者だ？」

「ああ、これは失礼いたしました」男は片手を上げて手のひらを向けると、かしこまった調子で自己紹介を始めた。「ドクター・デヴェシュ・パタンジャリと申します。ギルドにおいて、バイオテクノロジー関係の情報収集責任者を務めております」

モンクに関する知らせを聞いて悲嘆に暮れていたリサは、さらに心臓を冷たい氷の手でわしづかみにされたような衝撃を受けた。ギルドについてはペインターからいろいろと耳にしていた。このテロリスト集団の、血塗られた活動の歴史に関しても。

パタンジャリは床を杖でしっかりと叩いた。余計な話はここまでだとでも宣言するかのような仕草だ。「顔合わせのためだけにこれ以上の時間を費やしている余裕はありません。明朝、港に到着する前に、片付けなければならない作業が山ほどありますから」

「何の作業なの?」悲しみをこらえて、リサは絞り出すような声で訊ねた。

パタンジャリは片方の眉毛を吊り上げながらリサを見た。「我々が力を合わせて、世界を救うのですよ」

午後三時四十五分

モンクは男の口を手のひらでぴったりとふさいだ。義手の方の指で男の顎のすぐ下のあたりを締めつける。頸動脈を押さえているので、脳への血流が停止する。男は必死にもがいたが、モンクの義手の指はクルミを軽く砕くことができるほどの握力がある。激しく動いていた男の足が力なく垂れ下がるのを待ってから、モンクは男を床に下ろした。

そのまま男を近くにあった用具入れの中へと引っ張り込む。

床下から伝わってくる振動と、重々しいエンジン音に気づくと、モンクは立ち上がった。船は動いている。どうやら出航直前に乗船できたようだ。

ジェットスキーが爆破された後、モンクは船の反対側に回り込み、エアタンクを脱ぎ捨てた。タンクが湾の底へと沈んでいくのを確認してから、錨鎖をよじ登って船に乗り込んだ。モンクが乗船した付近は、警備が手薄になっていた。湾内に向いた側を重点的に警戒していたからだ。錨鎖から船縁に固定された救命ボートへと飛び移り、そこからプロムナードデッキへと転がり込むように侵入した。

モンクはすぐに身を隠した。

用具入れに隠れて十五分ほど待つと、一人の護衛が前を通りかかった。海賊の一味で、ヘッケラー&コッホのアサルトライフルを携帯していた。今、その海賊が同じ用具入れの中で伸びている。モンクはウエットスーツのジッパーを外し、護衛のズボンとシャツを脱がせた。素早く着替えはすませたものの、護衛のブーツがなかなか履けない。サイズが小さすぎるのだ。

やむをえず、モンクは裸足で歩き始めた。だが、手ぶらではない。ライフル銃の重量が安心感を与えてくれる。

用具入れから通路へと足を踏み出すと、モンクはほかの海賊たちの真似をして、スカーフで顔を覆った。船の構造は頭に入っている。アメリカからクリスマス島への移動の間に、船内図を暗記しておいたからだ。甲板を急いで横切って、右舷の通路へと出る。階段の入口で二人の海賊とすれ違ったが、忙しくて相手などしていられないという風を装いながら、押しのけるように通り過ぎた。

すれ違いざまに肩の触れた海賊の一人が、大声で何やらわめきたてている。モンクは現地の言葉などまったくわからなかったが、相手に罵られていることぐらいは理解できる。ライフル銃を軽く持ち上げて「すまん」という意思を伝えながら、振り返らずに歩き去った。

モンクは通路の先へと急いだ。

リサとモンクはこの通路の先に隣り合わせの個室を二つ割り当てられていた。リサの行方を探すとしたら、まずはその船室から始めるのが定石だろう。ここまで来る途中、モンクは背後から銃で撃たれてそのまま放置された死体を二体、目撃していた。何としてでもリサを探し出さなくてはならない。

モンクは個室を数えながら進んだ。扉の向こう側から泣き声が漏れている船室もあったが、そのまま通り過ぎ、自分たちの船室の前へとたどり着いた。

モンクは自分の船室の扉を引っ張った。鍵がかかっている。電子式のカードキーを入れたバッグは、砂浜に置きっ放しのゾディアックのボートの中だ。モンクは隣に移動した。リサの船室の扉の前に立つ。こちらも鍵がかかっていて、取っ手を回そうとしても動かない——だが、扉の向こう側に人の動く気配がする。

リサに違いない。

よかった……

モンクは義手の方の拳で扉をノックして、扉に顔を近づけた。「リサ……俺だよ」

扉についているのぞき穴が暗くなった。誰かが室内からこちらを確認している。モンクは一歩後ろに下がり、マスクをずらして顔を見せた。一瞬の間を置いて、チェーンのこすれる音が聞こえ、さらにカチリという音とともに安全錠も外される。

モンクは再びマスクで顔を隠し、通路の左右を確認した。「急いでくれよ」

扉が内側へと引き開けられた。

扉の方に向き直りながら、モンクは船室へと足を踏み入れた。「リサ、これから――」

モンクはすぐに間違いに気づくと、ライフル銃を構えた。

中にいるのはリサではない。

船室内に差し込む明るい太陽の光に照らされて、若い男性が扉の陰に隠れるようにうずくまっていた。「やめて……撃たないで」

モンクはライフル銃を構えたまま、室内の様子に目を配った。部屋は荒らされていた。引き出しが開けられ、中身が床の上に散乱している。クローゼットも空っぽだ。だが、モンクの視線は室内にいるもう一人の人物の姿に釘づけになった。ベッドの上でうつぶせに倒れた死体。海賊の一人だ。シーツが真っ赤に染まっている場所から推測すると、喉を切り裂かれたのだろう。

目を大きく見開いたまま、モンクは若い男性に注意を戻した。

「おまえは誰だ?」

男性は片手で室内を指し示した。「ドクター・カミングズを探しに来たんです。ほかに探す場所の心当たりがなくて」

ようやくモンクは、この男性がリサの助手を務めていた若い看護師だということに気づいた。だが、名前までは思い出せない。

「ジェスパルです……ジェシーって呼んでください」モンクの困惑した表情を見て、男性は小声でつぶやいた。

ライフル銃を下ろしながらうなずくと、モンクは室内に入った。「リサはどこだ？」

「わかりません。僕はトリアージを手伝っていました」そう説明するジェシーは、全身が小刻みに震えていた。まだショックが収まらないのだろう。「そうしたら爆発が……四人の乗組員が、病室で銃を乱射し始めたんです。僕は逃げました。ドクター・カミングズは毒物学者の先生に呼び出されていて、その場にいなかったんです。僕はドクターが無事に船室へと逃げ帰っていますようにと、ビシュヌ神に祈りました」

ジェシーは死体の転がったベッドの方に一瞬目を向けたが、すぐに視線をそらした。「ドクター・カミングズはバッグをトリアージ室に置いたままにしていました。僕はそのバッグを持って逃げたんです。中には鍵が入っていました。でも、船室の中ではすでにこの男が待ち構えていたんです。そいつは僕がドクターではないとわかると怒り出しました。床にひざまずけと命令されて。男は無線を持っていました」

ジェシーは床の上に落ちた携帯用無線を指差した。

「それで、その男の喉には何が起こったんだ？」

「そいつが無線で連絡を入れたらまずいことになるととっさに思いました。それに、ドクター・カミングズのバッグの中には、カードキーのほかにもいろいろ入っていて」ズボンのベルトの間から、ジェシーはスカルペルを取り出した。「僕は……何とかして……」

モンクはジェシーの腕を握って力づけた。「いい仕事をしたじゃないか、ジェシー」

ジェシーは別のベッドの上に座り込んだ。「船内無線が聞こえました。やつらは何人かの医師を招集しているのです。その中にはドクター・カミングズも含まれていました」

「どこに集まるように指示していた？」

「船のブリッジです」

「その放送は繰り返されたか？」

ジェシーはしばらく一点を見つめていたが、やがてゆっくりと首を横に振った。

〈リサは指示に従ったわけか……〉

これで次の目的地は決まった。

彼はリサの船室と自分の船室とをつなぐ扉へと歩み寄った。扉が半開きになっている。ちょっとのぞいただけで、自分の船室もかなり荒らされていることがわかる。私物は徹底的に捜索され、衛星電話も見当たらない。念のため室内を探したが、どうやら奪われてしまったようだ。

また、海賊の死体をよく調べたところ、驚くべき事実が発覚した。海賊の浅黒い肌は、実は顔面と両手だけだった。身体のほかの部分の皮膚はまるで雪のように白く、せいぜい少ししみがあるくらいだ。この海賊はこの付近の島民ではない――金で雇われた傭兵が、変装しているのだ。

いったい何が起こっているのだろうか？

モンクは再び自分の船室に戻ると、バスケットボールシューズを手に取った。

靴を履きながら、モンクはジェシーに話しかけた。「ここにとどまっていると危険だ。そっちのベッドにいる眠り姫を探して、仲間がいつやってくるかわかったもんじゃない。君が安全に隠れていられる別の場所を探してやるよ」

「あなたはどうするのですか？」

「リサを探す」

「それなら、僕も一緒に行きます」ジェシーは立ち上がったが、まだ身体がふらふらしている。

ジェシーはシャツを引っ張り上げて顔を隠そうとしている。自分も海賊の扮装をしようとしているのだろう。シャツの下から見える身体は、あばら骨が浮き出ている。だが、そんな外見とは裏腹に、この若者は日頃から身体を鍛えているのではないか、モンクはそんな気がしていた。自分の身体の二倍もあるような海賊に飛びかかり、喉を切り裂くのは容易なことではない。

だが、たとえそうだとしても……

「いや、俺が一人で行く」モンクはきっぱりと宣言した。

ようやくシャツを頭に巻きつけると、ジェシーはもごもごとつぶやいた。

「何だって？」

ジェシーはモンクの方を向いて必死に訴えかけてくる。「柔術と空手を習っています。両方とも黒帯で、五段なんです」

「君がインドでジャッキー・チェンと呼ばれていようがいまいが関係ない。隠れ場所は探してやる」

不意に扉をノックする音がして、二人は息を呑んだ。大声が聞こえる。マレー語だ。何かを質問している。モンクはマレー語の単語など一つも知らない。彼はライフル銃を構えた。意思の疎通の方法は言語だけとは限らない。

その時、ジェシーがライフルの銃口を手で押し下げながら、素早くモンクの前に出た。扉の向こうの男に呼びかける。いらいらした口調のマレー語で、激しくまくしたてている。何度か言葉のやり取りがあった後、扉の向こうの男は納得した様子で去っていった。

ジェシーは振り返ると、モンクに向かって目配せをした。

「なるほど、役に立つかもしれないな」モンクは認めた。

午後四時二十分

リサは他の三人の医師とライダー・ブラントとともに立っていた。囚われの身の彼らは、銃を突きつけられたまま、クルーズ船の前部甲板へと移動させられた。ヘリポートに着陸した大型のヘリコプターは、すでにロープで固定されてる。ハッチが開かれており、その周囲では大勢の人がきびきびと働いていた。何人もの男たちが、重そうな木箱をヘリの貨物室から次々と運び出している。

リサの目は、木箱に刻印された文字や企業名を追っていた。シンバイオティック。ウエルシュ・サイエンティフィック。ジーンコープ。アメリカ国旗が刻印された箱もある。USAMRIIDの文字も見える。米国陸軍感染症研究所の略だ。

運び込まれている木箱の中身は、どれも医療機器らしい。

大量の木箱が、次々とエレベーターへと消えていく。

リサはヘンリー・バーンハートの視線に気づいた。毒物学者である彼も、木箱の文字を読み取ったようだ。片手が無意識のうちに顎ひげをさすっている。唇をきつく結び、何かを考えている様子だ。その横では、ミラーとリンドホルムが今にも泣き出しそうな顔をして突っ立っている。一方、ライダー・ブラントは、クルーズ船の船外の吹きさらしの中で、葉巻に火をつけようと苦労していた。

ドクター・デヴェシュ・パタンジャリはヘリコプターのローターの真下に立って、最後の荷物が下ろされるのを間近で見守っていた。「世界を救う」という謎の発言について、その後一切の説明はない。ヘリポートに同行するようにとの指示があっただけだ。

武装したマオリ族のリーダーがその傍らに立っていた。手に武器は持っていないが、大型の銃を収めたホルスターには常に片手を添えている。男は目を細めながら、前部甲板での動きを監視していた。まるで戦場で敵の姿を探す狙撃者のようだ。この男の視線からは誰一人として逃れることはできない。その鋭い視線が、ドクター・デヴェシュ・パタンジャリに付き添う若い女をとらえた。

彼女の存在は謎のままだった。一言も言葉を発することがないし、顔もマスクの下に隠れているため見ることができない。光沢のある黒いブーツのつま先をぴたりと揃え、両手を前に組んだ姿勢で前部甲板に立っている。主人からの指令を待つ忠実な部下の姿だ。マスクの下の顔はうかがい知ることができないものの、女性らしい身体の線はマオリ族の男の視線をとらえて離さなかった。

甲板下のスイートルームから出る時、ドクター・パタンジャリがその女に呼びかけた名前を、リサは聞き逃さなかった。「スリーナ」……ドクターは船室を出ながら、女の頬に紳士らしく軽くキスをした。キスをされても、スリーナと呼ばれた女はまったく感情を表に出さなかった。女にはインド人の血が混じっているように見える。やや地味なオレンジ色にバラの模様が入った長いサリーを身体に巻いており、三つ編みにした長い黒髪がその上にかかっている。髪をほどいたら、床に届くくらいの長さがありそうだ。インド系であることの証拠に、額にはビンディと呼ばれる紫色の点が描かれている。しかし、磨き上げられたチーク材のような肌の色は、デヴェシュ・パタンジャリと比べるとかなり薄い。おそらく先祖にヨーロッパ人の血が入っているのだろう。

スリーナがデヴェシュの妹なのか、妻なのか、あるいは単なる同僚なのか、リサには判断がつきかねた。その一方で、無言で立っているその女からは、ある種の威圧感のようなものが感じられる。氷のように冷たい瞳を見ると、その印象はいっそう深まった。また、彼女は左手に黒い手袋をはめていた。肌にぴったりと合った手袋で、レザーなのかゴムなのかはわからない。まるで左手だけを墨に浸したかのようにも見える。

腕組みをしたまま振り返ると、リサは船の後方に次第に遠ざかりつつあるクリスマス島の島影を探した。船が動き始めてからまだそれほど時間が経過していないというのに、島は緑色にかすむ小さな塊にしか見えない。島の上空にたなびく黒い煙がかすかに確認できる。だが、煙を見て何らかの危険を察知してくれる人はいるだろうか？　自分からもモンクからも定時の連絡が入らなければ、ペインターが不審に思うのは間違いない。今のところ、リサの頼りはペインターの被害妄想的な性格だけだった。

それがかなり頼りになりそうなことだけが救いだ。

貿易風が吹き始め、風がうなりをあげる。その風に乗って、カモメの群れが頭上を飛んでいく。あのカモメのように空を飛べたら、簡単に逃げることができるのに……

不意に叫び声が聞こえて、リサはヘリコプターの方に注意を戻した。

外科用の手術衣に身を包んだ二人の男が、ヘリコプターの後部から担架を運び出している。担架から引き出された車輪が固定された。デヴェシュが男たちの方へと近づき、担架の上に縛りつけられた患者の様子を調べる。小型の監視機器が、患者の周囲に乱雑に置かれている。患者は酸素テントの中にいた。呼吸のたびに上下している胸の形から見ると、どうやら女性のようだ。人工呼吸器を装着していて、さらに何本もの管やチューブが伸びているため、患者の顔まではっきりと確認できない。

デヴェシュが杖で指し示したのを合図に、二人の看護師は担架をエレベーターの方へと運び始めた。その後を追うように、何台もの医療機器が引きずられていく。

デヴェシュはようやくリサたちのもとに戻ってきた。

「一時間以内に、研究室と治療室の準備ができるはずです。運がよかったのは、ドクター・カミングズと同僚の方のご厚意のおかげで、私などではとても手の届かないような立派な機器がすでに用意されていたことですね。あなたの国の国防総省の管轄する研究開発機関が、携帯式の走査型電子顕微鏡を作り出していたなんて、思ってもいませんでした。電気泳動装置や蛋白質のアミノ酸配列分析装置も持っておられたのですね。そのような貴重な機器が我々の手元に転がり込んでくるとは、まさに天の恵みとしか言いようがありません」

デヴェシュは杖で地面を叩くと、歩き始めた。「皆さんどうぞ。我々に襲いかかる脅威の正体をお見せしましょう」

リサはほかの四人とともにデヴェシュの後を追った。今回ばかりは、背中にライフル銃を突きつけられなくても、自然と足が動く。多くの謎の上に、また新たな謎がいくつも積み重なっている。リサには答えが必要だった。クルーズ船はなぜ襲撃されたのか？　デヴェシュの言葉の持つ意味は何なのか？

「我々が力を合わせて、世界を救うのですよ」

一行は甲板から三つ下の階に移動した。その途中、リサは化学防護服姿の男たちが、階下の通路で作業をしている現場に遭遇した。消毒剤を大量に噴霧していて、作業者の姿がかすむほどだ。

デヴェシュは船首の方向へと向かっていた。通路の先には広い円形の空間があり、その壁沿いに高級船室へと通じる入口が並んでいる。こうした大きな船室のうちの一つが、モンク専用の研究室に割り当てられていた。だが、目の前の様子を見る限り、それ以外の船室はすべてデヴェシュの管理下にあるようだ。

デヴェシュは立ち入り禁止を示すテープの下をくぐりながら、リサたちにも手招きをした。円形の空間の中央付近では、大勢のスタッフが忙しそうに作業をしている。「さあ、着きましたよ」デヴェシュはリサたちに声をかけた。

二十人ほどの男たちが、木箱を開け、箱の中から詰め物や発泡スチロールを取り出し、ビニールに包まれた医療機器や研究装置を運び出していた。一人の男が抱える箱の中には、ペトリ皿がいっぱいに詰まっている。バクテリアを培養するために使用される器具だ。モンクの研究室へと通じる扉が開いている。室内にいる男は、クリップボードを手にしていた。シグマがどんな装置を手配したのか、一つ一つ調べているのだろう。

デヴェシュは一行をすぐ近くの船室へと案内した。カードキーを通してから扉を押し開ける。

そこで不意に振り返ると、デヴェシュは傭兵部隊のリーダーである刺青の男に声をかけた。「ラカオ、ドクター・ミラーを細菌学の研究室へとお連れしなさい」そう指示を与えてから、ミラーの方に顔を向ける。「ドクター・ミラー、あなたが細菌学の調査用に確保していた船室の機材を、無断ではありますが、より研究がはかどるように一新しておきました。新しい保温式培養箱、嫌気性細菌の成長観察装置、血液培養プレートを用意してあります。私のチームのウイルス学者、ドクター・エロイーズ・シェニエがあちらでお待ちしておりますから、協力して感染症対策研究室を立ち上げてください」

ラカオは部下の一人にドクター・ミラーを案内するように指示を与えた。ミラーは不安そうに周囲を見回している。仲間の科学者たちと離れ離れになるのが不安なのだろう。だが、ライフルの銃口が背中に真っ直ぐ向けられている状況では、不満を口にすることもできない。

ミラーが連れていかれると、デヴェシュは残りの四人の方に向き直った。「ではラカオ、ライダー卿とドクター・リンドホルムを、今度は君が自ら無線室までご案内しなさい。私たちもすぐに後を追いますからね」

「お言葉ですが……」デヴェシュのこの指示は、ラカオにとって意外だったようだ。警戒を怠るべきではないとでも言いたげに、リサとヘンリーの方に疑いの眼差しを向けてくる。

「私なら心配いらないよ」デヴェシュは船室の扉を手で押さえ、軽くお辞儀をしてから若いインド人の女に先に入るように合図を送った。「ドクター・カミングズもドクター・バーンハートも、私がこれからする話の内容には、大変興味がおありのようだから。それに、スリーナがついていてくれるからね」

リサとヘンリーも、スリーナの後から船室に入った。

デヴェシュも船室に入ると扉を閉めようとした――だが、ふと何かを思い出したかのように立ち止まると、ラカオに再び指示を与えた。

「そうそう、ラカオ、子供たちを集めておいてもらえるとありがたい。さっき私が選んだ子供たちだよ。お願いできるかな」

そう言い残すと、デヴェシュは扉を閉めた。だが、扉が閉まる寸前、リサはラカオの表情がこわばったことを見逃さなかった。顔面に彫られた刺青がいっそう浮き出て見える。まるで人跡未踏の地を記した地図のようだ。

オートロックがかかったのを確認すると、デヴェシュは船室内にある机へと大股で向かった。よく見ると、机は二つ並んでいた。一つは他の船室にあったものを取り外して、この船室へと運び込んだようだ。二つの机の上には三台の液晶ディスプレイが乗っており、ディスプレイはそれぞれ二台のヒューーレット・パッカード製のタワー型コンピューターに接続されていた。しかし、それ以外の室内の装備には、特に変わった様子は見られない。チーク材で統一された調度品の数々の向こうには、食事もできるテラスと屋根付きのバルコニーが見える。

スリーナはソファーに歩み寄ると腰を下ろした。しかし、ゆったりと腰掛けるのではなく、膝を軽く曲げて肘掛けに身体を預けただけだ。そうした動作からは控え目な態度がうかがえる一方で、内に秘めた力と見る者を威圧する雰囲気も感じ取ることができる。かすかな動きも見逃さない鋭い視線。寸分の無駄もない身のこなし。もっとも、座った時に左右の足首の鞘に収められた二本の短剣が見えたせいで、そんな印象を抱いただけなのかもしれない。

リサは目をそらした。机の奥には寝室があり、ベッド脇の床には、大きなトランクが二つ置かれている。ここはデヴェシュの私室に違いない。だが、なぜ彼はこの船室に立ち寄ったのだろうか？

デヴェシュはキーボードのボタンを叩いて、コンピューターのスリープモードを解除した。リサはディスプレイの画面に注意を戻した。薄暗い船室の中で、三台の液晶ディスプレイの画面がまばゆい光を発している。

「ドクター・バーンハート……あるいは、ヘンリーとお呼びしてよろしいですかな？」デヴェシュは振り返った。

ヘンリーは返事をせずに、ただ肩をすくめただけだった。

デヴェシュはかまわず続けた。「ヘンリー、有毒物質の発生という騒ぎの中に隠された真の脅威を、的確に見抜いたあなたの観察眼には敬意を表します。あなたが一日もかからずに突き止めた事実を確認するのに、我々の科学者たちは何週間もかかったのですから」

リサの全身に寒気が走った。「何週間もかかったのですから」……クリスマス島で発生した脅威について、デヴェシュたちは危機が拡大するはるか以前から気づいていたのだ。だが、そのこととギルドとは何の関係があるのだろうか？

「もちろん、あなたがこれほど早く警報を送るとは、こちらの計算外でした。ワシントンにまで情報が伝わってしまいましたからね。そのおかげで、こちらの予定も繰り上げざるをえなくなってしまったのですよ……作戦の変更も余儀なくされました。その一環として、この船に乗っていた科学者の方の頭脳と、我々のチームの頭脳とを結集することになったのです。まあ、それはよしとしましょう。わずかな望みにかけるのなら、素早く行動を起こさなければなりません」

「何をする望みなの？」リサはようやく疑問を口にすることができた。

「直接ご覧になっていただきましょう」デヴェシュは二脚ある椅子の一方を軽く叩いて、彼女に座るように促した。

リサは立ったまま動かなかった。だが、デヴェシュは気分を害した様子も見せずに、キーボードを操作している。中央のディスプレイにビデオの映像が流れ始めた。顕微鏡で撮影した映像だ。棒状の細菌が無数に連なって、ぴくぴくと動いているのがわかる。

「炭疽菌についてはどの程度ご存じですか？」デヴェシュは二人の方を振り返りながら訊ねた。

リサは再び寒気を感じた。

ヘンリーが質問に答えた。「学名バシラス・アンスラシス。反芻動物に感染する例がほとんどを占める。ウシ、ヤギ、ヒツジなどだな。だが、この菌は人間に感染する場合もある。死亡率はかなり高い」

一切の感情を拝した、医者としての冷静な答えだった。だが、リサはヘンリーの肩に必要以上の力が入っていることに気づいていた。

デヴェシュはうなずいた。「バシラス属は世界各地の土壌に存在します。通常はまったく無害ですね。例えば、これもそのような良性の菌の一つ、セレウス菌です」

画面が切り替わり、単体のバクテリアの顕微鏡拡大写真が映し出された。薄い膜の壁を持った棒状のバクテリアは、中央部のＤＮＡ鎖がわかりやすいように染色されている。

「仲間のバクテリアの多くと同様に、この小さな生物は世界中の庭に生息しています。土壌中の微生物や養分を食べながら、大人しく暮らしているのです。アメーバよりも大型の生物に対しては、ほとんど無害な存在です。ところが、このセレウス菌の兄弟に当たる炭疽菌は——」

デヴェシュがマウスをクリックすると、別の画像に切り替わった。セレウス菌の画像と、新しい菌の画像が並んでいる。ほとんど違いはないように見える。

「これが炭疽病を引き起こす細菌です」デヴェシュは説明を続けている。「地球上に存在する最も恐ろしいバクテリアの一つに数えられるでしょう。普通の庭の土壌に生息する大人しい兄弟分と、同一の遺伝子コードを有しています」デヴェシュは二つの画像の染色されたＤＮＡ鎖の部分を指差した。「遺伝子を比較すれば、ほとんど違いはありません。それなら、どうして一方が殺傷力を持ち、もう一方はほとんど無害なのでしょうか?」

肩越しに振り返りながら、デヴェシュはリサとヘンリーに視線を向けた。

リサは首を横に振った。ヘンリーは黙ったままだ。

デヴェシュは答えが返ってこないことに満足した様子でうなずくと、コンピューターの方に向き直ってキーを押した。画面上に映し出されていた炭疽菌の画像が拡大され、ＤＮＡの塊が大きく迫ってくる。細胞質の内部に、鎖状のＤＮＡとは別に、二つの環状の遺伝物質が浮かんでいた。リサは二つの目に見つめられているような気がした。

「プラスミドだ」ヘンリーはつぶやいた。

リサは眉間にしわを寄せながら、医学部進学課程での講義内容を必死に思い出そうとしていた。記憶に残っている限りでは、プラスミドとは染色体ＤＮＡとは独立した環状のＤＮＡのことだ。自由に浮遊するこの遺伝子コードを含むバクテリアは珍しい。プラスミドの役割については、まだほとんど理解されていない。

デヴェシュは再び説明を始めた。「この二つのプラスミド――ＰＸ０１とＰＸ０２が、普通のバシラス属を殺人鬼へと変貌させる原因なのです。この二つの輪を取り去ってしまえば、炭疽菌もまったく無害なバクテリアへと戻り、土壌中で平和に暮らしていくことでしょう。その反対に、もし二つのプラスミドをバシラス属の良性のバクテリアに埋め込んだら、どれもたちまち強い毒性を持つようになってしまうのです」

デヴェシュはようやく二人の方に向き直った。「ここでお聞きしますが、これら異質の、しかも致死性のあるプラスミドは、どこからやってきたのでしょうか？」

好奇心を抑え切れなくなり、リサは答えた。「あるバクテリアから別のバクテリアへと、直接に移動したんじゃないの？」

「もちろんです。でも、私の質問の意図は、このような異質な遺伝物質を、バクテリアはそもそもどのようにして獲得したのか、ということです。プラスミドの発生源はどこなのですか？」

ヘンリーは身を乗り出すと、画面を凝視した。「プラスミドの進化上の起源に関しては、まだ謎のままだ。だが、最新の理論によれば、ウイルス起源説が有力とされている。より正確に言えば、バクテリオファージ、すなわちバクテリアだけに感染するウイルスが起源ではないかとされている」

「その通り！」デヴェシュは再びディスプレイへと視線を戻した。「はるか昔、ウイルスの一種であるバクテリオファージが、無害なバシラス属にこの致死性のある二つのプラスミドを注入したのではないかとの説が有力です。その結果、生物圏に新たな怪物が誕生し、大人しい微生物が殺人鬼に生まれ変わってしまったわけです」

デヴェシュがさらにキーを何度か叩くと、ディスプレイの画像が消えた。「このようにして感染したバクテリアは、炭疽菌だけではありません。黒死病の原因となったペスト菌も同じです……プラスミドによって、毒性が倍増しているのです」

デヴェシュの話の方向性が見えてきて、リサは全身に鳥肌が立つような感覚にとらわれた。変質したバクテリアに関する話は、この船に収容されている患者たちの症状に当てはまる。酢に含まれるバクテリアでひきつけを起こした少女。ヨーグルトに含まれるバクテリアで劇症赤痢にかかった女性。皮膚に存在するバクテリアによって足を食い荒らされている身元不明の患者……

「ここでも同じことが起こっているということ？」リサはつぶやいた。「バクテリアが蝕まれているわけなの？」

デヴェシュはうなずいた。「まさにそうなのです。海の底から何かが再び浮上してきたのです。地球上のすべてのバクテリアを殺し屋へと変貌させる力を持つ何かが」

リサはヘンリーに聞いた話を思い返していた。世界にはバクテリアが無数に存在していること。人間の体内にある細胞のうち、九十パーセントがバクテリアで構成されているという事実。人間の体内にある、人間以外の存在。もし、それらが人間に対していっせいに反旗を翻したら……

デヴェシュの説明は続いている。「細菌学者が炭疽菌をはじめとする毒性の強いバクテリアの遺伝的特徴を研究したところ、古代のウイルスの菌株が存在している可能性が指摘されました。その菌株が、炭疽菌をはじめとして、各種の疫病を引き起こす原因となるバクテリアの祖先を生み出したのですよ。科学者たちは、このような古代のウイルスの菌株にすでに名前をつけております。友人を敵へと一変させてしまうウイルスを、彼らは『ユダの菌株』と命名したのです」

デヴェシュの顔に浮かんだある表情に、ヘンリーも気づいたようだ。デヴェシュの目は明るく輝き、興奮を抑え切れないでいる。ヘンリーはディスプレイの画面から身体を離した。「君たちはここで発生した病気の原因因子をすでに特定しているという予感がするんだが、それは気のせいかな。ユダの菌株を突き止めたのだろう？　そうでなければ、君がこの船に乗り込んでくるはずがない」

「突き止めることができた、そう思っています」

デヴェシュは別のキーを二回押した。画面上には回転する物体の画像が現れた。電子顕微鏡写真から作成した画像だ。銀色で陰影をつけて表現されている。そのため画面上に浮かんだ物体は、微生物というよりも機械の部品のように見える。月面着陸船に似ていなくもない。中心となる殻の部分は幾何学的な形状をしていて、二十枚の平らな三角形が組み合わさってできている。それぞれの頂点からは細いひげのようなものが伸びており、その先端は鋭くとがっている。引っかけたり突き通したりするのに適した形だ。

リサは医学部時代にこのような画像を数え切れないほど目にしていた。

ウイルスの立体像だ。

「有毒物質に汚染された海中のシアノバクテリアのサンプルの中から、これを発見しました。リン光を発する海水中の無害なバクテリアを、皮膚を溶かし毒を吐き散らす殺し屋へと変貌させた張本人です。海から発生した有毒物質が風に乗って運ばれたことで、ウイルスがクリスマス島に達し、今度は島のバクテリアを次第に恐ろしい怪物へと変貌させることになったわけです」

「同じことが、この船内に収容された患者の体内でも起こっているわけだな」ヘンリーは言葉を挟んだ。

デヴェシュはディスプレイを軽く指で叩いた。「我々の身体そのものが、人間の敵と化しているんだ」「生命体にとっての究極の裏切り者ですよ。このウイルスは地球上の生物圏を自在に移動することができるので、すべてのバクテリアを全生命体の敵となる有毒な存在へと変えてしまう可能性があります。自然が作り出した中性子爆弾とでも形容したらいいでしょうか。あらゆる高等生物を抹殺する威力のある細菌爆弾のような存在で、あとに残るのは有毒バクテリアの漂う死のスープだけでしょうね。もし何も手を施さずにいたとしたら、クリスマス島の風上側には今頃、近い将来に世界の各地で見られるであろう惨状が広がっていたはずです」

「万が一、こいつが拡散したりすれば……」ヘンリーの顔色が見る見るうちに青ざめた。「我々には食い止める術などない」

デヴェシュはようやく立ち上がると杖を手に取った。「そうかもしれません。ですが、我々はこのウイルスの分析を始めたばかりです。これまでに判明したありがたい情報としては、ウイルスが短命であること、および人間の細胞には感染しないことでしょうか。バクテリアにだけしか感染しないようなのですよ。つまり、このウイルスは我々人間に対して、直接的な脅威にはならないわけです。バクテリアの細胞を借りて、自分たちの複製を大量に作り出し、有害なプラスミドを生み出していくのです。細胞の外に出てしまうと、この新種のウイルスは非常に脆い存在になります。一般の消毒剤で死んでしまいますから、衛生状態に気をつけていれば十分に対処できるはずです」

リサは消毒剤を撒き散らしながら船内を移動していた男たちの姿を思い出した。彼らは船を殺菌していたのだ。

「ですが残念なことに、ウイルスを殺すことはできても、殺し屋はまだ残っています。殺人バクテリアは分裂し、増殖し、それぞれが新種の怪物として微生物の世界に進出します。これまで目にしたことのないような生命体が、生物圏を永久に汚染してしまうのです」

ヘンリーは額を手のひらで押さえ、苦悩の表情を浮かべている。「ウイルスが地球上の生物圏に蔓延したら……何千種類もの新型の病気が、世界中を同時に襲うことになる。しかも、その病気は我々が対応策を考えている間にも、次々と姿を変えていく。人類がこれまで経験したことのないような大流行が発生するぞ」

「必ずしもそうとは限りませんよ」デヴェシュは含みのある答えをした。

ヘンリーはデヴェシュの表情をうかがった。

「私とスタッフたちは、このユダの菌株が発生したのは今回が初めてではないと推測しています。この一帯における同様の疫病の発生を記録した歴史的資料が存在するのです。今から千年近くも前の話ですが」デヴェシュは声を落とすと、密かに企みを伝えるかのように小声で付け加えた。「その話には、奇妙で非常に気がかりな情報が含まれているのですけどね」

「あなたの言う歴史的資料とは何なの？」リサは訊ねた。

デヴェシュは手を振って質問をかわした。「私には関係のない話です。その件については、歴史的側面から情報を収集している別の人間がおりますから。我々の目標は別のところにあります。この船に乗り込んでいる我々の任務は、過去を調べることではなく、現在に目を向けることです。私の部下たちがクリスマス島の全島避難の指揮を取り、ブラント氏のクルーズ船をここへ差し向けるように手配しました。感染が判明した患者たちを一カ所に隔離する必要があったからです。そのおかげで我々は、この病気の進行を間近で研究することのできる、極めて貴重な機会を得ることができました。疫学的観点から、病理学的観点から、そして生理学的影響の面から、調査できるのです。被験者は船内にいくらでもいますからね」

リサは思わず後ずさりした。この男は何と恐ろしいことを考えているのだろうか？

デヴェシュは杖に寄りかかった。「不快感を覚えていらっしゃるようですね、ドクター・カミングズ。ですが、なぜギルドが行動を起こさなければならなかったか、すでにおわかりでしょう。これほどの威力を持つ生物に対応するためには、手をこまねいて様子を見守っている暇はありません。圧倒的な脅威の前では、政治的配慮などを考えていては手遅れになります。迅速な行動と非情な選択が鍵になるのです。あなたの政府も同じですよ。アラバマ州のタスキーギーという町では、見殺しにすることになるのを承知の上で、治療らしい治療を行なうことなく、科学者たちに梅毒患者の症状や病気の進行をただ記録させていたという話ではないですか。今回の危機を乗り越えるためには、我々も同じように残酷で冷酷にならなければいけません。なぜなら、決して大げさな話ではなく、これは人類が生き残るための戦争なのですから」

リサはデヴェシュに反論したかった。だが、あまりのショックに言葉が出てこない。

ヘンリーが先に口を開いた。しかし、リサの期待とは異なる反応だった。「彼の言う通りだ」

リサは驚いてヘンリーの顔を見た。

ヘンリーの視線は、ユダの菌株の顕微鏡画像を映し出したディスプレイの画面に釘づけになっていた。「これは地球という星すらも滅ぼす力を持っている。しかも、すでに活動を開始しているんだ。鳥インフルエンザが瞬く間に世界を席巻したのは記憶に新しい。我々に残された時間は一週間、あるいは数日しかないかもしれない。こいつを食い止める方法を早急に発見しなければ、あらゆる生物は——少なくとも、あらゆる高等生物は、地球上から姿を消してしまうだろう」

「うれしいことに、意見の一致を見ることができたようですね」そう言うと、デヴェシュはヘンリーに向かって軽くお辞儀をした。続いてリサの方に視線を送る。「そしてドクター・カミングズも、我々の計画における役割を説明してあげたら、現実に目を開いていただけることでしょう」

リサは顔をしかめた。いったいどういう意味だろう？

デヴェシュは扉の方へと歩き始めた。「ですがその前に、無線室にいるお仲間と合流しましょう。火は燃え広がらないうちに早めに消し止めないといけませんから」

午前七時二分
ワシントンDC

ペインターは三台のプラズマディスプレイに映し出されたニュース番組を見つめていた。FOX、CNN、NBCの三局の映像が流れている。どのチャンネルもジョージタウン近くで発生した爆発事件のニュースを伝えていた。

「つまり、何も問題はないということだな」机の後ろに立ったまま、ペインターは確認した。

ヘッドホンをいつもよりもしっかりとはめている。地球を半周して伝わってくるリサの声は聞き取りにくかった。「君の報告を聞いて、研究開発部のジェニングズはパニックを起こしかけていたぞ。島を焼夷弾で焼き払うべきだとまで主張していたんだから」

「余計な心配をさせてしまってごめんなさい」リサは応じた。「実験室が汚染されていただけだったの。ほかは問題ないわ……火傷の患者を満載した船が、問題ないと言えるかどうかはわからないけど。現段階の推測では、ファイヤーウィードと呼ばれるものの大量発生と考えられるわ。周辺の海域をこの数年にわたって荒らしていたファイヤーウィードが、有毒な煙を噴き出したために、沿岸の生物が大量死したらしいの。『最恐の海草』とでも形容したらいいかしら。でも、明日かあさってには解決する目処が立っているから、モンクと私もすぐに帰れそうよ」

「今日初めて聞いたいい知らせだよ」ペインターは答えた。

リサと電話で話をしながらも、ペインターはプラズマディスプレイの映像が気にかかっていた。隠れ家の背後にある森の火災は、ようやく鎮火しつつあるようだ。森に沿って伸びる道に停止した消防車が、放水を続けている。

リサのささやくような声が聞こえてきた。「忙しいんでしょう。十二時間後にまた定時の連絡を入れるわ」

「わかった。少し眠った方がいいぞ。きっとそっちの夕陽はきれいだろうな」

「そうね。あなたと……あなたと一緒に見ることができたらいいんだけど」

「そうだな。でも、君ももうすぐ帰ってこられる。それに、燃えるような夕陽に似たものはこっちも見ているよ」

朝のニュースでは各テレビ局のヘリコプターから撮影された映像が流れていた。真っ黒に焼け落ちた隠れ家が映っている。火災捜査官からの報告を、ペインターはすでに受け取っていた。裏庭から続いていたタイヤの跡を追った結果、乗り捨てられたサンダーバードが発見された。数時間前、グレイが現場に到着した際に乗っていたのと同じ車だ。グレイは街中へと逃げたのではなく、森の奥へと入っていったようだ。だが、車を乗り捨てて以降の足取りはつかめていない。グレイも、グレイの両親も、負傷したギルドの工作員も、いまだに発見されていない。

〈いったいどこに隠れているんだ？〉

「私も仕事をしないと」リサは言った。

「何か必要なものはあるか？」

「いいえ……」

ペインターはリサが何かをためらっているように感じた。「リサ？　どうかしたのか？」

「何でもないわ」リサは素早く答えた。「ちょっと疲れているのよ。月の今頃はいつも……わかるでしょ」

補佐官のブラントが、ファックスの束を抱えてオフィスに入ってきた。ペインターはファックスのレターヘッドに目を留めた。「ワシントン市警」とある。地元の病院をしらみつぶしに当たっている市警からの、進捗状況の報告だ。ブラントからファックスを受け取りながら、ペインターはリサに言葉をかけた。

「だったらなおさら、ちゃんと睡眠を取るんだぞ」そう言いながら、ペインターはすでに報告書の最初の行に目を通し始めていた。「無理をするなよ。あと、日焼け止めを忘れないように。熱帯の太陽でこんがりと日焼けをした君の隣にいたら、こっちは幽霊にしか見えないからな」

「そうするわ」リサの返事はほとんど聞き取れない。クルーズ船の衛星回線の状態がよくないのだろう。それでも、ペインターにはリサの寂しさが伝わってきた。今すぐにでも会いたい気持ちでいっぱいになる。

「すぐに会えるさ」ペインターは力づけた。「それに半日たったらまた声を聞ける。今はゆっくり休め」

それに対するリサの返事が聞こえないまま回線が切れた。ペインターはヘッドホンを外して椅子に腰を下ろした。頭の中で優先順位をつけてから、目の前にある報告書の束を揃える。ざっと目を通してから、ジェニングズに安全宣言を伝えればいい。

少なくとも、大問題の一つはこれで片がついた。

午後六時十三分
洋上

リサは受話器を置いた。心臓が喉元にまでせり上がってくるような気がする。電話の回線はデヴェシュ・パタンジャリの合図とともに切断された。デヴェシュは最先端の設備が整った無線室の入口に立っている。両手の手のひらを重ね合わせて杖に添えていた。

デヴェシュは首を左右に振った。不満の表情を浮かべているのがはっきりと見て取れる。

リサは胃が痛くなるような緊張感に襲われた。デヴェシュは感づいたのだろうか？　リサは無線技師の隣の椅子から立ち上がった。護衛の一人が彼女の肘をつかむ。

「台本通りに話をするという約束だったはずですよね、ドクター・カミングズ」デヴェシュの声には静かな怒りが込められていた。「簡単な要求だったはずです。それに、約束を破った場合にどのような罰が待ち受けているか、十分に説明をしたと思いますが」

リサはパニックに陥りそうになるのを必死に抑えた。「あなたの……あなたの台本に従ったわ。間違ったことは言わなかったはずよ。ペインターは何も問題がないと思っている。あなたの命令通りの結果じゃないの」

「ええ、それはおっしゃる通りです。でも、あなたが言葉巧みに何かを伝えようとした事実に、私が気がつかなかったと思っているわけではないでしょうね」

〈いったいどうして〉……確かに、電話での会話中、リサは一か八かの作戦に出た。だが、デヴェシュがそのことに気づくはずはない。「何の話だか……」

「『月の今頃はいつも……わかるでしょ』」デヴェシュは電話での会話を繰り返してリサの言葉

を遮った。そのまま踵を返すと、無線室の外の通路へと歩き始める。「でも、あなたの生理は十日前に終わっているはずではないのですか、ドクター・カミングズ」

冷たい氷の塊に全身を包まれたかのように、リサの身体から力が抜けていく。

「あなたに関するあらゆる情報を入手しているのですよ、ドクター・カミングズ。すべて目を通しています。私は記憶力には自信がありましてね。一度読んだことは忘れないのです。二度と私を甘く見ない方が身のためかと思います」

護衛に引きずられるような格好で、リサは無線室を後にした。

ペインターに対して密かにこちらの状況を伝えようとした作戦は、失敗に終わってしまった。絶対に気づかれないと思っていたのに。

〈何て馬鹿なことを〉

通路に出ると、主な人質が壁に沿って並んでいた。ドクター・リンドホルム、ライダー・ブラント、それに血の付着したカーキ色の制服を着たオーストラリア人の船長。彼らはそれぞれ、自分の所属する組織や連絡先と話を終えていた。クリスマス島で発生した異常事態は大きな問題ではなく、鎮静化に向かっている——デヴェシュの示した台本通りに伝えたことで、海賊たちには時間の余裕ができた。誰かが怪しいと感づく頃には、クルーズ船はすでにクリスマス島からはるか離れた海域にいることだろう。

通路にはほかにも人質がいた。廊下の端に、四人の子供たちがうずくまっている。男の子もいれば女の子もおり、年齢は六歳から十歳。無線室で偽の連絡を入れる四人に対して、子供は一人ずつ。子供たちの命は、リサたちが協力するかどうかにかかっていた。リサに割り当てられたのは八歳の少女だった。やや吊り上がった大きな目をしている。恐怖に怯えて床に座り込み、両手で膝を抱えたまま動かない。二歳年上の兄が、少女の肩に手をかけていた。

マオリ族のリーダーが、銃を手にして子供に近づいた。

デヴェシュはリーダーの隣に並ぶと、リサたちの方を振り返った。片手を腰に当てている。

「あなた方には警告をしたはずです。たとえわずかでもこちらの指定した台本から外れる発言をしたり、姑息な策を弄したりした場合には、それ相応の結果が待っていると。しかし、今回はドクター・カミングズにとって初めてのミスですから、少しは情状酌量の余地がありますね」

「お願い」リサは必死に懇願した。自分のせいで子供の血が流れることなど耐えられない。無線室ではとっさに言葉が出てしまったのだ。何て愚かなことをしてしまったのだろう。

デヴェシュはリサと視線を合わせた。「ドクター・カミングズ、女の子の身代わりとして死んでもらう別の子供を選ぶ権利を与えてあげましょう」

リサは息が止まりそうになった。

「私は決して冷酷な人間ではありません。効率を第一に考えているだけです。今回の件は、あなた方全員にとっていい教訓となることでしょう」デヴェシュはリサを指差した。「さあ、子供を選びなさい」

リサは首を横に振った。「そんなこと、できない……」

「選ばなければ、子供を全員射殺しますよ。皆さんもよく心に留めておいてください。これから我々が行なうべき作業は数多くあります。たとえどれほど小さなことであったとしても、命令違反を容認するわけにはいかないのです」

マオリ族のリーダーが合図をすると、護衛がリサを前に引っ張った。

「子供を選んでください、ドクター・カミングズ」

四人の子供たちの顔を見回しながら、リサは必死に涙をこらえていた。子供たちは英語を話せないが、彼女の顔に浮かんだ表情から何かを読み取ったに違いない。リサの苦悶の表情が、子供たちを怯えさせた。子供たちの頬を涙が流れ落ちる。四人は身を寄せ合った。

リサはデヴェシュの顔を見ながら訴えかけた。「どうかお願い、ドクター・パタンジャリ。ミスを犯したのは私よ。罰が必要なら私が受けるわ」

「その通り、だからあなたに罰を与えているのですよ」デヴェシュは平然と答えた。「さあ、早く選んでください」

リサはもう一度四人の顔を見た。自分と一緒にいた少女を選ぶことはできない。その兄も無理だ。選択肢は残されていない。震える腕を持ち上げると、もう一人の男の子を指差した。四人の中では最年長になる十歳の子だ。

〈神様、私をお許しください〉

「それでいいのです。ラカオ、あとは任せましたよ」

マオリ族のリーダーは男の子に近づいた。恐怖に歪んだ少年の顔が、かすかな期待を込めてリサの方を向く。

リサの口からうめき声が漏れた。自分の下した決定を取り消そうと、前へ一歩踏み出す。だが、肘をつかんだ護衛の手に力が入る。脚がもつれたリサは、そのまま床の上に座り込んでしまった。恐怖と悲しみのせいで、抵抗する気力も失われている。

ラカオは銃口を男の子の頭に向けた。

「やめて……」リサの口からはそれ以上の言葉が出てこない。

ラカオは引き金を引いた——だが、銃声は聞こえない。撃鉄が鋭い音を立てたが、弾倉には弾が入っていなかった。

ラカオは銃口を下げた。

一瞬の沈黙を破って、通路の反対側から喉のゴロゴロ鳴るような音が聞こえた。リサが音のする方向に目を向けるのと、ドクター・リンドホルムが膝から崩れ落ちるのは、ほぼ同時だった。リサと同じようにひざまずいている。リサの方を見つめるその目は、ショックと苦痛でうつろだった。両手で喉を押さえている。指の隙間からは血が滴り落ちていた。

リンドホルムの背後で、スリーナと呼ばれた女性がすっと一歩後ろに下がった。軽くお辞儀をする。紅茶を注いだ給仕が、客に頭を下げているようにしか見えない。両手には何も持っていないが、リサはこの女がリンドホルムの喉を切り裂いたのに違いないと思っいた。使用した短剣は、素早くどこかに隠したのだろう。

リンドホルムは絨毯の敷かれた床の上にうつ伏せに倒れた。高価な敷物に血が染み込み、血の海が大きく広がっていく。絨毯の上で片手が小刻みに震えていたが、やがてその動きも止まった。

「なんてことをしやがる……」ライダーはつぶやくと、表情をこわばらせたまま顔をそむけた。

デヴェシュはリサの方へと戻ってきた。

「ど……どうして？」吐き気とショックを抑えながら、リサはかろうじて質問を声に出した。

「さっきも言いましたよね、我々はすべて調査済みなのです。ドクター・リンドホルムの技術についての情報も。正確には、医療と研究の現場において、彼が何の技術も持っていないという情報です。ＷＨＯに連絡を入れて不審を抱かれないようにする、という目的は果たしてくれました。ですが、それから先のこととなると、彼は単なる足手まといにしかなりません。もっとも、彼の死は別の意味で役に立ちましたね。これでよくおわかりでしょう。命令に背くと、どのような代償を支払うことになるか」デヴェシュはリサに厳しい視線を向けた。「あなたも十分に理解していただけたことでしょう、ドクター・カミングズ」

リサはゆっくりとうなずいた。血の海から目をそらすことができない。

「よろしい」デヴェシュはほかの二人の方を見た。「ドクター・リンドホルムの死は、皆さんにとってても教訓になりますね。この船内で行なわれる任務に我々がどれほど真剣に取り組もうとしているか、わかっていただけたことと思います。我々の役に立ってくれている限りは、あなた方の命を保証します。簡単な話ですね。成果を残せないようなら、死んでもらうということです。仲間の科学者の方たちにも、この教訓をよく伝えておいてください。これ以上の実演は無用であることを願いたいものですな」

デヴェシュはぽんと手を叩いた。「さて、あまり楽しくない話はこれくらいにして、仕事に取り掛かるとしましょう」そう告げると、マオリ族のリーダーに向かって合図をする。「ラカオ、皆さんをそれぞれの場所にお連れしなさい。ドクター・カミングズは、私が自ら、担当患者のところまで案内しましょうかね」

拳銃をホルスターに収めると、ラカオは部下たちに指示を与えた。デヴェシュはリサを従えて、ほかの人質とは反対の方向へと歩いていく。リサは子供たちの前を通り過ぎた。恐怖に怯え切ったままの子供たちは、船内の保育所へと連れ戻されるようだ。

デヴェシュとリサの後ろを歩いていたスリーナが、小さな兄妹の前でふと立ち止まった。兄に身体をぴったりと寄せて震えたままの女の子の顔をのぞき込む。スリーナはしゃがむと女の子の前に手を出した。手のひらには何もない。だが、指がすっと動いたかと思うと、次の瞬間には包み紙にくるまれた飴玉が手の上に乗っていた。スリーナは飴玉を女の子に差し出した。だが、女の子は兄にしがみついて離れようとしない。代わりに兄が手を伸ばすと、スリーナの手のひらから飴玉を素早く奪い取った。もたもたしていると、ネズミ捕りの罠のように手が何かに挟まれると思ったのかもしれない。

サリーの裾を翻して立ち上がりながら、スリーナは女の子の頬に優しく指を触れた。彼女の指先には、女の子の涙が光っていた。リサはその光景を不思議な思いで見つめていた。女の子の涙を優しく拭ったこの手が、ほんの数分前にリンドホルムの喉を切り裂いたのと同じ手だなんて。スリーナの表情にはまったく変化がない。

リサは顔をそむけ、デヴェシュの後を追った。

デヴェシュは同じフロアにある一番端の船室へと向かっていた。カードキーを通して中に入る。ここも大きなスイートルームだ。室内では大量の装置が組み立てられている最中だった。だが、デヴェシュは作業には目もくれずに、隣の寝室へと入っていった。

リサもすぐ後に続く。

寝室に入ったリサは、ベッドの上に見覚えのある人物が横になっていることに気づいた。隔離用テントの中にいるのは女性だった。いくつもの検査装置の陰に隠れているものの、リサと同じブロンドの髪が、短く刈り上げられているのがわかる。室内の入ってすぐのところに置かれていた担架は、患者をここに運んでくる時に使用されたものだろう。この患者は、さっきへリコプターで運ばれてきた女性だ。人工呼吸器を装着しているので、女性の顔つきをうかがうことはできない。

室内には患者を担架で運んでいた二人の看護師がいた。患者の女性と検査機器とを接続するコードや配線のチェックに余念がない。リサはベッド脇にある装置に目を留めた。脳波計、心電計、ドップラー血圧測定器。中央のコードはすでに患者の胸部に取りつけられ、点滴とつながれている。一人の看護師は導尿カテーテルのカバーを組み立てていた。

デヴェシュはベッドの上の患者を指差した。「ご紹介しましょう。ドクター・スーザン・チュニス。クイーンズランド大学出身の海洋生物学者で、シアノバクテリアの毒素に最初に接触した患者の一人です。彼女の仲間にはすでにお目にかかっているはずですよね。隔離病棟にいた身元不明の患者のことです」

リサは寝室の入口近くに立ったままだった。自分をここに連れてきたデヴェシュの意図がわからない。それにドクター・リンドホルムが無残にも殺害されたショックで、頭が正常に働いていない。この女性が最初期の患者の一人だとしても、それが自分とどんな関係があるのだろうか？　ウイルス学や細菌学は専門ではない。

「わからないわ」リサは疑問を口にした。「この船には、私よりも適任の医師が何人もいるはずよ」

デヴェシュはリサの疑問を振り払うかのように手を左右に動かした。「医学的な観点から見れば、確かにその通りですね」

リサは顔をしかめた。「それならなぜ――？」

「ドクター・カミングズ、あなたは有能な生理学者です。実地調査の経験もかなりおありだ。それよりも重要なのは、以前シグマに協力した際、非常にすぐれた状況判断と対応能力を発揮した点です。ここでもそうした自由なものの見方と経験が必要になります。私に直接手を貸していただきたい。この患者をお任せしたいのです」

「なぜ彼女なのです？　この患者には何があるのですか？」

「なぜなら、この患者はすべての鍵を握っているからですよ」デヴェシュはベッドの上の女性をじっと見つめた。彼の表情に初めて、不安の影がよぎったのをリサは見逃さなかった。「彼女の中に眠る謎は、歴史をさかのぼってはるか過去へと、マルコ・ポーロがこの海域を旅した時代にまでつながっているのです……そしてさらなる大きな謎へと我々を導くことでしょう」

「マルコ・ポーロ？　探検家の？」

デヴェシュはリサの質問に取り合わなかった。「前にもお話ししたように、その問題はギルドの別のチームの管轄です」そう答えながら、デヴェシュは女性の方を見てうなずいた。「ここでの我々の任務も、船内の研究も、今までに支払った代償も、すべてはこの女性に関係しているのです」

「いったい何が言いたいの？　彼女がどうしてそれほどまでに重要なの？」

デヴェシュは声を落とした。「この女性ですが……彼女には変化が見られます。バクテリアと同じです。ユダの菌株が、彼女の体内で成長しているのです」

「でも、そのウイルスは人間の細胞に感染しないという話でしょう？」

「その通りです。ウイルスは彼女の体内で、新たな活動を起こしています」

「何ですって？」

デヴェシュはリサの顔を正面から見た。「ユダの菌株が、潜伏期に入ったのですよ」

第二部　潜伏期

7　語られることのなかった旅路

七月六日午前六時四十一分
イスタンブール

二十四時間もたたないうちに、グレイは地球を半周してまったく別の世界へと降り立っていた。イスタンブール市内に無数に建つモスクのミナレットから、敬虔なイスラム教徒に朝の祈りを呼びかける声が聞こえてくる。朝日に照らされた建物が長い影を作ると同時に、丸屋根や尖塔がまばゆく輝いている。

グレイはホテルの屋上にあるレストランから市街を見下ろしていた。セイチャンとコワルスキも一緒だ。三人とも心が弾んでいるようにはとても見えない。時差ぼけのうえに、神経が張り詰めていた。しかし、グレイの目の奥に響く鈍痛は、自分の身の安全に対する懸念だけが原因なのではない。暗殺者に命を狙われ、そのうえ自国の政府からも追われている中、この二人と行動を共にするのが果たして正しい判断だったのか、自分でも疑問を感じ始めていたのだ。

しかも、イスタンブールに来るようにという謎の指示を受けている。なぜイスタンブールなのか？　まったく事情がわからない。ただ、少なくとも今回は、セイチャンも同様に事態の進展を把握できずにいる様子だ。彼女は小さな金縁のカップに入ったトルコチャイに、はちみつを垂らしている。青と金の刺繡の入った伝統的なベストを着用したウエイターが、グレイにチャイのお代わりを勧めた。

グレイは首を横に振った。すでにカフェインの効果は現れている。

ウエイターはコワルスキの方には見向きもしなかった。ジーンズに黒のＴシャツ、ダスターコートという服装の大男は、チャイなど飲まずにデザートに夢中だ。ラキという冷たいブドウのブランデーを、さっきからちびちび飲み続けている。「リコリスとアスファルトを混ぜたような味がするな」唇をすぼめて味に文句を言いながらも、コワルスキはすでに二杯を飲み干していた。バイキングのテーブルも目ざとく発見し、パンの固まりにバターを塗ると、オリーブ、キュウリ、チーズを挟んでサンドイッチを作り、さらに固ゆでの卵を六個も食べていた。

グレイは食欲が湧かなかった。心配事が多すぎるし、わからないことも多すぎる。

グレイは立ち上がると、テーブルのパラソルの陰になるように注意しながら、屋上のテラスを取り囲む低い壁のそばまで歩み寄った。テロリストの温床と言われるイスタンブールは、常に人工衛星の監視下に置かれている。すでにグレイの顔写真が、各諜報機関の顔認識システムに送られている可能性は否定できない。

シグマが、あるいはギルドが、今この瞬間にも包囲網を狭めつつあるかもしれない。

セイチャンが隣にやってきて、タイルの壁の上にカップを置いた。移動中の機内でセイチャンは、ファーストクラスの座席の背もたれを倒し、着陸するまでぐっすりと眠っていた。十分な休息のおかげで、だいぶ顔色はよくなっていたが、負傷した箇所をかばっているのか、歩く時はまだ足を引きずっている。機内でカーキ色のズボンに濃い青のブラウスというゆったりした服に着替えていたが、ヴェルサーチの黒のバイクブーツは履いたままだ。

「どうしてモンシニョール・ヴェローナは私たちをこんなところまで呼び出したんだと思う?」セイチャンは訊ねた。「イスタンブールなんかに」

彼女の方を向くと、グレイは壁にもたれかかった。「おっと、また情報交換の時間かな?」

セイチャンはかすかに瞳を動かした。グレイの言葉にカチンときたようだ。ジョージタウンのドクター・コリンのオフィスを出て以来、セイチャンは一切の説明を拒んでいる。もっとも、悠長に説明を聞いている余裕などなかった。逃げる途中で電話をかけるために一度止まっただけだ。セイチャンがヴァチカンにかけた電話の内容に、グレイは聞き耳を立てた。ヴィゴーはセイチャンからの連絡を待っていたらしく、グレイが一緒だと知らされても、声からは驚いた様子はうかがえなかった。

「情報が広まりつつある」モンシニョールは電話で説明した。「インターポールも、ユーロポールも、君たちを捜索しているようだ。風の塔に短いメッセージを残したのは、セイチャン、君なんだろう?」

「文字を見つけてくれたのね」

「ああ、見つけた」

「どんな文字かも、理解しているわけね」

「その通りだ」

セイチャンは安心した口調に変わった。「それなら、急いだ方がいいわ。多くの人の命が危険にさらされている。そっちで情報を収集して、文字が何を意味――」

「あの文字の意味なら、もう解明済みだよ、セイチャン」ヴィゴーは教え子を叱るような調子でセイチャンの言葉を遮った。「それに、それが何を引き起こすことになるのかも。これ以上の話を知りたいのなら、二人ともイスタンブールにあるホテル・アララットに来てくれ。私は朝の七時にそこへ行く。屋上にあるレストランで待っていてほしい」

電話の後、セイチャンは手早く偽の書類を準備すると、三人の移動手段を手配した。彼女の持っているコネに関して、ギルドはまったく関知していないと確約した。「あなたには借りがあるからね」あの時、セイチャンはグレイに告げていた。

今、目の前にいるセイチャンは、グレイの方に身体をひねろうとして顔をしかめている。肘が壁の上に置いたカップに当たる。下の通りに落下しそうになるカップを、グレイはかろうじて受け止めた。セイチャンはグレイの手の中にあるカップをじっと見つめている。目の端に、かすかではあるが不安げな表情が浮かんでいた。普段はまったくと言っていいほど隙を見せないこの女性が、こんな不注意をしでかすのは非常に珍しいことなのだろう、グレイはそんな気がした。

だが、ふと気がつくと、セイチャンはいつもの厳しい表情に戻っていた。

「私のせいで、あなたが五里霧中の状態にいるのはわかっているわ」セイチャンは口を開いた。「モンシニョール・ヴェローナが到着したら、すべてを打ち明けるつもりよ」セイチャンはグレイに向かってうなずいた。「ところで、あなたの方はどうなの？　オベリスクに書かれていた文字について、何か進展はあった？」

グレイはただ肩をすくめただけだった。それだけで、何かをつかんでいるという意味は伝わったはずだ。

セイチャンはグレイをじっと見つめている——だが、大きくため息をついた。「わかったわ」そのまま何も言わずにテーブルへと戻っていく。

グレイはセイチャンから、天使の文字の写真とコピーを受け取っていた。イスタンブールへと移動する機内で、文字の中に隠されている暗号を解読しようと試みた。だが、あまりにも不確定要素が多すぎる。もっと情報が必要だ。それに、暗号で記されたメッセージが何なのか、グレイはすでに薄々感づいていた。〈オベリスクを壊せば、中に宝物が入っている〉

もしそうだとすれば、すでに実行済みだ。

グレイは銀の十字架を紐に結んで首から掛けていた。十字架は入念に調べてある。古いものであるのは間違いない。誰かが実際に使用していたものだろう。だが、拡大鏡を使って表面を観察しても、文字のようなものは見当たらない。この十字架は世界を探検したマルコ・ポーロの聴罪司祭の持ち物だったなどという、荒唐無稽な話をセイチャンはしていたが、その主張を裏付けるような手がかりも一切見つからなかった。

一人で壁にもたれかかりながら、グレイはイスタンブールの街並みを眺めた。朝の早い時間にもかかわらず、すでに人の動きがあわただしい。下の通りに目を向けると、バスや車や歩行者が、目的地へと急いでいる。クラクションの音に混じって、物売りの甲高い掛け声や、早朝から出かけた観光者たちの話す世界各国の言葉が響く。

グレイはホテルの周辺の路上に目を配った。危険はないだろうか？　不審者が近づいてきていないだろうか？　ナセルを振り切ることができたのだろうか？　世界を半周してきたとあって、セイチャンは追っ手をまくことができたと確信している様子だ。だが、グレイは警戒を緩めなかった。眼下にあるホテルの中庭では、ビーズの刺繡の入った絨毯の上で朝の祈りを捧げていた二人の男が立ち上がり、ホテルの中へと姿を消した。中庭に残ったのは、噴水で無邪気に水遊びをしている子供だけだ。

危険はないと判断すると、グレイは視線を上に向けた。ホテル・アララットは、イスタンブールの旧市街スルタンアフメット地区の中心に位置している。ここから海岸線に至るまでの市街地は、古くからある建物が連なっていて、網の目のように走る狭い路地から岩が突き出しているかのように見える。道を挟んだホテルの真向かいには青いモスクの巨大なドームが空高くそびえ、さらに通りの先に目をやると、巨大なビザンチン様式の教会がある。修復作業が行なわれている最中なのか、黒い足場で建物が半分ほど覆われていた。上から眺めると、鉄製の足場が大きな教会を大地にしっかりと抱き止めているように見える。さらにその足場の向こうには、中庭や庭園に囲まれて、トプカプ宮殿の建物群が広がっている。

建築史上の傑作と称される作品群を目の当たりにして、グレイは時の重みを痛感していた。石造りの貴重な遺産が、歴史にその名を刻んでいる。グレイの指は無意識のうちに首から下げた十字架に触れていた。ここにも古い遺物がある。歴史に彩られた人物に由来する十字架だ。しかし、この十字架はセイチャンの主張する世界規模の脅威と、どんな関係があるというのだろうか？　マルコ・ポーロの聴罪司祭が持っていたとされる十字架が、この現代に何の意味を持っているのか？

「よう、アリババさん」背後でコワルスキの声がする。「このリコリスの飲み物をもう一杯くれないかな？」

グレイは思わずうめきそうになるのをこらえた。

「正しくは『ラキ』という名前だ」新しい声が聞こえる。その威厳のある口調には聞き覚えがある。

グレイは声の方を振り返った。懐かしい顔が目に飛び込んでくる。日蔭になった階段の入口から、屋上のテラスへと姿を現した人物。グレイもセイチャンも、この男性の到着を心待ちにしていた。モンシニョール・ヴィゴー・ヴェローナは、ウエイターに向かってトルコ語で丁寧に伝えた。「ビル・シセ・ラキ・リュトフェン」

ウエイターは笑みを浮かべてうなずくと立ち去った。

ヴィゴーが彼らのテーブルに近づいてくる。グレイはヴィゴーがローマンカラーをつけていないことに気づいた。聖職者という身分を隠しての旅行なのだろう。ローマンカラーがないと、六十歳の実年齢よりも十歳は若く見える。そう思えるのは、単にカジュアルな服装のせいかもしれない。青いデニムのジーンズにハイキングブーツ、黒いシャツの袖はまくり上げている。肩にはかなり使い古したバックパックを掛けていた。ホテル・アララットよりも、その名前の由来となったアララット山の登山口に立っている方が似つかわしい格好だ。ノアの箱舟の捜索隊の一員のように見える。

実際、ヴィゴーはアララット山へと登ったことがあるに違いない。

ヴァチカン機密公文書館の館長に就任する前、ヴィゴーは法王庁の聖書考古学者を務めていた。そのような地位に就く者は、ヴァチカンにおいて別の役割を果たすのに都合がいい――ヴァチカンが派遣するスパイとしての任務だ。考古学者としての身分のおかげて、ヴィゴーは各国を広く旅することができた。情報を選別し、法王庁へと持ち帰る任務にとって、考古学者は格好の隠れ蓑だ。

ヴィゴーはかつて、シグマに協力してくれたことがあった。

そして今、彼の専門知識が再び必要とされる事態に直面している。

ヴィゴーは大きなため息をつきながら椅子に腰を下ろした。ウエイターが戻ってくると、湯気の出ているチャイのカップをヴィゴーの前に置く。

「ありがとう（テシェキュルレル）」ヴィゴーはウエイターに声をかけた。

ウエイターがテーブルを離れると、コワルスキは顔を上げた。自分の前にある空のグラスと、刺繍の入ったベストを着たウエイターの後ろ姿とを交互に見つめている。椅子に深く座り直しながら、コワルスキは小声でサービスに対する不満を漏らした。

「ピアース隊長、それにセイチャン」ヴィゴーは切り出した。「私の無理なお願いを聞いてくれてありがとう。それにジョー・コワルスキ上等水兵もこうしてお会いできて光栄だ」

当たり障りのない挨拶の言葉が続く。ヴィゴーは姪のレイチェルの近況についても、ためらいがちに話をした。これは確かに気まずい話題だった。レイチェルとグレイが別れることになったのは、お互いに十分に話し合い、理解した結果だったが、ヴィゴーとしては可愛い姪のことが心配でたまらないのだろう。もっとも、そんな心配は無用のようだ。イタリア国防省警察の中尉として、レイチェルは任務を遂行しており、先ごろ特別昇給があったらしい。

平静を装って話を聞いていたものの、セイチャンが話題を変えてくれてグレイはほっとした。

「モンシニョール・ヴェローナ、どうしてイスタンブールに私たちを呼んだの?」

ヴィゴーは片手を上げてセイチャンの質問を遮ると、チャイを一口飲み、カップを静かにテーブルの上へと戻した。「もちろん、その話はする。だが、本題に入る前に、二つのことをはっきりさせておきたい。まず第一に、今回の一件が世界のどこへ我々を導くことになろうとも、私は君たちに同行する」そう言いながら、ヴィゴーはグレイの方を見た。自分の決意は絶対に翻さないという強い意志を持った視線だ。続いてセイチャンの方に目を移す。「第二に、これも重要なことだが、この件が有名なヴェネツィアの探険家マルコ・ポーロとどのように関係しているのか、教えてもらいたい」

セイチャンは思わず口を開いた。「どうして……マルコ・ポーロの話はまだ一言もしていないはずよ」

ヴィゴーが答える前に、ウエイターが戻ってきた。コワルスキが期待のこもった目で見上げる。ウエイターがラキのボトルを手にしていることに気づくと、その目が真ん丸に開いた。ボトルがコワルスキの前のテーブルに置かれる。

「五百ミリリットルのボトルを頼んでおいたよ」ヴィゴーは説明した。

コワルスキはヴィゴーの手をしっかりと握った。「神父様（パードレ）、あなたのおっしゃることは何でも信じます」

グレイはセイチャンへと注意を戻した。「それで、今回の一件とマルコ・ポーロとは、どんな関係があるんだ？」

深夜
ワシントンＤＣ

黒いＢＭＷのセダンはデュポンサークルを曲がり、暗い通りをゆっくりと進んでいた。キセノンのヘッドライトが楡の並木道を青白い光で照らす。通りの両側には高いアパートがそびえていて、都会の真ん中なのに深い渓谷の底にいるような錯覚に陥る。

だが、ここはナセルの記憶にある渓谷とは違う。渓谷に生息するのはヤギばかりで、崖に掘られた洞窟やトンネルが、アフガニスタンの遊牧民の住居だった。だが、アフガニスタンの地も、ナセルの本当の故郷ではない。ナセルが八歳の時、父はカイロを離れた。ソ連軍が撤退した後のアフガニスタンで、イスラム原理主義者と行動を共にするためだった。ナセルの弟と妹も、無理やりアフガニスタンへと連れていかれた。父のほかに身寄りがいなくなってしまったからだ。出発の前夜、父は母を殺害した。ナセルが学校へ行く時に巻いていたスカーフを使って、絞殺したのだ。母はエジプトを離れたくないと言っていた。一年中ブルカをまとう生活など、まっぴらだと。だが、母が不満をぶつけた相手は、反対意見を聞く耳を持っていなかった。母の目が飛び出し、舌が腫れ上がり、父の手によって命が奪われていく様を、子供たちはひざまずいた姿勢のまま、なす術もなく見つめていた。

そのことから、ナセルは一つの教訓を学んだ。

冷酷であれ。いかなる時も。

キセノンのヘッドライトに照らされながら、曲がり角が後ろへと通り過ぎていく。助手席に座っていたナセルは、次のブロックの中央を指差した。「あそこで停めろ」

失敗に終わった誘拐作戦で鼻を骨折し、大きな絆創膏を貼っている運転手は、指示に従ってBMWを縁石に寄せた。ナセルは身体をひねって後部座席の方を向いた。後部座席には二人が座っている。

黒ずくめの服装をしたアニシェンは、革張りの座席の色と同化してぼんやりとしか見えない。

刈り上げた頭部もフードで覆っているので、まるで修道士のような姿だ。暗闇の中で、彼女の目だけが光を発していた。片方の腕を隣に座っているもう一人の同乗者に回している。身体を寄せているため、親密な関係にあるように見えなくもない。

猿ぐつわをはめられた横の男は、まだすすり泣きが止まらない。顔面の片側から喉にかけて、流れた血がどす黒く固まっている。きつく縛られ、膝の間に固定された両手には、切り落とされた右耳をしっかりと握り締めていた。ナセルは名刺ホルダーから男の名前を突き止めたのだった。

医者の名前。

「ここか？」ナセルは訊ねた。

住所を確認してから目を閉じると、男は何度も首を縦に振った。

ナセルは建物の入口を観察した。ロビー内部にある机の後ろに夜警が座っている。防弾ガラス製の扉の上には、防犯カメラが設置されている。厳重な警備だ。ナセルは手に握った電子式のキーを親指で軽くこすった。後部座席の男からの贈り物だ。

丸一日を要したものの、ナセルはようやくアメリカ人とギルドの裏切り者の行方につながる手がかりを得ることができた。昨夜、ナセルはタコマパークにある小さな家を捜索した。セイチャンの乗っていた壊れたバイクがガレージに隠されているのを発見したが、ほかに収穫はほとんどなかった。オベリスクはどこにも見当たらない。私道に大理石の破片が落ちていたくらいだ。

だが、アラーはナセルを見捨てていなかった。

家の中には名刺ホルダーがあった。

そこには数名の医者の名前が含まれていた。

あとはその中から、該当する医者を探し出せばよかった。

ナセルは再び男の方を見た。「ありがとう、ドクター・コリン。我々が必要とする材料を提供してくれたことに感謝するよ」

アニシェンに合図を送るまでもない。すでに彼女の手に握られたナイフの刃は、肋骨の隙間からドクターの心臓を切り裂いていた。ナセルがアニシェンに教え込んだ、モサドの殺害方法だ。ナセル自身、この殺害方法は過去に一度だけしか使用していない。

父がひざまずいて祈りを捧げている時。

それは母を殺したことに対する復讐ではなかった。正義の鉄槌を下しただけだ。

ナセルはBMWのドアを開けた。父には借りがある——絞殺された母の死体の前にひざまずく、八歳の少年に人生の教訓を教えてくれたのだから。

その教訓は、今夜の自分にも生かされる。

冷酷であれ。いかなる時も。

車から先に降りると、ナセルは後部座席のドアを開けた。アニシェンが細身の身体を折り曲げるようにして車外へと出てくる。街灯の光を浴びて輝く黒いレザーが、車の座席に当たってこすれる音がする。イタリアのデザイナーによるカーフスキンのジャケットに、黒いスエードのズボンは、ナセルのアルマーニのジャケットと同じ色だ。アニシェンの服には血が一滴も付着していない。ナイフの扱いに手馴れている証拠だ。ナセルはアニシェンの身体に腕を回しながら、ＢＭＷのドアを閉めた。

アニシェンはナセルに身体を寄せた。「今夜のお楽しみはこれからね」喜びを抑えきれない様子でささやきかけてくる。

ナセルはアニシェンを軽く抱き締めた。傍目には、遅めのディナーから帰宅した恋人同士にしか見えないだろう。

夏の夜はまだ蒸し暑さが残っていたが、マンションのロビーはエアコンが効いていた。ドクター・コリンのカードキーを通すと、自動ドアがかすかな音を立てて開く。夜警の警備員がデスクの後ろから顔を上げた。

ナセルは夜警に向かってうなずきながら、近くにあるエレベーターへと大股で向かった。アニシェンは甲高い笑い声をあげて、ナセルに甘えるかのようにしがみついてくる。早く部屋に行きたくて仕方がないといった風を装っている。だが、アニシェンの手は、ナセルの腰のホルスターに収められているグロックを確認していた。

油断は禁物だ。

しかし、夜警はうなずき返すと、「お帰りなさい」と小声でつぶやいただけで、読みかけの雑誌へと注意を戻した。

エレベーターの前にたどり着いたナセルは、呆れた様子で首を振った。アメリカの典型的なわかる。

夜警の姿だ。この国でのセキュリティというのは、中身を伴わない形式だけということがよくわかる。

ナセルはボタンを押してエレベーターを呼んだ。

二分もしないうちに、ナセルとアニシェンは五一二号室の前に立っていた。マンションに入る際に使用したのと同じカードキーを、扉のロックに通す。ライトが赤から緑に変わった。

ナセルはアニシェンの方に軽く視線を向けた。彼女の瞳からは期待感を見て取ることができる。ドクター・コリンの血が、彼女の中にある何かを呼び覚ましたのだろう。

「少なくとも一人は生かしておく必要がある」ナセルは釘をさした。

アニシェンはわざと不満そうに口をとがらせながら、武器を構えた。

ナセルは指を一本だけ使って扉のハンドルをゆっくりと押し下げた。少しずつ扉を押し開ける。滑らかに動く蝶番は、まったく音を発しない。ナセルが先に室内へと音もなく滑り込んだ。奥にある寝室の方から、照明の光が漏れている。

扉の内側でナセルは立ち止まった。

片方の目がかすかに険しくなる。

室内の空気があまりにも静かだ。静かすぎる。これ以上、奥へと進まなくてもわかる。ナセルは息を呑んだ。室内には誰もいない。

それでも、ナセルはアニシェンに合図を送ると、片側にある部屋を調べさせた。自分は反対側の部屋を捜索する。二人は素早く各部屋を見て回った。クローゼットの中も確認した。

　だが、室内には誰もいない。

　アニシェンは主寝室に立っていた。ベッドはきちんと整えられているが、人が寝た形跡はない。「あの医者、嘘をついたのね」アニシェンの口調からは、いらだちと同時に、自分の命も顧みずに嘘をつき通した医者への敬意も感じられる。「ここにはいないわ」

　ナセルはバスルームにいた。膝をついて床を調べている。床の上に何かが落ちているのを発見したのだ。バスルームにある洗面台の下に、何かが転がっている。

　ナセルはその物体を拾い上げた。

　医者が処方した薬の容器だ。中身は入っていない。

　ナセルはラベルに書かれた文字を読んだ。患者名ジャクソン・ピアース。

「ここにいたんだ」ナセルは吐き捨てるようにつぶやくと、立ち上がった。

　ドクター・コリンは嘘をついたのではない。彼は真実を教えた——正確に言えば、真実だと信じていたことを教えたのだ。

「すでに移動した後だ」ナセルは寝室へと戻った。

　湧き上がる怒りをこらえながら、ナセルは空の容器を手で握りつぶした。ピアース隊長にまたしても出し抜かれた。最初はオベリスクの在り処を知らないと答え、今度は両親の居場所を巧みに移した。

「どうする？」アニシェンは訊ねた。

　ナセルは薬の入っていた容器を眺めた。

まだ手がかりはある。

午前七時三分
イスタンブール

「まず初めに」セイチャンが口を開いた。「マルコ・ポールについて知っていることは？」

セイチャンは青いサングラスをかけていた。高く昇った朝日は、屋上にあるレストランに長い影とまばゆい光の両方を投げかけている。四人は人目につかない隅のテーブルへと移動して、パラソルに隠れるかのように座っていた。

セイチャンが説明をためらっていることは、グレイにもはっきりと伝わってきた。それと同時に、かすかではあるが安堵感のようなものもうかがえる。自分の保有する情報をすべて提供してはいけないという思いと、今回の件を洗いざらい打ち明けて肩の荷を降ろしたいという衝動との間で、彼女の心は大きく揺れ動いているのだろう。

「マルコ・ポーロは十三世紀の探検家だ」グレイは答えた。イスタンブールへの移動中、グレイはマルコ・ポーロに関する情報を収集していた。「父親および叔父とともに、彼はモンゴルの皇帝フビライ・ハンの賓客として二十年間を中国で過ごした。一二九五年にイタリアへ帰国した後、彼から旅行中の出来事を口伝えで聞いたフランスの作家ルスティケロが、物語として書き留めたという話だ」

マルコ・ポーロによる『東方見聞録』は、すぐにヨーロッパで大きな評判となり、異国の地の記述は各国の人々を魅了した。見渡す限り広がるペルシアの砂漠、人であふれかえっている中国の街、裸の偶像崇拝者や魔術師の住む未開の地、人食い人種や奇妙な野獣が生息する島々……マルコ・ポーロの本はヨーロッパの人々の想像力を大いに刺激した。あのクリストファー・コロンブスも、新世界への航海に際して彼の本を持参していたと言われる。

「だが、そんな過去の話の何が、今起きている出来事と関係しているんだ?」説明を終えたグレイは訊ねた。

「すべてが関わっているのよ」セイチャンは答えながらテーブルの周りを見回した。

ヴィゴーはチャイをすすっている。コワルスキは頬杖をついてじっと座っている。話を聞きながら退屈そうな表情を浮かべる一方で、コワルスキの視線はほかの三人の表情を交互にうかがいながら、彼らのやりとりを追っていた。この男には、外見からはわからない深い知性が隠されているのかもしれない、グレイはふとそんな気がした。コワルスキはテーブルの上にこぼれたケーキのかけらを、近くにいるスズメに投げ与えた。

セイチャンは説明を続けている。「マルコ・ポーロの物語は、多くの人が思っているほどはっきりと整理されているわけではないのよ。彼の本の原典は残存していない。何度も写本を重ねたものが残っているだけだわ。そうした複製版や翻訳版を比較すると、記述の食い違いが随所に見られるのよ」

「ああ、その話なら知っている」説明が一向に進まないことにいらだちながら、グレイは答えた。「あまりにも食い違いが多いから、今ではマルコ・ポーロが実在の人物かどうか疑問を投げかけている人もいるようだな。物語が例のフランス人作家の創作ではないかとの説もある」

「マルコ・ポーロは実在の人物よ」セイチャンははっきりと答えた。

ヴィゴーもその答えに同意してうなずいた。「マルコ・ポーロを批判する意見は私も聞いたことがある。彼による中国の記述に関して、重大な欠落があると言うのだ」ヴィゴーはカップを持ち上げた。「例えば、中国の人々が好んでお茶を飲むという習慣が書かれていない。当時のヨーロッパでは、お茶の葉の調合については知られていなかったのだ。纏足の習慣や、箸の使用についても一切触れられていない。万里の長城の記述もまったくないのだ。こうした事柄が抜け落ちているのは、確かに大きな問題だし、疑惑を招いても仕方がないだろう。その一方で、正しく記述されている内容も数多くある。磁器の独特な製法、石炭の燃焼、さらには世界で初めて使用された紙幣についても記されている」

グレイはヴィゴーの声にいつになく力が入っているような気がした。同じイタリア人として誇りを感じているという以上に、この歴史的事実を強く信じているのだろう。

「それはそれとして」グレイはマルコ・ポーロの信憑性に関してはひとまず置いておくことにした。「今の我々となぜ関係しているのか、教えてくれないか?」

「現存するマルコ・ポーロの本のすべての版には、もう一つ重大な欠落が共通して見られるからよ」セイチャンは答えた。「イタリアへの帰国の旅に関係する話だわ。フビライ・ハンはマルコ・ポーロに、コカチンという名の王女を嫁ぎ先のペルシアまで無事に送り届けてほしいと依頼した。この大切な任務のために、フビライは十四隻の巨大なガレー船と、六百人以上の随行者を提供したと言われている。ところが、一行がペルシアの港に入った時には、わずか二隻の船にたった十八人しか乗っていなかったのよ」

「残りはどうなったんだろう?」コワルスキはつぶやいた。

「マルコ・ポーロは決して語ろうとしなかった。フランス人作家のルスティケロは、『東方見聞録』の序文の中で、東南アジアの島々で何らかの悲劇が起こったことをにおわせている。でも、実際に何が起こったのかについては書かれていないわ。死の床に就いていた時ですら、マルコ・ポーロは明かすことを拒んだと言われているのよ」

「それは本当のことなのか?」グレイは訊ねた。

「いまだに解決されていない謎だ」ヴィゴーが代わりに答えた。「多くの歴史学者は、マルコ・ポーロたちの船団に病気が発生したか、あるいは海賊の襲撃に遭遇したのではないかと推測している。だが、はっきりとわかっている事実は一つだけだ。彼らの船団はインドネシアの島々を五カ月もさまよった末に、そこから無事に脱出できたのはごく一部の船と乗組員だけだったということだ」

「そうなると」セイチャンが話を受け継いだ。次第に核心に迫っていく。「そんな劇的な事件が発生したというのに、なぜマルコ・ポーロの本ではその部分が抜け落ちているのか、不思議じゃない？　どうして死ぬまでその秘密を守り通したの？」

グレイはその質問に答えることができなかった。しかし、この謎の答えが明るい話であるはずはない。グレイは思わず椅子に座り直した。この話がどのような方向へと進もうとしているのか、何となく予測がつきつつある。

ヴィゴーも先ほどまでと比べると表情が曇っている。「君はその島々で何が起こったのか、知っているのだな？」

セイチャンはかすかにうなずいた。「マルコ・ポーロの本の初版はフランス語で書かれた。でも、彼の存命中に、新たな動きがあったのよ。彼の本をイタリア語で出版しようとする運動よ。マルコ・ポーロと同時代のある有名な人物が、その運動を後押しするうえで大きな力になったわ」

「ダンテ・アリギエーリだ」ヴィゴーが言葉を挟んだ。

グレイはヴィゴーの方を見た。

「有名な『地獄篇』を含むダンテの『神曲』は、イタリア語で書かれた最初の本の一つに数えられる。フランス人はイタリア語のことを『ダンテの言葉』と呼ぶようになったのだよ」

セイチャンはうなずいた。「そうした大きな変化には、マルコ・ポーロも無縁ではいられなかった。記録に残されている文書によると、マルコ・ポーロは自分の本のフランス語版を、母国語に翻訳している。同じイタリア人たちにも、本を楽しんでもらいたいと思ったからよ。でも、翻訳の過程で、彼は自分専用の本を密かに一冊作ったと言われている。その本の中で、マルコ・ポーロは自分たちの船団に降りかかった災厄について初めて明らかにしたらしいの。そこには船団の運命が記されているのよ」

「それはありえない」ヴィゴーはつぶやいた。「そんな本がこれだけの長い年月の間、人目につくことなく存在していたなんて不可能だ。いったいどこにあったというのだ？」

「最初は、ポーロ家の敷地内に保管されていた。その後、より安全な場所へと移されたのよ」

そう言いながら、セイチャンはヴィゴーを見た。

「まさか――」

「マルコ・ポーロ、父親、叔父の三人は、法王グレゴリウス十世の命によって派遣された。マルコ・ポーロの父親と叔父は、ヴァチカンの最初のスパイだったと主張する人たちも少なくないわ。モンゴル軍の強さを偵察するために、中国へと派遣された二重スパイだったとする説よ。モンシニョール・ヴェローナ、あなたが以前に所属していた組織の、実質的な創設者とも言うべき存在だったのかもしれないわね」

　ヴィゴーは椅子に深く座り直すと、考え込むような表情を浮かべた。「秘密の旅行記が機密公文書館に隠されていたというわけか」ヴィゴーの声はかろうじて聞き取れる大きさだった。

「公文書館の奥深くに隠蔽されたまま、記録にも残っていなかった。普通の人が見ただけでは、マルコ・ポーロの旅行記の別バージョンとしか思わなかったでしょうね。中身を熟読しないことには、終わり近くにほかの本には含まれていない一章が挟み込まれてるなんて気づかないわ」

「ギルドはその本を手に入れたというわけだな?」グレイは訊ねた。「その本から、何か重要な知識を得たということなのか」

セイチャンはうなずいた。

グレイは顔をしかめた。「だが、長年にわたって機密扱いされてきたこの本を、ギルドはどうやって入手したんだ?」

サングラスを外すと、セイチャンはグレイの顔を正面から見た。怒りのこもったその眼差しは、グレイを非難していた。

「あなたがギルドに手渡したのよ、グレイ」

午前七時十八分

ヴィゴーの見ている前で、グレイの顔がショックでゆがんでいく。

「いったい何の話だ?」グレイは訊ねた。

ギルドの女暗殺者の方に目を向けたヴィゴーは、エメラルド色をしたその瞳に、ほんの一瞬だが冷たい満足感のようなものが浮かんだことを見逃さなかった。彼女は自分たちのはやる気持ちをもてあそびながら、楽しんでいるかのようにも見える。とはいえ、セイチャンの顔は青ざめていた。頬からは血の気が失せている。この女暗殺者は、何かを恐れているのだ。

「私たち全員に責任があるのよ」そう答えながら、セイチャンはヴィゴーの方も見てうなずいた。

ヴィゴーは表情を変えまいと努めた。相手のペースに引き込まれてはいけない。六十歳にもなれば、ちょっとやそっとのことでは頭に血が上らないものだ。しかも、ヴィゴーはセイチャンが何を言いたいのか、すでにわかっていた。

「ドラゴンコートの紋章」ヴィゴーは口を開いた。「あれは君が床の上に描いたものだ。私に向けた警告の印だと理解していた。天使の文字を調査するようにという要請だと」

セイチャンはうなずくと、椅子の背もたれに寄りかかった。ヴィゴーがすべて理解していることを、目つきから読み取ったのだろう。

「だが、あの紋章の意味はそれだけではなかった」ヴィゴーは説明を続けた。ヴァチカン機密公文書館で、自分の前任者として館長を務めていた男の姿が脳裏によみがえる。ドクター・アルベルト・メナルディ。密かにドラゴンコートと通じていた裏切り者だ。館長を務めていた間に、アルベルトは機密公文書館から重要な文書を数多く盗み出し、ドラゴンコートの拠点として使用されていたスイスのとある城の内部に、個人的な蔵書として保管していた。アルベルトの正体を白日のもとにさらすうえで、グレイ、セイチャン、ヴィゴーの三人は中心的な役割を果たし、ついにはドラゴンコートの過激分子を壊滅させることに成功した。血なまぐさい歴史に彩られていたドラゴンコートの城は、結局ヴェローナ家へと遺贈されることになった。

「アルベルトの蔵書。例の城にあった蔵書だ。あの殺戮と恐怖の事件が幕を閉じた後、我々は警察の立ち会いのもと、あの城の内部に足を踏み入れた。だが、蔵書はすべてなくなっていた。持ち去られた後だったんだ」

「そんな話は初めて聞きましたよ」グレイは驚いた。

ヴィゴーはため息をついた。「こそ泥の仕業だろうと思ったんだ……あるいは、イタリア警察内部の犯行の線という可能性もあった。あの裏切り者の蔵書の中には、価値がつけられないほど貴重な古文書が多く含まれていた。それに本人の関心を反映して、奥義に関する著作も数多く収蔵されていたんだ」

軽蔑の念は消えないものの、アルベルト・メナルディの頭脳の明晰さにはヴィゴーも一目置いていた。生まれながらの天才とは、ああいう男のことを言うのだろう。三十年以上にわたって機密公文書館の館長を務めていたため、館内のあらゆる秘密に触れる機会があったはずだ。これまで知られていない章が含まれたマルコ・ポーロの『東方見聞録』を発見したりしたら、大いに興味をひかれたに違いない。

だが、アルベルトは本の中に何を発見したのか？　なぜ密かに盗み出そうとまでしたのだろうか？　ギルドの興味と関心の的となったのは何なのか？

ヴィゴーはセイチャンをじっと見つめた。「だが、あの蔵書を盗み出したのは、ただのこそ泥ではなかったんだな？　あの城の中に貴重な宝の山があるという情報をギルドに伝えたのは、君だったんだろう？」

ヴィゴーから責められても、セイチャンは顔色一つ変えない。「選択の余地がなかったのよ。あんたたち二人に協力した私は、あの蔵書があったおかげで、ギルドによる死刑執行を免れたようなものだわ。まさかあの中にこれほどの恐怖が含まれているなんて、思いもよらなかったのよ」

二人の会話のやりとりを、グレイはずっと黙って聞いていた。目を細めて、二人の表情を観察している。そんなグレイの様子を見ながら、ヴィゴーはこの男の頭の中でいくつもの仮説が展開を始め、次々にピースを組み立てつつあるのだろうと感じていた。アルベルトと同じように、この男も類まれな頭脳を持っている。共通点など存在しないかのように思える断片をつなぎ合わせ、新しい配列を見出すことに関してはかなう者がいない。セイチャンがグレイに協力を求めたのは、なんら不思議なことではない。

グレイはセイチャンに向かってうなずいた。「君はその本を読んだんだな、セイチャン。中国からの帰路について書かれたマルコ・ポーロの真実の物語を」

質問に答える代わりに、セイチャンは椅子を引いて前かがみになり、左足のブーツのジッパーを開けた。ブーツの内側にある隠しポケットの中から、小さくたたまれた三枚の紙を取り出す。再び身体を起こすと、セイチャンは紙を広げて机の上を滑らせた。

「ギルドが何を企んでいるか薄々感づいたので」セイチャンは切り出した。「英語に翻訳されたその章のコピーを取っておいたのよ」

ヴィゴーとグレイは肩を寄せ合うようにして、セイチャンの渡した紙を食い入るように見つめた。コワルスキも大きな身体でのぞき込んでくる。彼の吐く息からは、ラキに入っているアニスのにおいがする。

ヴィゴーは章のタイトルと最初の数行を読み始めた。

第六十二章

語られることのなかった旅路、および禁じられた地図

最後の港を出てから一カ月という月日が経過した今、淡水の川から水を補給し、二隻の船を修理するべき時が訪れた。小さなボートで岸へと向かった我々は、無数の鳥や鬱蒼と生い茂る植物に目を見張った。塩漬けの肉と果物など、船内の蓄えも枯渇しつつあった。偉大なるハンの部下四十二名を従え、槍および弓矢を手に、我々は島に上陸した。この周辺の島々には、人の肉を食らう裸の偶像崇拝者が住むと伝えられ、身を守る術を備えておくことが賢明であるとの結論が下されたからだ。

『東方見聞録』のやや古めかしい文体を、ヴィゴーは先へと読み進めた。これは本当にマルコ・ポーロの手による文章なのだろうか？　それが事実だとすれば、ごくわずかな人の目にしか触れることのなかったこの章を、今こうして目の当たりにしていることになる。翻訳版であ

ることが残念でならなかった。英語の翻訳が完全に信頼できるものなのか、これだけでは判断がつかない――そして何よりもヴィゴーは、当時のイタリア語で書かれた原典を何とかして見てみたいものだと思った。イタリア語の文章ならば、中世のこの著名な探検家をもっと身近に感じることができるのに。

ヴィゴーは読み続けた。

川の湾曲部から、ハンの部下の一人がこちらに声をかけ、はるか谷底からそびえ立つさらなる峰を指差した。約三十キロ内陸へと入った地点、深い密林のさらに奥に位置している。だが、我々の目に映ったのは山ではなかった。それは巨大な建物の尖塔であった。そのほかにも深い霧にかすんだ複数の尖塔が、我々の視界に入ってきた。船の修理が終わるまで十日間を要し、その間に新鮮な肉を補充するために多くの鳥獣を捕獲するべきだと勧めるハンの部下たちの意見に従い、我々は巨大な尖塔を建造した者たちの地へと足を踏み入れることに決めた。彼らを知る者はなく、彼らについて記した書も何一つなかった。

最初の一ページを読み終えたヴィゴーは、淡々としたマルコ・ポーロの記述の裏に、脅威の影が忍び寄りつつあることを感じ取ってた。いたずらに過剰な言葉を用いることなく、「密林から鳥や獣の声が聞こえない」ことを伝えながら、マルコ・ポーロとハンの部下たちは「巨大な尖塔を建造した者たちが切り開いた」道をたどって、密林の奥深くへと進んでいった。

夕暮れ時になり、一行はようやく石造りの都に到達した。

密林が途切れると、無数の尖塔のそびえる壮大な都が目の前に開けた。尖塔にはいくつもの偶像の顔が彫られている。この都に住む人々が悪魔と通じる魔術を行なっていたか否か、我々には確認する術がない。だが、神はその大いなる力をもって、この都とそれを取り巻く密林に対して、災厄と疫病という名の罰を下していた。我々が最初に目にした死体は、裸の子供であった。その少女の肉は骨が見えるまでただれ、死体には大型のアリが無数にたかっていた。どの方角に目を向けても、大地のそこここに同じような死体が横たわっている。数百という数字では、その都で発生した死者の数にはとても及ばないであろう。しかも、神の罰は罪深い人間に対してのみ下されたのではなかった。鳥は空から大地に落下していた。密林の獣は苦痛で身をよじり、折り重なるように倒れていた。大蛇は命の尽きたその身体を樹木の枝から吊るしていた。

眼前に広がるのは死の都の光景であった。疫病への感染を恐れて、我が一行は一刻も早くその都から立ち去ろうとした。しかし、我々の姿を密かに監視している者たちがいた。密林の奥深くから、彼らは姿を現した。一糸まとわぬ彼らの肌からは、石段や広場に散乱する死体と同じく、あるいは緑色に濁った堀に浮かぶ死体と同じく、一切の生気が感じられなかった。四肢の皮膚は腐食し、その下の肉があらわになっていた。膿んだみみず腫れやできもので全身が覆われた者もいた。腹部が異様に膨張した者もいた。どこを見ても、傷口から膿と血の滴り落ちる者たちばかりであった。目が見えない者もいる。全身をかきむしっている者もいる。その都に無数の病が一度に降り立ったかのようであった。疫病の大軍に襲撃された町に迷い込んだかのようであった。

深く茂った密林の樹木の葉陰から、彼らは野獣のように歯をむき出して、我々に向かってきた。切断された手や脚を手にしている者もいた。その時のことを思い出すと、今でも私は神の助けを求めずにはいられない。彼らの持つ手や脚には、食いちぎられた跡があったのである。

朝の陽光を受けて早くも気温が上昇しているにもかかわらず、ヴィゴーの全身を冷たいものが貫いた。紙を持つ手が恐怖で震えそうになるのを抑えながら、ヴィゴーは読み進めた。マルコ・ポーロの一行は、血に飢えた住人たちから逃れるために、都の中心部へと逃れた。山と積まれた死体や、人が人を食らう衝撃について、マルコ・ポーロは詳細に記述している。やがて日が沈み、彼らは高い尖塔を備えた建物の内部へと逃げ込んだ。建物の表面には、身体をくねらせたヘビや古代の王たちの姿が彫られていたという。疫病に侵された人食い人種たちが大挙して密林から都へと侵入してくるのを見たマルコ・ポーロたちは、数の上で圧倒的不利であることを覚悟の上で、最後の抵抗を試みようとした。

グレイの口から小声が漏れた。彼が何とつぶやいたのか、ヴィゴーは聞き取れなかったが、信じられない思いを抱いていることははっきりとうかがえた。

太陽が西の空に沈むとともに、我々の希望もついえた。我々は各自が思い思いに、天への祈りを捧げた。ハンの部下たちは木々のかけらを燃やし、その炭を顔に塗った。私と同じ神を信じるのは、同行していた聴罪司祭だけであった。アグレー修道士は私とともにひざまずき、小声で祈りながら我々の魂を神に捧げることを誓った。アグレー修道士は十字架を握り締め、私の額に主キリストの受難の印を描いた。彼はハンの部下たちの作った灰を使用した。ハンの部下たちの黒く塗られた顔を見回しながら、私の頭にはある疑問が浮かんだ。このような苦難を共にした我々は、同じなのではなかろうか？　異教徒であっても、キリスト教徒であっても。最後に神のもとへと届いたのは、いったい誰の祈りの声だったのであろうか？　この受難への救済を我々の魂へともたらしたのは、誰の祈りだったのであろうか？　闇の救いのおかげで、我々の命は守られたのである。

物語はそこで終わっていた。

グレイは紙を裏返した。話にはまだ続きがあるはずだ。

コワルスキは椅子に座り直すと、この歴史的な記録に関して一言だけ感想を述べた。「ベッドシーンはないんだな」そうつぶやきながら、口に手を当ててげっぷをこらえようとしたが、大きな音が口から漏れた。

眉をひそめながら、グレイは最後のページに記された名前を指差した。「ここだ……アグレー修道士に関する記述がある」

ヴィゴーはうなずいた。彼はこの重大な誤りに気づいていた。これこそ、この文書が偽物であるという紛れもない証拠だ。「東アジアへの旅では、ポーロ一家に聖職者は同行していない」ヴィゴーはきっぱりと断言した。「ヴァチカンの記録文書によると、ドミニコ会の修道士二名がヴァチカンの使者としてマルコ・ポーロたちとともに出発したが、数日後に二人とも帰国したとされている」

セイチャンは一枚目の紙を手に取ると、再び小さく折りたたんだ。「この秘密の章と同じように、マルコ・ポーロは『東方見聞録』で修道士に関する記述を意図的に排除したのよ。実際には、ポーロ一家に同行して三名のドミニコ会修道士が旅に出ている。旅行者一人につき、修道士が一人。それが当時の慣習だわ」

セイチャンの言葉が正しいことを、ヴィゴーは認めざるを得なかった。確かに、それが当時の慣習だった。

「途中で戻ってきたのは二名の修道士だけ」セイチャンは続けた。「三人目の修道士の存在は、これまで秘密にされていた……今ここで、初めて明らかになったのよ」

グレイは身体をひねると、首に手を当てた。銀の十字架を外してテーブルの上に置く。「それで、これが本当にアグレー修道士の十字架だというのか？　今の話の中に出てくる修道士のものだったのか？」

セイチャンはグレイに鋭い視線を向けたままだ。言葉には出さなくとも、今の問いかけに対する答えは明らかだった。

思いがけない事実の公表に言葉を失ったヴィゴーは、目の前に置かれた十字架を観察した。装飾はほとんど施されておらず、磔にされたキリストの姿がかすかに見える程度だ。かなり古い物であることは一目瞭然だった。これは本物なのだろうか？ ヴィゴーはテーブルの上の十字架を手に取ると、さらに入念に調べた。もしこれが本物だとすれば、マルコ・ポーロによる恐ろしい出来事の記述が、信憑性を伴った言葉として迫ってくる。

ヴィゴーはようやく口を開いた。「しかし、わからないことがある。どうしてアグレー修士に関する話が『東方見聞録』から削除されていたのだ？」

セイチャンはテーブルの上に広げられた紙を集めた。「わからない」セイチャンはあっさり答えた。「これ以降のページは本からはぎ取られて、偽のページにすり替えられていたわ。きちんと製本されているように見えるけれど、新しいページの紙質や年代はほかのページより何百年も新しいのよ」

ヴィゴーは顔をしかめた。どうしてわざわざそんな手の込んだことをしたのだろう。「新しいページには何が書かれていたんだ？」

「自分の目では確認できなかったわ。でも、聞いた話では、天使の話や聖書からの引用が随所にちりばめられた、とりとめのない内容だったそうよ。新しくページを書いた人物は、マルコ・ポーロによる物語を大いに恐れていたようね。それよりも重要なのは、本の中に記されていた地図について、かなり長い記述があることなのよ。マルコ・ポーロ自身の手による地図ということだわ。その地図を、彼らは邪悪な存在だと見なしたのよ」

「地図はどうなったんだ？」

「邪悪な存在だと恐れていた一方で、新しいページの作者は地図を完全に破棄してしまうことにも不安を覚えたみたいね。そこで作者は、ほかの人とも協力して、地図を守ると同時に神の御加護をもたらしてくれる暗号を使って、地図を書き直したのよ」

グレイはセイチャンの意図を理解してうなずいた。「つまり、彼らは天使の文字の中に地図を埋め込んだわけだ」

「それにしても、誰が新しいページを書いたのだろうか？」ヴィゴーは訊ねた。

セイチャンは肩をすくめた。「署名があるわけではないけれど、新しいページの記述をつなぎ合わせていくと、十四世紀に黒死病がヨーロッパを席巻した後に、ポーロ家の子孫がマルコ・ポーロの手による秘密の書をローマ法王に寄贈したらしい事実が浮かび上がってくるわ。ポーロ家の一族は、マルコ・ポーロが死の都で目撃した疫病と黒死病が同じではないかと恐れたんじゃないかしら。世界を滅ぼすため、疫病がついにヨーロッパにまで手を伸ばしてきたと思ったのよ。本が機密公文書館に収蔵されたのはその頃らしいわ」

「実に興味深いな」ヴィゴーは応じた。「もし君の言う通りだとすれば、ポーロ一族の記録がその当時にすべて消えてしまったことの説明もつく。マルコ・ポーロの遺体までも、埋葬されたサン・ロレンツォ教会から忽然と姿を消しているのだ。ポーロ一族の痕跡を抹消しようとする大きな陰謀があったのではと勘繰りたくなるほどだ。その新しいページの年代鑑定は行なわれたのかね？」

セイチャンはうなずいた。「十六世紀初頭だという鑑定結果が出ているわ」

ヴィゴーは考え込みながら目を細めた。「ふむ……イタリアが再び鼠頸腺ペストの流行に見舞われた時期と一致している」

「そうなのよ」セイチャンは応じた。「それはまた、ヨハネス・トリテミウスというドイツ人が、最初に天使の文字を完成させた時期でもあるわ。もっとも、彼の主張によれば、その文字は人間が地球上に出現する以前から存在しているということらしいけど」

ヴィゴーはうなずいた。天使の文字については、自分なりに調査をしている。トリテミウス本人は、深い瞑想によって得られた天使の文字を用いることで、空にいる天使たちと交信することができると信じていたようだ。トリテミウスはまた、暗号の作成や解読にも関心を寄せていた。有名な『シュテノグラフィア』という著作は、オカルトを扱った書だと見なされているが、実際は天使研究と暗号解読を複雑に絡ませながら論じた書なのだ。

「つまり、その当時の人が地図を何らかの形で隠そうと思ったら」グレイにも結論が見えてきたようだ。「邪悪と見なされた地図を隠そうと思ったら、天使の文字を使って封じ込めることこそが、危険を回避する最良の方法だったわけだ」

「ギルドはそうに違いないと信じたわけ。秘密のページの中には、この暗号化された地図の在り処に関する手がかりが書かれていたのよ。地図はエジプトのオベリスクの表面に刻み込まれ、ヴァチカンのグレゴリウス・エジプト博物館に所蔵されていた。でも、長い年月を経るうちに、オベリスクは何度も移送され、所在が不明になってしまったの。ナセルと私は、オベリスクの争奪戦を繰り広げた。勝ったのは私よ。ナセルの目の前で、オベリスクを奪い取ってやったわ」

ヴィゴーはセイチャンの声から、かすかなプライドのようなものを感じ取っていた。だが、それよりも気になることがある。ヴィゴーは顔をしかめながらテーブルの周りの顔を見回した。

「オベリスクというのは、いったい何のことだ？」

午前七時四十二分

アグレー修道士の十字架が内部に隠されていた古代エジプト時代のオベリスクについて、およびその表面に蛍光性の溶剤で描かれていた暗号について、グレイは大ざっぱに説明した。

「これが実際に描かれていた文字です」グレイはコピーを手渡した。

ヴィゴーはしばらくの間、複雑な形をした天使の文字をじっと見つめていたが、首を横に振った。「私には何のことだかわからない」

「私もお手上げだわ」セイチャンは同意した。「マルコ・ポーロの本の差し替えられた新しいページの中にも、地図への鍵について触れた箇所がある。秘密を解き明かすための方法よ。三つに分けて隠された鍵について記されているの。第一の鍵は、秘密の書が最初に隠されていた部屋の中に彫られた文字に関係があるとのことだったわ」

「風の塔のことだな」ヴィゴーは応じた。「隠すには最適な場所だ。十六世紀、風の塔では改修工事が行なわれていた。ヴァチカンの天文台を設置するために工事中だったのだ」

「マルコ・ポーロの本の偽のページによれば」セイチャンは再び説明を始めた。「それぞれの鍵が、次の鍵への手がかりになっているとのことよ。ということは、まず手始めに、その最初の謎を解明しないといけないわ。ヴァチカンに刻まれていた天使の文字の意味をつかまないと」セイチャンはヴィゴーに向き合った。「確かもう解明済みだと言っていたわね。それは本当なの？」

ヴィゴーは説明をしようとして口を開きかけたが、グレイは彼の腕に手を置いて制止した。セイチャンに対して、手の内をすべて明かしてしまうのはまだ早い。少なくとも一つは、切り札を手元に残しておく必要がある。

「その前に」グレイは切り出した。「なぜギルドがこの件に関与しているのか、それについての説明がない。マルコ・ポーロから現在へと通じるこの歴史の旅路をたどることで、どんな利益があるというんだ？」

セイチャンは答えをためらった。大きく深呼吸をしたのは、嘘をつくためなのか、それとも真実を教える覚悟を決めるためなのか――グレイには判断がつかなかった。だが、彼女の口から伝えられた答えは、グレイの抱いていた懸念を裏付けるものだった。

「マルコ・ポーロの記述した疫病が、再び猛威を奮おうとしているからよ。インドネシア諸島で発見された、彼らの乗船していたガレー船の瓦礫の中からよみがえったのよ。ギルドはすでに現地に赴いて、科学的な側面から謎の解明を始めている。ナセルと私は、歴史的な側面から謎を追うように指令を受けたわ。ギルドの任務においては、作戦チームが二手に分かれた場合、もう片方の行動に関して何も知らされないことは珍しくないのよ」

グレイは細分化されたギルドの組織構成を頭に思い描いていた。多くのテロ組織が、同じような体制を採用している。

「でも、一部の情報を盗み出すことには成功した」セイチャンは説明を続けている。「疫病の性質はわかっているわ。地球上の生物圏を永遠に一変させてしまう危険性を秘めているのよ」

セイチャンはギルドが発見したウイルスの性質を具体的に説明した。「ユダの菌株」と呼ばれるそのウイルスは、あらゆるバクテリアを殺人鬼へと変貌させる能力があるという。

彼女はマルコ・ポーロの言葉を引用した。「『疫病の大軍に襲われた町』……インドネシアを襲った災厄はそれなのよ。でも、私はギルドの真意を知っている。彼らが具体的に何を企んでいるのか、知っているわ。この病原菌を培養し、自由に制御することで、新型の細菌兵器を大量に作り出そうとしているのよ。このウイルスを自在に操ることができれば、武器に転用可能な無尽蔵の資源を手にしたも同然だわ」

セイチャンがこのウイルスに関する詳しい説明をしている間、グレイはテーブルの端を手で握り締めていた。自然と力が入り、指の関節が痛む。セイチャンの説明から、グレイははるかに恐ろしい事実に気づきつつあった。

だが、グレイが口を開くよりも先に、ヴィゴーが咳払いをした。「しかし、もしギルドの科学調査チームがこのウイルスを追っているならば、マルコ・ポーロの軌跡を追うこの歴史的な側面からの調査には、どれほどの重要性があるのだ？　どんな意味があるというのだ？」

グレイはマルコ・ポーロの最後の言葉を引用しながらその疑問に答えた。「『闇の救いのおかげで、我々の命は守られたのである』……おそらく、治療法を指しているのではないかと思う」

セイチャンはうなずいた。「マルコ・ポーロは無事に生き延びて帰国し、この物語を書いたのよ。いくらギルドでも、制御する方法も知らないままウイルスを解き放つようなことはしないわ」

「あるいは、少なくともウイルスの発生源を突き止めるまではな」グレイは付け加えた。

ヴィゴーはイスタンブールの街並みを見つめていた。その顔は朝の陽光に照らされている。「それに、ほかにもまだ答えてもらっていない疑問がある。アグレー修道士はどうなったのだ？　法王庁は何を恐れたのだ？」

しかし、グレイにはより緊急度の高い疑問があった。「このウイルスが復活したのは、具体的にはインドネシアのどのあたりなんだ？」

「絶海の孤島よ。大きな都市から離れた島だったのが、せめてもの救いだわ」

「クリスマス島か」グレイは先を読んで答えた。

セイチャンは驚いた様子で目を見開いた。

間違いない。

グレイはテーブルに手をついて立ち上がった。全員の目が彼の方を向く。モンクとリサは調査のためにクリスマス島へと向かった。しかし、二人は自分たちがどれほど恐ろしい病気に直面しているのかを知らない——ましてや、その裏にギルドが関与していることなど知る由もない。グレイの呼吸が速くなった。ペインターに事情を伝えなければならない。だが、今のシグマには情報漏洩の危険がある。グレイの警告はかえってモンクとリサの命を危険にさらす結果にならないだろうか？　敵の目にはあの二人の存在が脅威に映るかもしれない。

　グレイにはもっと情報が必要だった。「インドネシアでのギルドの作戦は、どの程度まで進行しているんだ？」

「わからないわ。さっきも言ったでしょ、もう一方のチームについては知らされていないって」

「セイチャン」グレイは絞り出すような声で呼びかけた。

　セイチャンは目を細めた。グレイのただならぬ様子に困惑している様子だ。動揺する気持ちを抑えながら、グレイは彼女の反応が嘘ではないと感じていた。「ほ……本当に知らないのよ、グレイ。なぜ？　何が問題なの？」

　大きく息を吐きながら、グレイは屋上の手すりへと向かった。考えるための時間が必要だ。これまでに得た情報をきちんと消化しなければならない。

　今のところ、はっきりと言えることは一つしかない。

　何とかして、ワシントンに情報を伝えなければならない。

午前一時四分
ワシントンDC

ハリエット・ピアースは夫を静めようと必死だった。だが、ホテルのバスルームに鍵をかけてこもってしまった人間の気持ちを静めるというのは、容易なことではない。ハリエットは裂けた唇に冷たいタオルを当てた。

「ジャック！　ドアを開けてちょうだい！」

二時間前に目を覚ました夫は、すっかり混乱していた。そんな夫の姿を、ハリエットはこれまで何度も目にしたことがあった。日没症候群と呼ばれる症状で、アルツハイマー病の患者にしばしば見られる。日没後に暗くなると周囲の見慣れた様子が違って見えるために混乱し、神経が異常に高ぶってしまうのだ。

しかも、自宅から離れている今は、いつもにも増して手に負えない。

フェニックスパーク・ホテルがこの二十四時間で二カ所目の宿泊先だということも、状況をさらに悪化させていた。最初はドクター・コリンのマンション、そして今はこの部屋にいる。

しかし、別れの挨拶をしながら耳元で密かに指示を与えた時、グレイの口調は真剣そのものだった。マンションまで案内してくれたドクター・コリンが帰ったら、すぐに部屋を出て、市内を移動し、別のホテルに宿泊するようにとの指示を与えられていた。現金で支払い、偽名でチェックインするようにと。

念には念を入れるためということだった。

だが、移動が続いたせいで、ジャックの容態は悪化してしまった。精神安定剤のテゲトロールは、もう丸一日服用していない。不安軽減に効果のある血圧安定剤のプロプラノホールも、もう残っていなかった。

そんな中、ジャックがホテルで目を覚まし、周囲の状況を把握できずにパニックを起こしたのも無理はない。この数カ月で最もひどい症状だった。

眠っていたハリエットは、夫の叫び声と足を踏み鳴らす音で目を覚ました。室内に置かれた小さなテレビの前にある椅子に座ったまま、うっかり寝てしまったのだ。テレビにはFOXのニュース専門チャンネルが映っていた。ボリュームはかなり落としてある。グレイの名前が再びニュースで報じられたら、音を大きくするつもりでいたのだ。

夫の大声で目を覚ましたハリエットは、あわてて寝室へと向かった。だが、それがそもそもの間違いだった。パニックを起こした時の患者を、驚かせるのは禁物だ。寝室に飛び込んできた妻の姿に驚いたジャックの平手打ちが、ハリエットの口元に命中した。血圧が上昇していたジャックは、室内に入ってきたのが自分の妻であることを認識するまで、三十秒近くもかかった。

ようやく事態が呑みこめると、ジャックはバスルームに閉じこもってしまった。ハリエットの耳に夫のすすり泣く声が聞こえた。誰も入れないように鍵をかけたのはそれが理由だ。

ピアース家の男は、人前で涙を見せてはならない。

「ジャック、ドアを開けて。もう大丈夫よ。ホテルの近くにある薬局に電話をして、薬を処方してもらったから。心配いらないわ」

薬局に連絡を入れるのが大きな危険を伴うことは、ハリエットも十分に承知していた。だが、ジャックを病院へと連れていくわけにはいかない。だからといって、このまま放っておいたら、夫の神経は高ぶったままだ。叫び声が周囲の部屋に届けば、ほかの宿泊客からフロントへと苦情がいくに違いない。警察を呼ばれたりしたら、もっと面倒なことになる。

それ以外に選択肢が思い浮かばなかったので、ハリエットは殴打された歯の痛みをこらえながら決断を下した。室内の備えつけの電話帳を使って、薬の配達や補充を受けつけてくれる二十四時間営業の薬局に電話を入れた。薬が届いて夫の症状が落ち着いたら、ここをチェックアウトして新しいホテルを探し、再び姿をくらませばいい。

背後でドアのチャイムの音がした。

薬が到着したようだ。

「ジャック、薬屋さんが来たわ。すぐに戻るからね」

ハリエットは急いで寝室から出て、部屋の扉へ向かった。だが、安全錠に手をかけようとして、彼女は思いとどまった。扉ののぞき穴から外の様子をうかがう。魚眼レンズを通して廊下の光景が目に映った。扉の外には、ショートヘアの黒髪の女性が一人立っていた。襟元に薬局のロゴが記された白い上着を身に着けている。片手には領収書が留められた白い紙袋を握っていた。
女性の姿がレンズから見えなくなると、再びチャイムの音がした。女性は腕時計に目をやり
ながら立ち去り始めた。

ハリエットは室内から女性に呼びかけた。「ちょっと待って！」
「スワン薬局です」女性の声が聞こえる。

さらに用心のために、ハリエットは部屋の入口近くのテーブルに置かれた電話を手に取った。
テーブルの上の鏡に映った自分の姿が目に入る。鏡には憔悴した女性が映っていた。まるで燃
え尽きようとしているろうそくのような姿だ。ハリエットは電話のボタンを押して、ロビーに
あるフロントを呼び出した。

すぐに相手が出た。

「フェニックスパーク・ホテル、フロントでございます」
「こちらは三三四号室ですけど、配達をお願いした薬局が来たかどうか確認できますか」
「かしこまりました、奥様。三分前に配達の女性の身分証明書を確認いたしました。何か問題
でもございましたでしょうか？」
「いいえ、大丈夫です。ただ念の――」

背後の寝室の方から、大きな音が響いた。誰に対してともなく罵る声も聞こえる。ジャック

がようやくバスルームから出てきたのだろう。

　フロントのスタッフの声が聞こえる。「ほかになにかご用がおありでしょうか？」

「いいえ、大丈夫です。ありがとう」ハリエットは電話を切った。

「ハリエット！」夫の大声が聞こえた。怒りと苦痛が同居している叫びだ。

「ここにいるわよ、ジャック」

　再びチャイムが鳴った。

　ハリエットは反射的に安全錠を外した。ジャックが大人しく薬を飲んでくれるといいのだが……そんなことを考えながら、彼女は扉を引き開けた。

　配達の女性は顔を上げた。笑顔を浮かべている……だが、その表情からは温かみが感じられない。獲物を目の前にした野獣のような笑みだ。女の正体に気づいたハリエットは、その場に凍りついた。目の前にいるのは、隠れ家で自分たちを襲った女だ。ハリエットに次の行動を起こす暇を与えずに、女は扉を蹴り開けた。

　不意をつかれたハリエットは、肩に扉の一撃を受けて後方に弾き飛ばされ、硬い床の上に倒れた。とっさに手を伸ばして衝撃を和らげようとしたが、身体を支え切れず、鈍い音とともに手首に激痛が走る。腕全体がしびれるような痛みに襲われた。

　腕の痛みにあえぎながら、ハリエットは尻餅をついたままの格好で女から離れようとした。ジャックが寝室から出てきた。ボクサーパンツ一枚しか身に着けていない。

「ハリエット……？」

頭が朦朧とした状態だったため、ジャックは状況を把握するのに時間がかかった。

女は室内に入ってくると、銃身の太い銃を構えた。銃口をジャックに向ける。「お薬をお届けにあがりました」

「やめて」ハリエットはうめいた。

女は引き金に掛けた指に力を込めた。銃口から「ポン」という甲高い音とともに、電気の帯が走る。ハリエットの耳元を何かが通過した。ワイヤー針だ。ワイヤーがジャックの裸の胸に当たると同時に、薄暗い室内に青い光と火花が飛び散る。

女が持っていたのはテーザー銃だ。

ジャックは声をあげずに、両手を振り回しながら後方に倒れた。

そのまま動かない。

一瞬の静寂に包まれた室内に、ニュースを読み上げるＦＯＸのアナウンサーの声がかすかに響いた。「ワシントン市警は、市内の家屋の放火および爆破事件の重要参考人として、引き続きグレイソン・ピアースの行方を追っています」

午前八時三十二分
イスタンブール

一行から離れて屋上の手すりに寄りかかりながら、グレイはワシントンへと安全に連絡をできる方法がないものかと考えを巡らせていた。クリスマス島の真の危険をどうやって伝えたらいいのだろうか？　慎重な方法が必要となる。ペインター以外には情報が漏れないような、秘密の連絡手段だ。だが、そんな方法があるのだろうか？　ギルドはすでにあらゆる通信手段を監視下に置いているのではないか？

背後のテーブルの方からセイチャンの声が聞こえてくる。グレイに語りかけているのではないようだ。「モンシニョール、なぜ私たちをイスタンブールに呼び出したのか、まだ説明してもらっていないわ。天使の文字が持つ意味を理解したという話だったわね」

内容に興味をひかれ、グレイはテーブルへと戻った。だが、椅子に座る気にはなれず、セイチャンとヴィゴーの間に立った。

ヴィゴーはバックパックを肩から外し、膝の上に置いた。中を探って一冊のノートを取り出すと、あるページを開く。チャコールグレーの線で天使の文字が書き込まれていた。

「これが風の塔の床に彫られていた文字だ」ヴィゴーは説明を始めた。「それぞれの文字が決まった声調に対応している。天使の文字の生みの親であるトリテミウスによれば、文字の組み合わせを様々に変えることによって、天使の一人一人

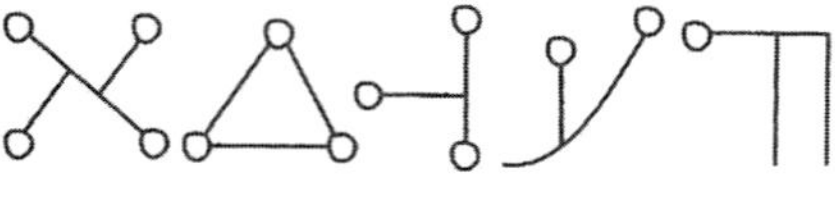

と直接に会話をすることができるということだ」

「天使に長距離電話をかけるようなものだな」テーブルの向かい側に座っていたコワルスキがつぶやいた。

　ヴィゴーはうなずきながら次のページをめくった。「それぞれの文字に対応する名前を記してある」

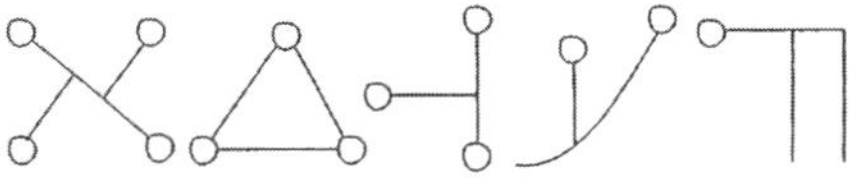

ALEPH　IOD　GIMEL　AIN　HE

　グレイは首を振った。何らかのパターンがあるようには思えない。

　ヴィゴーはペンを取り出すと、それぞれの名前の最初のアルファベットの下に線を引き、順番に読み上げた。「A、I、G、A、H」

「天使の名前かな？」コワルスキは訊ねた。

「いや、天使ではない。だが、名前であることは間違いない」ヴィゴーは答えた。「ここで重要なことは、トリテミウスがヘブライ語をもとにして天使の文字を作ったという点だ。ユダヤの文字には力が秘められているというのがその理由だったらしい。今日でも、カバラを信奉する人たちは、ヘブライ文字の形や曲線の中にある種の神の知識が隠されていると信じている。トリテミウスは自分の考案した天使の文字が、ヘブライ文字の最も純粋な最終形だと主張したのだ」

　グレイはノートのページに顔を近づけた。ヴィゴーの話の方向性が次第につかめてくる。「ヘブライ文字は英語とは逆に読むはずです。右から左へと」

セイチャンは下線を引いた文字を指でたどりながら、右から左へと読み上げた。「H、A、G、I、A」

「ハギア」ヴィゴーはゆっくりと単語を発音した。「ギリシア語で『神の』を意味する単語だ」

グレイは眉間にしわを寄せて考え込んでいたが、ある事実に気づいて目を見開いた。

そういうことか。

「何なの？」セイチャンは訊ねた。

コワルスキは短く刈り込んだ頭をぽりぽりとかいている。セイチャンと同様、目の前の手がかりに気づいていない。

ヴィゴーはテーブルから立ち上がると、一行を手すりの方へと案内した。イスタンブールの街並みを見渡す。「イタリアへの帰国の途上、マルコ・ポーロはこのイスタンブールに立ち寄った。当時はコンスタンティノープルという名前だったがね。この街を通過することで、彼はアジアからヨーロッパへと帰還することができた。旅路の中で大きな意味を持つ通過地点だ」

ヴィゴーは眼下に広がるイスタンブールの街並みを指差した。その先には、歴史的な建造物がそびえている。グレイはすでにその建物の存在に気づいていた。ドーム式の巨大な教会で、修復作業が行なわれているために黒い足場で半分ほど覆われている。

「アヤソフィア」グレイは建物の名前を口にした。

ヴィゴーはうなずいた。「かつては世界最大のキリスト教会だった。マルコ・ポーロ自身も、教会内の広々とした空間に感嘆したと記している。トルコ語で『アヤソフィア』、ギリシア語で『ハギアソフィア』と呼ばれるこの教会を、『聖ソフィア』の意味だと勘違いしている人も少なくない。だが、正しい名称は『神の叡智の教会』だ。『天使の叡智の教会』と解釈することもできる」

「つまり、私たちの目的地はそこだということね！」セイチャンは叫んだ。「最初の鍵はあの教会の中に隠されているんだわ」そう言うと、セイチャンは腰を浮かせた。

「まだ話は終わっていないぞ」ヴィゴーはたしなめた。

ヴィゴーは椅子に置いたバックパックのところに戻り、再び中に手を入れ、布で巻かれた物体を取り出した。テーブルの上にそっと置いて布を取り外す。鈍い金色をした平らな棒状の物体が姿を現した。かなりの年代物のように見える。片方の端には穴が開いており、表面には筆記体の文字が記されている。

「これは天使の文字ではないよ」グレイが文字に注目していることに気づいて、ヴィゴーは説明を始めた。「これはモンゴル語だ。『永遠なる天の力をもって、ハンの名のもとに御加護を与えたまえ。彼に敬意を示さない者には、死を与えたまえ』とある」

「どういうことですか？」グレイは顔をしかめた。「これはマルコ・ポーロの持ち物だったのですか？　いったい何なのです？」

「中国語では『牌子(パイザ)』、モンゴル語では『ゲレゲ』と呼ばれるものだ」

ヴィゴー以外の三人は、ぽかんとした表情を浮かべたまま説明の続きを待った。

ヴィゴーは黄金の棒を顎で示した。「現代風に言えば、ＶＩＰ用のパスポートといったところだな。この特別パスポートを持っている旅行者は、フビライ・ハンの統治下にある土地では、馬、食糧、案内人、船など、必要なものを何でも調達することができた。旅行者からのそうした要求を拒んだ者は、死刑を宣告されたのだ。ハンは自分の命を受けて旅をする使者に対して、この黄金の棒を与えていたのだよ」

「すごいな」コワルスキは口笛を吹いた——だが、急にきらきらと輝き出した目を見る限り、この男が感心しているのは話の内容ではなく、黄金に対してなのだろう、グレイはそんな気がした。

「つまり、ポーロ一家にもこのパスポートが渡されていたわけね？」セイチャンは確認した。

「正確に言えば、三本のパスポートが提供されていた。マルコ、父親、叔父のそれぞれに一本ずつだ。このパスポートに関係したある逸話が残っている。有名な話だ。ポーロ一家がヴェネツィアに帰還しても、最初は誰も彼らのことがわからなかったらしい。船から降り立った時、やせ衰えて疲れ果てた三人は乞食同然の姿だったそうだ。まさかこの三人がずいぶん昔に消息を絶ったポーロ一家の三人だとは、思いもよらなかったのだろう。ヴェネツィアの土を踏むと、三人は服の縫い目を破り、その中からエメラルド、ルビー、サファイア、銀などの財宝を大量に取り出した。そうした宝物の中に、三本の黄金の牌子が含まれており、それについて詳しい記述も残っている。だがその後、この黄金のパスポートは消えてしまっている。三本ともだ」

「地図を探すための鍵と同じ数だ」グレイはつぶやいた。

「これはどこで見つけたの？」セイチャンは訊ねた。「ヴァチカンの博物館に所蔵されていたとか？」

「いいや」ヴィゴーは天使の文字を記したノートのページを指で叩いた。「友人の助けを借りて、この天使の文字が彫られていた大理石のタイルの下から発見した。大理石の床の下に、秘密の空間があったのだ」

〈アグレー修道士の十字架と同じだ〉……グレイは心の中でつぶやいた。〈石の中に隠されていたんだ〉

セイチャンは悔しそうに一言吐き捨てた。またしても、手がかりは彼女の目の前にあったのに、気がつかなかったのだから無理もない。

ヴィゴーは説明を続けている。「これがポーロ一家に与えられた牌子の一本なのは間違いないだろう」そう言いながら三人の顔を見回した。「同時に、これが第一の鍵でもあるはずだ」

「つまり、その鍵がアヤソフィアへと我々を導いていて……」

「第二の鍵の在り処を示している」ヴィゴーはグレイの言葉を引き継いだ。「黄金のパスポートはあと二本、隠されている。つまり、あと二つの鍵を発見しなければならないということだ」

「でも、どうしてそこまではっきりと言い切れるの？」セイチャンは訊ねた。

ヴィゴーは黄金の牌子を裏返した。裏側には文字が一つだけ、はっきりと刻まれている。天使の文字だ。

ヴィゴーは天使の文字を指差した。「これが第一の鍵だ」

グレイもヴィゴーと同じ考えだった。顔を上げると、巨大な教会が目に入る。アヤソフィア。二番目の鍵は、あの教会の中に隠されているに違いない。だが、建物はかなりの広さがある。干草の山の中に埋もれた一本の針を探すようなものだ。何日かかるか見当もつかない。

ヴィゴーはグレイの懸念に気づいたようだ。「すでに人を派遣して、教会内部の捜索を始めてもらっている。風の塔で天使の文字の解明に協力してくれた、ヴァチカンの美術史家だよ」

グレイはうなずいた。天使の文字をじっと眺めつつも、心の奥底にある不安を拭い去ることができないでいる。二人の友人はどうしているのだろうか。モンクとリサ。すでに危険に見舞われている可能性もある。ワシントンへと安全に連絡することができないとしても、友人を助けるためのほかの方法があるのではないだろうか。この謎の最終目的地に何が存在するのかはまだわからないが、ギルドより先回りをしてそこへ到達できたら……

死の都を発見し、治療法を手に入れる。

ギルドよりも先に。

朝日を見つめながら、グレイはヴィゴーの言葉を思い返していた。イスタンブールはマルコ・ポーロの旅路において、大きな意味を持つ通過地点だった。マルコ・ポーロにとってだけではない。コンスタンティノープルという名前だった時代から、この街は地理的に重要な位置を占めていた。北は黒海に面し、南には地中海が広がる。貿易路および海上交通の要衝であるボスポラス海峡が、街を二分している。しかし、歴史的により重要なのは、イスタンブールが二つの大陸にまたがる都市だという点だ。片足をヨーロッパに置き、もう片方の足はアジアの大地を踏みしめている。

同じことが、時の流れという観点におけるこの街の位置づけにも当てはまる。

現在と過去の両方にまたがる都市。

地理的にも、時間的にも、常に分岐点に位置している街。

自分にはこの街と似た一面があるような気がする。

グレイがそんなことに思いを馳せていた時、すぐそばで携帯電話の呼び出し音が鳴った。

ヴィゴーはバックパックの方を向いて、外側のポケットから携帯電話を取り出した。発信者の電話番号を確認しながら、眉をひそめている。「ワシントンDCの市外局番だ」ヴィゴーはつぶやいた。

「クロウ司令官からでしょう」グレイは注意を促した。「具体的な話はしないでください。逆探知のおそれがありますから、できるだけ手短に。通話が終わったら、念のために電池も取り出しておいた方がいいと思います」

グレイの用心深さに驚いた表情を浮かべながら、ヴィゴーは携帯電話を開いた。「もしもし（プロント）」

ヴィゴーはしばらく相手の話を聞いていた。だが、次第に眉間に寄ったしわが深くなっていく。「どちら様ですか（キ・パルラ）？」ヴィゴーの口調が心なしか険しくなった。相手の言葉に動揺している様子だ。振り返ると、ヴィゴーは携帯電話をグレイに差し出した。

「クロウ司令官からですか？」グレイは小声で訊ねた。

ヴィゴーは首を横に振った。「とにかく、出た方がいい」

グレイは携帯電話を受け取って、耳元に当てた。「もしもし？」

相手の声にははっきりと聞き覚えがあった。エジプト訛りは間違えようがない。ナセルの言葉を聞きながら、グレイは身体中から血の気が引いていくのを感じた。

「おまえの両親を預かっている」

8　第一号患者

七月六日午後零時四十二分
海の女王号の船上

　ようやく救出作戦のスタートだ。

　船の中央部にあるエレベーターの内部で、モンクは手のひらにランチ用のトレイを乗せてバランスを保っていた。トレイを持っていない側の肩には、アサルトライフルを掛けている。エレベーター内の小さなスピーカーからは、ＡＢＢＡの曲のアコースティック・バージョンが流れていた。船内の狭苦しいキッチンから上甲板までエレベーターで移動する間、メロディーが耳について仕方がない。目的の階に着く頃には、モンクは無意識のうちに曲に合わせて鼻歌を口ずさんでいた。

　やれやれ、やっと着いたか……

　ようやくエレベーターの扉が開き、モンクはＡＢＢＡから逃れることができた。通路を大股で歩きながら、突き当たりにある二重扉の前で警備に就いている二人の海賊の方へと向かう。

モンクは小声でマレー語を練習しながら歩いた。ジェシーがどこからか入手してきたメイク道具で顔と両手を塗り、他の海賊たちと同じような肌の色に見えるようにしてある。リサの船室で死体となって転がっていた海賊を、ちょうどいい参考にさせてもらった。役割を終えた海賊の死体は、気づかれないように海へと投げ込んで始末しておいた。

姿が見当たらないからといって、どうせ傭兵だ。誰も気に留めやしないだろう。

変装を完璧にするために、モンクはスカーフで顔の下半分を覆っていた。これなら海賊の一人として十分通用する。

郷に入っては郷に従えだ。

前日の夕方から夜にかけて、モンクはジェシーから、ここの海賊たちの公用語であるマレー語の日常表現の講義を受けていた。だが、リサの船室の周囲に敷かれた警戒態勢を言葉巧みにかいくぐるだけの会話能力には、到底達していない。ジェシーと協力して船内を捜索した結果、医療スタッフが船内の至るところで病人たちの治療に当たっている一方で、各機関から派遣された科学者たちとその助手は、一つの階に集められていることが判明した。

どうやらリサの持つ生理学の知識と経験が、海賊たちにとって有用だと判断されてしまったに違いない。厳重な警備の中、彼女は科学者たちのいる階に軟禁されていた。警備に就いているのは、顔に刺青を彫ったラカオというマオリ族のリーダーが直接指揮をとっている、傭兵の中の精鋭たちのようだ。無線室も同様に厳しく立ち入りが制限されている。これだけの情報を得ることができたのは、マレー語を駆使しながらジェシーが海賊たちからあれこれ話を聞き出してくれたおかげだった。

ジェシーが情報を収集している間、モンクはジェシーの用心棒を務めるくらいしか役に立たなかった。今のところは、まったく手の打ちようがない。科学者たちが閉じ込められている階に単身乗り込んで大暴れしたところで、リサを連れてどうやって、どこへ逃げればいいのか？クルーズ船は依然として高速で航行中だ。海に飛び込むくらいしか手はないが、賢明な策だとはとても思えない。

今朝早く、モンクは甲板から海を眺めた。海の女王号がインドネシア諸島付近の海域を航行しているのは間違いない。迷路のように入り組んだ小さな環礁の間を縫うように進んでいる。ざっと見ただけで千はあろうかと思われる環礁は、どれもジャングルに覆われていた。海に飛び込み、そうした島の一つに泳ぎ着いたとしても、狭い島ではすぐに発見されてしまうだろう。それ以前の問題として、トラザメの生息するこの海域を無事に島まで泳げるかどうか……

そうなると、今のところは待つしかない。

だからといって、何もせずに手をこまねいているわけにもいかない。

そのため、こうして通路を歩いている。

そろそろ昼食の時間だ。

作戦としては悪くない。モンクはリサとの通信手段が必要だった。一人きりではないことをリサに伝えるのも重要だが、それにも増して、モンクが行動を起こすチャンスを得た時に備えて、リサにも心の準備をしておいてもらう必要がある。直接リサと連絡をつけることができなければ、間接的に接触を図るしかない。

　モンクは二重扉の前に到達した。二人の海賊に向かってトレイを軽く持ち上げながら、マレー語で「食事の時間になった」という意味のはずの言葉をもごもごとつぶやく。

　海賊の一人が背を向けると、銃床で扉を叩いた。一瞬の間があった後、扉が開き、室内にいた海賊が顔を出す。海賊はモンクの顔を見ると、スイートルームの中へと入るように合図をした。

　扉のすぐ内側には、燕尾服で正装した執事が立っていた。トレイを受け取ろうと手を伸ばした瞬間、モンクは凶暴な海賊を演じて「うぉー」と一声吠え、執事を肩で押しのけた。両手をばたつかせながら尻餅をついた執事を見て、扉のところにいる海賊が笑い声をあげた。

　モンクはスイートルームの応接間へと進んだ。バルコニーに置かれたデッキチェアーから、葉巻をふかす煙が見える。今回の作戦のターゲットだ。

　ライダー・ブラントは花柄模様のトランクスの水着の上に、船の備えつけのバスローブを羽織り、足を組んでデッキチェアーに寝転がっていた。ブロンドの髪はぼさぼさのままだ。太い葉巻をくわえながら、断崖に囲まれた島がゆっくりと通り過ぎていくのを眺めている。島は手を伸ばせば届くような距離にあるのに、実際に到達するのは不可能に近い。そんな絶望的な気持ちを読み取ったかのように、水平線からは黒雲が上空に広がりつつあった。

　モンクがそばに来ても、ライダーは気づいた素振りすら見せなかった。典型的な金持ちの態度だ。使用人の存在など、まったく眼中にない。あるいは、昼食を持参した海賊に対する軽蔑のせいかもしれない。執事によって、すでにサイドテーブルが準備されていた。その上に置かれているのは、銀とクリスタルの食器に、きちんとアイロンがけされたナプキン。

一度でいいから、王様気分を味わってみたいものだ。

身体をかがめてサイドテーブルの上にトレイを下ろしながら、モンクは億万長者の耳に小声でささやいた。「こっちを見ないでください」モンクは英語で語りかけた。「アメリカから派遣されたモンク・コッカリスです」

その言葉に対するライダーの反応らしい反応は、口から吐き出す煙の勢いがやや激しくなった程度だった。「ドクター・カミングズの同僚だな」ライダーは小声で返事をした。「君は死んだと思っていたよ。海賊たちが後を追って島に――」

詳しい説明をしている時間はない。「ええ、来たんですが……連中はカニに当たって死にました」

執事がバルコニーの入口に姿を現した。

ライダーは手を振って執事に下がるように合図をしながら、大きな声で伝えた。「特に用はない、ピーター。ありがとう」

モンクはトレイをテーブルの上に置いた。ホットプレートのふたを持ち上げると、二つの小さな無線機が見える。「あなたとリサへの特別料理です」ふたを戻し、今度はもう一方の皿のふたを開ける。「もちろん、デザートもありますよ」

皿の上には小口径の拳銃が二挺、乗っていた。

ライダー用に一挺、リサ用に一挺。

ライダーは目を大きく見開いた。意図が伝わったようだ。

「いつ……?」ライダーは訊ねた。

「無線で連絡を取るようにしましょう。八チャンネルでお願いします。海賊たちは使っていませんから」モンクとジェシーはその周波数帯を使って連絡を取り合っていたが、これまでのところ怪しまれてはいない。「無線と銃をリサに手渡すことはできますか?」

「何とかしよう」そう答えた後、ライダーはさらに力強くうなずいた。

モンクは身体を起こした。これ以上ぐずぐずしていると、警備の海賊に怪しまれてしまう。

「そうそう、最後のお皿にはちゃんとライスプディングが入っていますから」

応接間へと戻ったモンクの耳に、ライダーの不満そうな声が聞こえた。「勘弁してくれよ……プディングにライスを入れようなんて考えたやつの気が知れないね」

モンクはため息をついた。大金持ちになればなるほど、かえって不満の種は尽きないようだ。

二重扉を通って船室の外に出ると、海賊の一人がマレー語で何か聞いてくる。

答えの代わりに、モンクは鼻をこすりながら、忙しくておまえの相手などしていられないという風を装った。自分でもよく意味のわからない言葉をつぶやきながら、エレベーターの方へと向かう。

うまい具合にエレベーターはこの階に停止したままで、ボタンを押すとすぐに扉が開いた。

モンクが乗り込んだ途端に、新しいＡＢＢＡの曲が始まった。

やれやれ、またか。

腰に留めた無線が音を発する。モンクは無線を手に取って口元に当てた。「どうした？」

「船室に来てください」ジェシーの声が聞こえる。「僕も今、向かっているところです」

二人は未使用の船室を見つけ、そこを作戦基地にしていた。

「何かあったのか？」

「たった今、聞いたんですけど、船長の話では今日中にどこかの港に到着するみたいです。日没前に入港しようと、速度を上げています。気象情報によると、インドネシア諸島を通過中の雲の塊が嵐に発達しそうなので、急いでいるようです」

「わかった、船室で落ち合おう」モンクは無線を切った。

無線を腰のベルトに戻しながら、モンクは目を閉じた。ようやく運が向きつつあるのかもしれない。頭の中で時間を計算しながら、モンクはエレベーター内に流れるＡＢＢＡの『テイク・ア・チャンス』を知らず知らずのうちに口ずさんでいた。

けっこういい曲だなと思いながら。

午後一時二分

リサは患者の姿をじっと見つめていた。病院用の青いガウンに身を包んだ女性の全身には、あらゆる種類の検査機器からコードや管が接続されている。二人の看護師は、隣の部屋で待機していた。

しばらく患者と二人きりにしてほしいとリサが頼んだからだ。

ベッドの脇に立ったまま、リサは罪悪感に苛まれていた。

患者の情報はすでに頭に入っている。白人女性、身長百六十センチ、体重四十九キロ、金髪、瞳は青、右下腹部に盲腸の手術跡がある。レントゲン写真からは、左腕の前腕部にすでに完治した骨折跡があることもわかっていた。ギルドによる女性の経歴調査は、骨折の原因まで突き止めていた。まだ十代の頃、スケートボードで遊んでいて転倒し、縁石にぶつけたためのようだ。

女性の血液検査の結果も暗記していた。肝臓酵素、血中尿素窒素、クレアチニン、胆汁酸、血球数。最新の尿分析と糞便培養の結果も揃っている。

ベッドの片側に置かれたトレイの上には、検査用の器具がきちんと並べられていた。耳鏡、検眼鏡、聴診器、内視鏡。リサは今日の午前中、すべての器具を使用した。その隣のサイドテーブルの上には、昨夜の心電図とエコー脳波検査図の結果が、蛇腹式に折りたたんで置かれている。リサはすべての波形に目を通していた。この患者の病歴や、ギルドのウイルス学者と細菌学者による見解など、膨大な資料を昨日からずっと読み続けている。

患者は昏睡状態に陥っているわけではない。医学的には「緊張病性昏迷」と呼ばれる状態にある。また、蝋屈症が顕著に見られる。手足を動かすと、そのままの位置で固まってしまうのだ。マネキンと同じようなものだと思えばいい。普通ならかなり痛いはずの位置のまま、手足はぴくりとも動かない。リサは自分の手足で試してみたが、とても同じ体勢をとることはできなかった。

リサは目の前に横たわる女性患者の身体を知り尽くしていた。疲労の極限に達していたため、少し気持ちを静めてから、さらにじっくりとこの患者を診察するつもりだった。

器具や検査による診察ではない。患者の気持ちになってみようと考えたのだ。検査結果だけではわからない、この女性の本当の姿を知るために。

ドクター・スーザン・チュニスは研究者として尊敬を集めており、その道での輝かしい将来を約束されていた。生涯の伴侶となる素晴らしい男性も見つけている。結婚して五年になることを除けば、リサと非常によく似た人生を歩んでいた。そんな女性が、今このような運命にある。人生、期待、希望、夢……それらがどれほどはかない存在か、リサは痛感していた。

リサは手袋をはめた手を伸ばして、薄いシーツの上に置かれた女性の手をそっと握ってみた。反応はない。

船室の扉が開き、隣の部屋にいる看護師のあわてた様子が伝わってきた。ドクター・デヴェシュ・パタンジャリの声が聞こえる。ギルドの科学チームのリーダーは、リサと患者のいる部屋へと入ってきた。

リサは女性の手を離した。

部屋に入ってきたデヴェシュと向き合ったリサは、彼に影のように付き添っているスリーナが、隣の部屋の椅子に音もなく腰掛けるのを目の端でとらえていた。両手をきちんと膝の上に乗せている。従順な部下だ……従順な人殺しでもある。

デヴェシュは扉の近くで杖をついて立ったまま、リサに話しかけた。「今日の午前中は、この第一号患者と仲良く過ごしていたようですね」

リサは身体の前で両腕を組んだ。この患者を担当するように告げて以来、デヴェシュがリサに言葉らしい言葉をかけたのは、これが初めてだった。患者を診察するリサの前に、デヴェシュは姿を見せることすらなかった。毒物学の研究室にいるヘンリーや、感染症の研究室にいるミラーの相手をしていたのだろう。食事をする時も、リサは自分の船室かこのスイートルームで一人きりだった。

「この大切な患者の全体像はすでにつかめたでしょうから、あなたのご意見を聞かせてもらいましょうかね」

顔には笑みを浮かべているものの、リサを脅迫していることは言葉の端々からうかがえる。

リサはあっさりと殺されたリンドホルムの姿を思い出していた。教訓を与えるための殺害。役に立たなければ、死が待っている。デヴェシュはリサに対して、結果を求めていた。ほかの研究者たちが見落とした点を、新しい目で発見するように期待している。長時間にわたって患者と二人きりにさせたのは、先入観を抱かせないようにする意図があったのだろう。
デヴェシュはこの患者に対するリサ独自の見解を求めているのだ。

それでも、リサはウイルスに関してデヴェシュの語った一言が脳裏から離れなかった。この女性の体内におけるウイルスの状態について説明した言葉だ。「潜伏期に入ったのですよ」

リサは患者のもとに歩み寄ると、袖をまくり上げて前腕部を見せた。カルテによれば、できものや内出血したみみず腫れが、この女性の四肢を覆っていたという。しかし、目の前の腕には異常が一切見られない。ウイルスは単に体内で潜伏しているだけではないようだ。

「ユダの菌株はこの患者を治療しているわ」リサは答えた。デヴェシュに試されていると知りつつ、説明を続ける。「もっと正確に言えば、彼女の体内に存在するバクテリアに対して始めたことを、取り消そうとしている。理由はわからないけれど、一度は殺人鬼へと変貌させた彼女の体内のバクテリアを、元の無害なバクテリアへと戻しつつあるのよ」

デヴェシュはうなずいた。「バクテリアの中へと注入したプラスミドを、今度は外へと押し出していますね。でも、それはなぜですか?」

リサは首を横に振った。その答えはまだわからない。はっきりと断言できる段階にはない。

デヴェシュは笑みを浮かべた。奇妙なことに、温かみと親しみのこもった笑いだった。

「我々にも、答えは皆目わからないのですよ」

「でも、仮説でよければ話すことはできるわ」リサは応じた。

「本当ですか?」デヴェシュの声には純粋な驚きが混じっていた。

リサはデヴェシュに向き合った。「肉体的には回復の兆しを見せているのに、依然として緊張病性昏迷のままなのが不思議なのよ。そのような症状が出るのは、頭部に外傷を受けた場合、脳血管や代謝系に異常がある場合、薬物への反応、あるいは脳炎に限られる」

最後の病名を口にしながら、リサは語気を強めた。

脳炎。

脳の炎症。

「ある検査の結果が、報告書の中に含まれていないことがとても気になるわ」リサは説明を続けた。「脊椎穿刺と、脳脊髄液の検査結果よ。どこにも見当たらなかった。でも、この患者の脳の周辺部にある液を調べるための検査は、行なわれたんでしょう?」

デヴェシュはうなずいた。「その通りです。検査は行なわれました」

「脳脊髄液の中に、ユダの菌株は存在したのね?」

再び、デヴェシュはうなずいた。

「でも、ユダの菌株が感染するのはバクテリアだけだという話だったわ。その結果、普通のバクテリアが新種のとんでもない細菌へと変身してしまう。それに、このウイルスは人間の細胞内へ直接には侵入できないということだったわよね。けれども、だからと言って脳液の中に入り込むことができないとは限らないわ。あなたの言っていた『潜伏期』とはそのことなんでしょ。ウイルスはこの女性の脳の中に潜んでいるのよ」

デヴェシュはため息をつきながら同意した。「どうやらそこがウイルスの目的地であるようなのです」

「ということは、この患者一人だけではないわね」

「そうです。いずれはすべての患者の脳内に侵入することでしょう……バクテリアによる最初の総攻撃を生き延びることができた患者は、という条件がつきますが」

デヴェシュはリサに向かって、部屋の隅へと移動するように合図をした。そこには数台のコンピューターが設置されている。デヴェシュはマウスをクリックしながら、次々と画面を切り替えた。

デヴェシュが作業をしている間、患者の足元に立ったまま、リサは再び説明を始めた。「悪影響を与えることだけしか考えていない有機体なんていないわ。ウイルスだってそうよ。ユダの菌株が無害なバクテリアを有害な存在にしたのには、何か目的がないとおかしいのよ。これほどまで広範囲に及ぶバクテリアに影響を与えているからには、単なる偶然の産物とも思えない。そう考えると、どうしてもある疑問が生じるわ。ユダの菌株は、何の利益があってこんなことをしているのか？」

デヴェシュはうなずきながら、話を進めるように促している。だが、その様子から見ると、リサの出した結論は目新しい情報ではなかったようだ。デヴェシュによる試験は続いている。

リサは患者をじっと見つめた。「いったいどんな得るものがあるのか？　このウイルスは禁じられた領域である人間の脳へと、侵入することが可能になるのよ。ドクター・バーンハートの話では、私たち人間の身体を構成する細胞の九十パーセントが、人間以外のもので占められているということだわ。ほとんどがバクテリアの細胞から成っている。ウイルスやバクテリアの感染から無縁でいられる数少ない場所の一つが、頭蓋骨の内部なのよ。人間の脳はそうした感染から保護され、常に無菌状態にある。人間の身体は、血液が脳へと流れる際に、ほぼ侵入不可能なある種のバリアーを作り出した。血液中の酸素や栄養分は脳に到達できても、それ以外のものは決して通さないフィルターとでも言ったらいいかしら」

「そうすると、もし何者かが我々人間の頭蓋骨の内部に侵入したいと思ったら……?」デヴェシュは答えを促した。

「血液と脳との間にあるバリアーに対して、一斉攻撃を仕掛けるでしょうね。例えば、体内のバクテリアに人間を攻撃させ、身体機能が弱ってきた隙に乗じて、バリアーをくぐり抜けて脳液に到達する。ユダの菌株がバクテリアを有害にすることによって得られる生物学的な利益は、そこにあるのよ」

「素晴らしい」デヴェシュは答えた。「それでこそ、あなたを生かしておいた価値があったというものです」

デヴェシュの言葉にはリサに対する称賛が込められていた。とはいえ、喜んでいられるような状況ではない。

「最も重要なのは、その理由です」デヴェシュは続けた。「なぜユダの菌株は、我々の脳に侵入しようとするのですか?」

「肝吸虫よ」リサは答えた。

リサの短い答えに不意をつかれて、デヴェシュは初めて彼女の方をまじまじと眺めた。「もう一度おっしゃってください」

「肝吸虫は自然の驚異を示す好例だわ。吸虫類の多くは、その生涯において三つの宿主に寄生する。ヒト肝吸虫の産んだ卵は、糞便として体外に排出される。糞便は下水などの水路を流れ、巻貝などの腹足類の体内に入る。その後、卵がかえって小さな幼虫となり、貝を突き破って体外に出て、次の宿主を探す。幼虫は魚に飲み込まれ、その魚が捕獲され、人間に食べられる。人間の体内に入った幼虫は、肝臓まで移動し、成虫のヒト肝吸虫となり、あとは肝臓内で幸せな生涯を過ごす」

「今の話で何が言いたいのですか？」

「ユダの菌株も、似たような行動を取っている可能性があるということ。槍形吸虫が参考になるわ。槍形吸虫も三つの宿主に寄生する。牛、腹足類、アリの三つよ。でも、私が大いに注目したのは、アリを宿主とした時の槍形吸虫なの」

「と言いますと？」

「アリの体内に入ると、槍形吸虫はアリの神経中枢を支配し、アリの行動を変えてしまうのよ。特に日が暮れた後ね。夜になると、槍形吸虫はアリに対して草の葉に登るように指令を出す。アリは葉の上に噛みついたまま、放牧中の牛に食べられるのをじっと待つのよ。食べられなかった場合は、日の出とともにアリは巣に戻る。日が暮れると再び、槍形吸虫はアリに同じ行動を取るように指令する。たとえるなら、アリを自家用車のように操っているのよ」

「このウイルスも同じことをしているのと考えているのですか?」デヴェシュは訊ねた。

「可能性はあるわ。でも、槍形吸虫の例を出したのは、未知の領域を求める時、自然は実に狡猾な手段を用いるという事実を示したかったからよ。そう考えると、無菌状態で立ち入りを禁じられていた脳は、まさに未踏の地ということになる。自然は何とかしてその未踏の地に足を踏み入れようとするわ。槍形吸虫がアリを支配したようにね」

「素晴らしい。その観点は是非とも追究するべきです。けれども、一つちょっとした問題があるかもしれません」デヴェシュはコンピューターの画面へと注意を戻した。クイックタイムのビデオをコンピューターにアップロードしていたのだ。「さっき、バクテリアによる最初の総攻撃を生き延びることができたすべての患者の脳脊髄液には、ユダの菌株が侵入しているという話をしましたね。これからお見せするのは、脳脊髄液に入ったらどうなるかの映像です」

デヴェシュは再生ボタンをクリックした。

音のない映像が流れ始める。白い作業着姿の二人の男性が、激しく暴れる全裸の男性を押さえつけようとしていた。男性の頭は剃り上げられており、頭部と胸部に取りつけられた電極からはコードが伸びている。男性は口から泡を吹き、二人の男性に嚙みつかんばかりの勢いで暴れていた。全身は傷跡や黒ずんだできもので覆われ、かなり衰弱していると思われるが、縛られていた片手を力任せに振り回して紐をちぎってしまった。爪を立てながら押さえつけようとしていた看護師の腕をつかむ。男性は突然身体を起こすと、看護師の前腕部に嚙みついた。

ビデオはそこで終わっていた。

デヴェシュはディスプレイの電源を切った。「数名の患者から、特に最初期に感染した患者の中から、今見たような興奮状態に陥った症例が報告されているのです」

「緊張病の一種の可能性はあるわ。緊張病性昏迷は、その一つに過ぎないのよ」リサは近くのベッドにいる患者の方を見てうなずいた。「それとは正反対の症状もある。対照的な反応を示す別の状態が、緊張病性興奮よ。極度の過剰行動、顔面の激しいゆがみ、動物のような叫び声、錯乱したかのような暴力行為などが特徴とされる」

デヴェシュは立ち上がると、室内のベッドの方に顔を向けた。「一枚の硬貨の裏表のようなものですね」そうつぶやきながら、患者の女性をじっと観察している。

「ビデオの中の男性患者だけど」リサは切り出した。映像の背景を見た限りでは、このクルーズ船内で撮影されたのものではないようだ。「いったい誰なの?」

デヴェシュはベッドを見たまま悲しそうにうなずいた。「この患者の夫です」

予想外の情報に、リサの身体が思わずこわばった。ベッドの上に横たわったままの女性患者の方に目を向ける。〈この患者の夫……〉

「二人は同時期に感染したようなのです」デヴェシュは説明を続けている。「クリスマス島近くの岩礁に座礁していたクルーザーで発見されました。前にお見せした身元不明の患者、人食いバクテリアにやられた男性ですが、彼はヨットから岸まで泳ぎ着いたのでしょう。我々が夫婦を船から救出した時には、二人とも非常に衰弱していて、瀕死の状態だったのです」

ギルドが今回の件に関わるようになったのは、そのクルーザーを発見したことがきっかけとなったようだ。

デヴェシュは患者の女性を見たままうなずいた。「もちろん、ここで大きな疑問が生じます。どうして夫は精神的に完全に破壊されてしまったのに、ここにいる妻は外傷が治癒に向かう中、大人しくベッドに横たわっているのでしょうか？　治療法の可能性は、その答えにあるのではないかと我々は考えています」

リサはあえて言葉を返さなかった。デヴェシュの言葉を鵜呑みにするほど馬鹿ではない。口では何と言おうとも、今回のギルドの計画が人類のためを思って進められているわけではないことぐらい、容易に推測できる。彼らが治療法を探し求めているのは、世界を救うためではない。彼らはこのウイルスの力を利用しようと企んでいる。だが、計画を実行に移す前に、ウイルスを完全に理解する必要があるのだ。解毒剤を開発するか、あるいは治療法を確立しなければならない。その意味では、リサとギルドの目的がまったく相反しているわけではない。治療法は何としてでも発見しなければならない。問題は、どうやったらギルドに知られることなく発見できるかだ。

デヴェシュはリサに背を向けて、部屋の入口の方へと歩き始めた。「素晴らしい成果をあげつつありますね、ドクター・カミングズ。感服しました。明日もまた期待していますよ。さらなる進展がないと困りますからね」デヴェシュは振り返りながら、片方の眉を吊り上げた。

「おわかりいただけましたかな？」

リサはうなずいた。

「大変よろしい」そう応じてから、デヴェシュは思い出したかのように付け加えた。「そうそう、このクルーズ船のオーナーであるライダー・ブラント卿から、今日の午後に彼のスイートルームでカクテルパーティーを開くので是非どうぞとのお誘いがありました。ほかの科学者の皆さんも招待されています。ちょっとしたお祝いになりますね」

「何のお祝いなの？」

「入港祝いですよ」デヴェシュは杖を手に取りながら答えた。「久しぶりに家に帰れますからね」

リサはとてもじゃないがパーティーに参加するような気分ではなかった。「私は仕事をたくさん抱えているから」

「何をおっしゃいます。あなたも出席してもらいますよ。そんなに時間はかかりませんし、いい気分転換になることでしょう。いいですね。時間が来たらラカオを呼びにやらせます。パーティーにふさわしい服装で参加してください」

デヴェシュは立ち去った。スリーナが影のように後を追う。

二人の姿が見えなくなると、リサは頭を振った。

ベッドの方を振り返る。

ドクター・スーザン・チュニスの姿が目に入る。

「お気の毒に」リサは小声で語りかけた。

夫の身に降りかかった運命に対して、そしてこれから彼女の身に降りかかるであろう事態に対して。

リサはこの患者と自分に共通点があると感じたことを思い返していた。二人の人生は、同じような道程を歩んでいる。スーザンの夫の姿が脳裏によみがえる。血走った目で暴れまわる男性。不意に自分の愛する人のことが頭に浮かぶ。リサは両腕を自分の身体に回した。アメリカに戻って、ペインターと一緒に過ごすことができたら、どれほど心強いだろう……そんな思いに心が乱れるのは、これで何度目だろう。

今日の午前中も、リサはペインターと話をした。デヴェシュに命じられての、状況報告。今回は余計なメッセージを伝えようなどとは考えなかった。すべては順調だと伝えなければ、どんな目に遭うか十分にわかっていたからだ。それでも、無線室から引きずり出される頃には、リサは涙が止まらなかった。

この腕がペインターの腕だったらいいのに。

生きて再びペインターの胸に抱かれるためには、一つしか方法がない。

役に立つと思わせること。

リサは検査器具を乗せたトレイへと向かい、検眼鏡を手に取った。カクテルパーティーに出席する前に、調べておきたい点がある。デヴェシュには明かさなかった、ある異常がこの患者には見られる。

どう考えてもありえない異常が。

午前二時二分
ワシントンDC

一歩遅かった。

ペインターは階段を二段ずつ飛び下りながら、フェニックスパーク・ホテルのロビーへと向かっていた。エレベーターが来るのを待つのももどかしい。一つ上の階では、シグマの科学捜査チームが三三四号室の捜索を行なっている。二名のFBI捜査官と地元の警察との言い争いなどには関わっていられない。

どっちに捜査権があるかなど、馬鹿馬鹿しい。

そんなくだらない話でもめている余裕などない。

捜査の管轄がどっちに転んでも、はっきりした証拠が得られるとは、ペインターは期待していなかった。

一時間前、シグマの司令部内の宿泊所で仮眠を取っていたペインターは叩き起こされた。追跡名の一つがようやく捜査網に引っかかったのだ。ジャクソン・ピアース用の薬の補充注文。社会保障番号も一致した。爆破された隠れ家からグレイたちが逃亡して以来、これが最初の情報だった。グレイの使うすべての偽名と彼の両親の名前を、ペインターはＮＳＡの追跡ネットワークを利用して捜索していたのだった。

ペインターは注文の入った薬局へと緊急対策チームを派遣すると同時に、自らは薬の届け先の住所であるフェニックスパーク・ホテルの客室へと急行するチームに合流した。薬局は注文があったことを確認したが、配達に出かけた男性はまだ帰ってきていないという。携帯電話で男性を呼び出しても、まったく応答がない。薬局からホテルに電話をかけたものの、該当する部屋の内線は呼び出し音が鳴り続けるばかりだった。

三三四号室に踏み込んだペインターは、電話に誰も応答しなかった理由をすぐに理解した。室内には誰もいない。この部屋にいた人物は、すでに立ち去った後だった。宿泊者名簿の署名は、フレッド・ロジャーズとジンジャー・ロジャーズ夫妻。フロントの係員によれば、年配の夫婦だったという。チェックインしたのは二人だけで、支払いは現金。グレイは両親と一緒ではなかったらしい。そもそもグレイが同行していたならば、薬の補充を注文して居場所を明かしてしまうような初歩的な過ちを犯すはずがない。

それにしても、どうしてグレイの両親はそんな危険を冒したりしたのだろうか？　ハリエットは賢い女性だ。必要に迫られてやむをえず薬を注文したのだろう。それならば、どうして薬の到着を待たなかったのか？　なぜあわてて逃げたりしたのか？　単に捜査の目をくらますためなのか？　両親の方に注目を集めておいて、その隙にグレイは別の場所へと向かったのか？

そんなはずはない。グレイは両親を囮に使うような男ではない。彼のことだ、両親には偽名を使ってどこかに隠れ、じっとしているように指示したに違いない。それ以外には考えられない。だとすると、このホテルで何か問題が発生したのだ。年配の夫婦がホテルから出るのを目撃した人物は、一人もいなかった。

それに、行方不明の配達人はどこにいるのか？

ペインターは階段の下の扉を押し開けてロビーへと入った。

夜勤のマネージャーが揉み手をしながらペインターを待っていた。「ロビーを撮影した防犯ビデオの映像が準備できています」

ペインターは奥にある事務室へと案内された。ファイルキャビネットの上に、ビデオ一体型のテレビが設置されている。

「一時間前の映像を見せてくれ」ペインターは腕時計を見ながら指示した。

マネージャーはテープを再生すると、画面右上の数字を見ながら早送りで巻き戻した。一時間前の時点ではロビーに客はいない。フロントでは女性が一人、椅子に座って書類を調べていた。

「ルイーズです」マネージャーは画面を指差しながらスタッフを紹介した。「今回の件で、彼女は大変ショックを受けています」

ペインターはマネージャーの説明を無視して、画面に顔を近づけた。

しばらくするとロビーの扉が開き、白い作業着に身を包んだ人物がフロントに近づいてきた。身分証明書を提示してから、その人物はエレベーターの方へと向かった。

ルイーズはすでに書類へと目を戻していた。

「フロントのスタッフは、配達人がホテルから帰るのを確認したのか？」

「私が聞いて……」

配達人が上着を直したところで、ペインターはテープを一時停止させた。

女性だ。

薬局からホテルに向かったのは、男性の配達員だったはずだ。

防犯ビデオの画質はやや粗かったが、画面に映る顔の特徴から女性がアジア系であることは容易に見て取れる。ペインターはこの女性に見覚えがあった。隠れ家の監視ビデオに映っていた女性と同じだ。

ナセルの仲間の一人。

ペインターは取り出しボタンを押すとテープをつかみ、すぐさま事務室の出口へと向かった。自分をよけようとして後ろにひっくり返りそうになったマネージャーに向かって、ペインターはテープを持ち上げた。

「このテープのことは他言するな」厳しい口調で告げながら、マネージャーの目をにらみつける。ただでさえ気が立っているから、特に意識しなくても脅しは十分に伝わっているだろう。

「警察にも、ＦＢＩにも」

マネージャーは何度も首を縦に振った。

ペインターは拳を握り締めながら事務室から出た。何かを力任せに殴りたい衝動に駆られる。

このホテルで何が起こったのか、ペインターはすべてを把握した。

ナセルがグレイの両親を拉致したのだ。

自分たちの司令部とは目と鼻の先にあるこのホテルから。

シグマはわずか数分の差でナセルに先を越されたのだ。今度ばかりは情報漏れやスパイのせいとは言えない。なぜ先を越されたのか、ペインターにはその理由が痛いほどわかっていた。お役所主義のせいだ。セイチャンの正体がテロリストであるために、あらゆる機関が厳重な警戒態勢を敷いていた。そのため、互いに足を引っ張り合う結果となったのだ。主導権を握ろうと目論む組織が多すぎる……しかも、どこも手探り状態だから、余計に始末が悪い。

一方、ナセルは自由に動き回っている。

昨日からずっと、お役所的なつまらない縄張り争いのせいで、ペインターは様々な障害にぶつかっていた。シグマが政府の監査を受けているとの情報は知れ渡っているので、ほかの機関がこれ幸いとばかりに割り込んでくる。ギルドの裏切り者と比較すれば、並みのテロリストなどは雑魚のような存在だ。セイチャンという大物を釣り上げることができれば、その組織は当分安泰だろう。そんな状況では、本当の意味での協力態勢など期待できない。当たり障りのない口約束がせいぜいだ。

ナセルを出し抜こうと思ったら、そんなお役所主義にがんじがらめになっていては埒が明かない。現状を打開する方法は一つしかなかった。ペインターは携帯電話を取り出した。規則などくそ食らえだ。

ペインターはシグマ中央司令部の短縮ダイヤルを押した。

すぐに補佐官が電話に出た。

「ブラント、大至急DARPAのマクナイト長官につないでくれ。機密の回線で頼む」

「了解しました。ですが、ちょうどこちらからも司令官に連絡を入れようと思っていたところです。いくつかの奇妙な知らせが入ってきているものですから。クリスマス島に関する情報です」

ペインターの頭が切り替わるまで一瞬の間があった。「何が起こったんだ?」ペインターは呼吸を整えてから訊ねた。ホテルの入口の回転ドアの前で立ち止まる。

「詳細はまだ伝わってきていないのですが、島民の避難に使用されたクルーズ船がどうやら乗っ取られたようです」

「何だと?」ペインターは啞然とした。

「WHOから派遣された科学者の一人が脱出に成功し、短波無線を使用して近くを通りかかったタンカーに連絡してきたのです」

「リサとモンクは……?」

「まだわかりません。今も続々と詳しい情報が届いているところです」

「すぐにそっちへ戻る」

心臓の鼓動が高まる中、ペインターは電話を切った。携帯電話をポケットにしまいながら、回転ドアを押して外に出る。冷たい夜の空気も、心の不安を抑えることはできない。

〈リサ……〉

ペインターはリサと最後に交わした会話の内容を思い返していた。いくらか疲れた様子で、やや神経が張り詰めているような印象を受けた。おそらく睡眠不足のせいだと思っていたのだが……あの電話も、強制されたものだったのだろうか？

だが、犯人の意図がわからない。

クルーズ船を乗っ取るなど、大胆を通り越して無謀な行為だ。すぐに情報が伝わることくらい、犯人たちも承知しているだろう。だいたい今は、衛星での捜索が可能な時代なのだ。

クルーズ船ほどの大きさの船舶を隠せるような場所など、あるはずがない。

午後三時四十八分
海の女王号の船上

モンクは口をあんぐりと開けて景色を見つめていた。

〈いったい何だこりゃ……〉

モンクはクルーズ船の右舷甲板で、ジェシーが来るのを待っていた。深い霧に覆われた島が船の正面に見える。周囲は切り立った断崖で、砂浜もなければ船を停泊できそうな港もない。上に目を向けると、何本ものとがった岩が空に突き出ている。まるで岩でできた巨大な王冠の上に、ジャングルの緑が覆いかぶさっているかのようだ。

島の背後の空に真っ黒な雲が広がっているため、いっそう不気味に映る。クルーズ船は嵐の真っ只中へと突入しようとしていた。はるか前方に目を向けると、低く垂れ込めた雲から滝のように激しい雨が降り注ぎ、海面の白い波に打ちつけている。次第に風も強まってきており、クルーズ船の旗が大きな音を立てていた。何かにつかまっていないと、身体が押されてしまうほどだ。

クルーズ船が大きなうねりの中心へと進む中、モンクは片手でしっかりと手すりをつかんでいた。これほどの荒波の中に飛び込んだら、立派な安定装置がついていても船はかなり揺れる。

船長は何を考えているのだろうか?

速度はいくらか落ちてきたが、船の針路はまったく変わらない。不気味にそびえ立つ島へと直進している。これまで何百という島を通り過ぎてきたのに、どうしてよりによってこんな島を選んだのか?　この島に魅力的な観光スポットがあるとは思えない。

マレー語を駆使しながら船内で情報を収集していたジェシーは、この海域の出身で周辺の地理を知っているというコックから、島についての詳しい話を聞き出していた。それによると、この島はプサトという名前で、現地の言葉で「へそ」の意味らしい。コックの話では、地元の船はこの島に決して近寄らないという。「ランダ」と呼ばれるバリ島の魔女はこの「へそ」から誕生し、今でも魔物が彼女の生地を守っている。その魔物は深海から音もなく忍び寄り、近づいた者たちを海底の墓場へと引きずり込むということだ。

もっとも、ジェシーは現実的な説明を付け加えることも忘れていなかった。「おそらく、海面近くに迫る岩礁と、複雑な海流が原因でしょう」

あるいは、まったく別の理由があるのか。

島を取り囲む断崖絶壁の間から、三艘のモーターボートが飛び出してきた。青く、竜骨が長く、喫水が低い。

また海賊のお出ましだ。

〈地元の人が寄りつかないのも無理はない〉モンクは思った。〈見つかったら最後、生きては帰してもらえないだろう〉

数人の海賊たちが甲板に走り出てきて、大声のマレー語で指示を出している。モンクは周囲を見回しながら、意味を理解しようとした。腕時計を確認する。ジェシーはまだだろうか？

こういう時こそ、通訳の出番なのだが。

モンクは前方の島を観察した。

インドネシア諸島には秘密の入り江が無数に存在すると言われている。一万八千以上ある島のうち、人が住んでいるのは六千あまりに過ぎない。残る一万二千の島には自由に隠れることができる。

モンクの見ている目の前で、三艘のモーターボートは急旋回して海水を噴き上げながら三方向に分かれた。クルーズ船の船首の両側に一艘ずつ、もう一艘が真正面に来ると、波間にゆっくりとしたエンジン音を響かせながら島の方へと戻っていく。

モーターボートはクルーズ船を島へと案内している。

帰還した仲間を出迎えに来たのだ。

島が近づくにつれて、モンクは断崖に狭い裂け目が存在していることに気づいた。角度のせいで遠くから確認することは難しい。とてもではないがクルーズ船が通り抜けられるだけの幅があるとは思えない。針の穴に太いロープを通すようなものだ。だが、おそらくきちんと測量を行ない、船の大きさと喫水に十分なだけの幅と深さがあることを、調べてあるのだろう。

クルーズ船の船首が黒い岩でできた絶壁の間に入り込み、そのまま船全体が断崖の裂け目に飲み込まれていく。左舷が岩とこすれて、甲高い音とともに船が震動した。断崖の出っ張りがぶつかって、右舷の救命ボートが二艘もぎ取られる。そのはずみで壊れた木材の破片が甲板に降り注ぎ、モンクはあわてて後ろに下がった。

船全体が悲鳴のような音を発している。

モンクは固唾を呑んでさらに大きな音が響くのを覚悟した。だが、裂け目は奥深くまで続いているわけではなかった。再び前方が開けてくる。海の女王号は断崖の裂け目を通り抜け、広大な礁湖の端に浮かんでいた。ちょっとした湖くらいの面積がある。

モンクは再び手すりに近づいて、目の前に広がる水面を呆然と見つめていた。〈こいつは驚いた。この島が「へそ」と呼ばれるだけのことはある〉

ここはおそらく火山活動の結果として誕生した島で、火口部分に海水が入り込んで礁湖となったのだろう。礁湖の周りはとがった岩の壁に囲まれていて、王冠のような雰囲気を醸し出している。内側の断崖は島の外と比べるとそれほど急峻ではなく、鬱蒼と茂った木々の間から流れ落ちる銀色の滝が見える。波打ち際には砂浜も形成されていた。湖の向こう岸に目を向けると、ヤシの葉で屋根を葺いた建物や羽目板で作った家々が見える。小さな村のすぐ正面には、木製の埠頭や石造りの突堤が水面に伸びている。岸に引き上げられて修理中の船もあるが、ほとんどは錆びついて骨組みだけになっていた。

海賊たちにとっては、むしろその方が心温まる光景なのかもしれない。

クルーズ船を出迎えるかのように、さらに何艘ものモーターボートが向かってくる。観光客相手の土産物を売りつけにくるのでないことだけは確かだ。

モンクは空を見上げた。裂け目を通り過ぎて礁湖に入ったはずなのに、何となく薄暗いように感じたからだ。嵐が島に急接近して、上空が雲ですっぽり覆われてしまったのだろうか？

いや、礁湖の上を覆っているのは雲ではない。

〈手の込んだことをするものだ〉……モンクは見上げながら心の中でつぶやいた。

かつての火口の上には、巨大な網が張り巡らされていた。何度も継ぎ足しを繰り返して作ったように見える。完成するまでには何十年、あるいは百年以上かかっているかもしれない。中心部分は鋼鉄製のケーブルが格子状に渡されていて、とがった岩の先端と先端を結んだその上に網が張られているが、ロープや船の帆を使っている箇所もある。かなり以前に作られたと思われる部分は、草や藁を編み込んだだけの簡単な作りになっている。広大な礁湖全体を網の屋根で完全に覆うには、かなりの技術が必要だっただろう。しかも、木の葉やつる植物、枝などで巧みにカムフラージュされている。空から見ただけでは、下に礁湖が隠れているとは夢にも思わない。一面ジャングルで覆われた島としか映らないはずだ。

今、その巨大な網が海の女王号を捕獲した。これでは上空からの偵察でクルーズ船を発見するのは極めて困難だ。

まずいことになってきた。

エンジンが停止し、船はゆっくりと波に揺れている。船の錨が下ろされる音とかすかな震動が伝わってくる。

それと同時に、船首の方角から何やら騒々しい声が聞こえてきた。

モンクは様子を調べに向かった。アサルトライフルを手にしたほかの海賊たちが、歓声をあげながら追い越していく。

「嫌な予感がするな」モンクは小声でつぶやいた。

離れた場所から様子をうかがうと、前部甲板にある温水プールの周囲に大勢の海賊たちが集まっているのが見える。バハマの音楽が大音響で流れている。ボブ・マーリーをはじめとするレゲエ音楽特有のリズムだ。海賊たちは思い思いにビールやウイスキーやウォッカの瓶を抱えている。世界各国から集まった傭兵と地元の海賊が入り混じっているので、飲み物の好みも様々だ。無事に帰還したことを祝ってパーティーが開かれているのだろう。

パーティーには余興が欠かせない。

海賊たちの視線は船の右舷に集まっていた。いっせいに拳が振り上げられると同時に、アサルトライフルが揺れる。大声で何かに声援を送っているようだ。プールの飛び込み台の板が取り外されて、右舷の手すりから船外へと突き出ている。一人の男性が板の方へと引きずり出された。両腕は後ろで縛られている。顔面を激しく殴られたらしく、鼻血が流れ、唇は裂けていた。

後ろからほかの海賊たちに押されて前へと動くうちに、モンクはその男性の顔を一瞬だけだが確認することができた。

〈まずいな……〉

ジェシーはマレー語で必死に何かをまくし立てている——だが、海賊たちは彼の言葉に耳を傾けようとしない。銃を突きつけられたまま、ジェシーは手すりを乗り越え、水面の上に突き出た板の上に立った。この船に乗っている海賊たちは、伝統を重んじる連中のようだ。

おぼつかない足取りで板の上に立ったジェシーは、後ろから押されたり突かれたりしながら、次第に先端へと進んでいく。

モンクはジェシーの方へと足を踏み出した。

だが、大勢の海賊が集まって騒いでいるため、思うように動くことができない。それに、どうやって助けようというのか？　銃を乱射しながら海賊をかき分けて進むわけにいかないことだけは確かだ。そんなことをすれば、自分もジェシーも殺されてしまう。

そう思いつつも、モンクの手は自然にライフル銃の方へと動いた。

この若者を巻き込むべきではなかったのだ。それなのに、ついつい頼りにしてしまい、危ない橋を渡らせてしまった。一時間ほど前、ジェシーはこの近辺の地図を探しに出かけたのだった。誰かが地図を持っているはずだし、見つからなければ描いてもらってもいい。この近辺に食料などを補給するための拠点があると思ったからだ。もちろん、モンクはジェシーに対して無理をしないように釘をさした。だが、ジェシーは与えられた任務に目を輝かせながら、飛ぶように走り去っていった。

その結果がこれだ。

悲痛な叫び声とともに、ジェシーは板の先端から落ちて真っ逆さまに海へと転落した。大きな水しぶきが上がる。モンクは手すりへと急いだ。ほかの海賊たちも先を争うように手すりから身を乗り出すと、野次を飛ばしたり、歓声をあげたり、悪態をついたりしている。賭けが行なわれている様子だ。

固唾を呑んで見守っていたモンクは、ジェシーが水面に浮かび上がり、仰向けになって足をばたつかせている姿を見て、ほっとため息をついた。船首付近にいた二人の海賊が、水面でもがいているジェシーにライフルの銃口を向けている。

何て連中だ……

銃声が響き渡る。頭上が網で覆われているため、こもった音はひときわ大きく聞こえる。

銃弾の当たった水面に白いしぶきが上がる。

ジェシーのかかとのすぐ近くだ。

海賊たちは一斉にゲラゲラと笑った。

ジェシーは必死に足を動かしてもがきながら、船から離れようとしている。

だが、岸までたどり着くことはとてもできないだろう。

青いモーターボートが一艘、ジェシーの方へと真っ直ぐに向かってくる。轢き殺すつもりなのだろうか？　だが、衝突する寸前、モーターボートは旋回してジェシーをよけた。航跡にジェシーが飲み込まれる。

ジェシーは口から水を噴き出した。表情には恐怖よりも怒りが色濃く浮かんでいる。仰向けの体勢のまま、ジェシーは足を蹴り始めた。背中で縛られた両腕を舵のように使って巧みに方向を変える。日頃からかなり鍛えているのだろう。

だが、いくら鍛えていると言っても、モーターボートのスピードにはかなわない。

円を描くように旋回したモーターボートは、再びジェシー目がけて突っ込んでくる。ボートの後部に立っている男が、笑いながらバランスを取ってアサルトライフルを構えた。モーターボートがクルーズ船とジェシーとの間を通過するのに合わせて、水面に機銃掃射する。

モンクは思わず身構えた。今度は助からないだろう。

モーターボートが目の前を通り過ぎた。

再びジェシーが水面に浮かび上がった。咳き込んで水を吐きながらも、足を必死に動かしている。海賊たちの間から小さな歓声が沸き起こった。

モンクの両手は手すりをつかんでいた。引きちぎれてしまうのではと思えるほどの強さで握り締める。この連中はジェシーの命をもてあそんでいる。わざと狙いを外して、ゲームとして楽しんでいるのだ。

　助けてやることもできず、モンクは手すりを握り締めたまま、逃げるジェシーを見守っていた。顔が燃えるように熱い。変装用に塗った茶色のメイクを通して、頬が紅潮しているとわかるのではないかと思うほどの熱さだ。

〈俺のせいでこんなことに……〉

　ジェシーは岸に向かって泳ぎ続けている。背泳ぎから横泳ぎに体勢を変えて、岸までの残りの距離を確認しながら水面を進んでいく。モーターボートが再び旋回して戻ってきた。水面に海賊たちの笑い声がこだまする。

　ジェシーはさらに激しく足を蹴った。突然、彼の上半身が水面の上に出る。いつの間にか、足が届く程度の浅瀬にまで到達していたようだ。ジェシーは走り始めた。転んでも立ち上がり、岸に向かって前のめりになりながら走る。やがて波打ち際を通り過ぎると、足を高く上げながら砂浜をしっかりと踏みしめて、深いジャングルへと向かっていく。

　逃げろ、ジェシー……

　モーターボートが前を通過した。銃声が響くと同時に、砂が飛び散り、木々の葉が切り裂かれる。ジェシーは最後の力を振り絞って加速すると、両腕を後ろに縛られた体勢のまま、頭から飛び込むようにジャングルの奥へと姿を消した。

　歓声と失望の声の両方が、海賊たちの間からあがる。

　金を渡す者がいれば、金を受け取る者もいる。

ほとんどの海賊たちは、まだ声を出して笑っていた。パーティーの席で面白いジョークを聞いたかのような笑い声だ。

モンクは隣にいる海賊を肘で突いて訊ねた。「なんでだ（アパ）?」

ここにいる海賊たちは地元の出身者と外国の傭兵との混成部隊のため、マレー語の単語をつなげれば文法が間違っていても十分に意図が通じる。地元の海賊ほどマレー語に堪能でないからといって、怪しまれるようなことはない。

モンクの隣にいた男は、歯が何本か欠けていた。だが、まだこんなに残っているんだぞと自慢するかのように、歯をむき出しにして笑っている。男は岸の方角を指差した。だが、指先は上の方を向いている。ジャングルの奥深くのかなり高い場所から、とがった岩を背景にして何本かの煙が空に上がっていた。あのあたりにも人がいるのだろうか?

「ペマカン・ダギン・マヌシア」男は説明した。

〈何だって?〉

モンクの困惑した表情に気づいたのか、男はさらに大きな笑みを浮かべた。虫歯にやられた親知らずまではっきりと見える。男は別の単語を使って説明を試みた。「カニバル」

モンクは思わず目を見開いた。今のマレー語の単語は、通訳の手を借りずとも意味がわかる。モンクは誰もいない砂浜を、次いでジャングルから立ち上る煙に再び目をやった。どうやら海賊たちはこの島を、人食い人種の原住民たちと共有しているらしい。ちょっとした旅行から帰宅した海賊たちは、留守番をしていた同居人にささやかなお土産を持ち帰ったというわけだ。

何よりのご馳走だろう。

隣の海賊は一人でべらべらとしゃべりながら、今度は水面を指差している。モンクは男の話す言葉が途切れ途切れにしか理解できなかった。「……運がいい……夜は……悪い……」男は手を使って、爪が下から忍び寄って何かをつかみ、そのまま引きずり下ろす様を説明した。

「イブリス」

最後の単語は、マレー語の罵り言葉だ。

モンクは海賊たちがその単語を使う場面に何度も遭遇していた。だが、隣にいる男は、この単語を文字通りの意味で使っている。

悪魔。

「ラクサカ・イブリス」男は繰り返すと、さらに早口でしばらくまくし立てた末に、不意に声を落としてある名前をささやいた。さっきまでの笑顔が急にゆがむ。「ランダ」

モンクは顔をしかめながら背を伸ばし、手すりから身を乗り出して水面をじっと見つめた。ジェシーの話していた地元の伝説が頭によみがえる。ランダはバリ島の魔女の名前で、彼女の手先の魔物がこのあたりの海域に潜んでいるという。

「夜は……」隣の男はマレー語でつぶやきながら、水面を指差した。「アマト・アマト・ブルク」……「とても、とても悪い」

モンクはため息をついた。もうたくさんだ。心配そうな視線をジャングルへと向ける。ジェシーの姿を最後に確認した場所だ。

人食い人種、それに悪魔。
今度は何が出てくるんだ？　高級リゾート施設の類ではなさそうだ。

9　アヤソフィア

七月六日午前九時三十二分
イスタンブール

屋上レストランに陽光が照りつける中、グレイはナセルの脅迫にじっと耳を傾けていた。すでに気温が上昇しつつあったが、ナセルの言葉はグレイの身体を一瞬のうちに凍りつかせた。

「正確にこちらの指示通りに行動しなかった場合は、おまえの両親を殺す」

グレイはヴィゴーの携帯電話をきつく握り締めた。「両親の身に何か起こったら……」

「何かは起こるはずだ。それは覚悟しておけ。小分けにして送ってやろうか。郵送でな。何カ月もかかるだろうな」

単なる脅しでないことは、その口調から明らかだった。グレイは三人に背を向けた。集中しなければならない。考えなければならない。

「おまえがシグマと連絡を取ろうとすれば」ナセルは淡々とした調子で話を続けている。

「こっちにも伝わる。そうなれば処罰が下されることになる。おまえの母親の血が流れるだろう」

グレイは喉元を締めつけられるような感覚に襲われた。「この野郎……両親が生きているという証拠は……危害を加えられていないという証拠はあるのか」

ナセルは返事すらしなかった。電話の手渡される音、こもったような声に続いて、母の声が聞こえてきた。「グレイなの？」息も絶え絶えといった様子の声だ。「ごめんなさい。お父さんが……薬が必要だったの」話しているうちに、母は涙声になっていた。

グレイは全身が震えるのを抑えることができなかった。怒りと悲しみで胸が張り裂けそうだ。「そんなことといいから。大丈夫なのか？　父さんは？」

「ええ……平気……グレイ――」

母の声が不意に途切れ、ナセルに変わった。「二人の面倒は、私の仲間のアニシェンがしっかりと見ていてくれる。彼女とはＤＣの隠れ家で会っているはずだな」

グレイの脳裏にユーラシア系の女性の姿が浮かんだ。金髪に染めた髪を短く刈り上げ、刺青をした女性。

銃を取らなかったアニーだ。

ナセルは話を続けている。「これからおまえたちに会うためトルコへと向かう。十九時到着予定だ。今いる場所から一歩たりとも動くんじゃないぞ」

グレイは腕時計に目をやった。九時間あまりある。

「今この瞬間も、スルタンアフメットにいるおまえたちを部下が包囲しつつある。余計なことをしようなど考えない方がいいぞ。モンシニョール・ヴェローナの携帯電話を、彼がイタリアを出国して以来、ずっと追跡していたのさ」

ヴィゴーの突然のヴァチカン出立が、ギルドの情報網に引っかかったのだろう。迂闊な行動を取ったヴィゴーに腹が立たないといったら嘘になる。だが、自分のように常に周囲を警戒していなければならない職種の人間を基準に考えるのは酷というものだ。それに、今の自分には他人を非難する資格などない。元をたどれば自分の責任だ。

両親を二人きりにしたのは、自分の下した決断なのだから。

「セイチャンと話がしたい」ナセルは要求した。

グレイはセイチャンを手招きした。彼女は携帯電話を受け取ろうとしたが、グレイは握ったまま離そうとしない。もっと近くに来るように合図をする。セイチャンとナセルとの会話を聞く必要があるからだ。

耳と耳をつけるようにして頭を寄せながら、セイチャンは電話に向かって話し始めた。「アメンね」ナセルのファーストネームを使って呼びかける。「何が望みなの？」

「貴様……この裏切り者め。裏切りの代償は俺の手で——」

「わかったわよ。私の飼い犬を殴るなり、飼い猫を蹴るなり、好きにしたら。どうぞご自由に」セイチャンはため息をついた。吐息がグレイの首筋にかかる。「でも、お目にかかることはできそうもないわね。あんたがここに到着する前に、私は失礼することにしたから」

セイチャンの思いがけない言葉に身体をこわばらせながら、グレイは目だけを動かして彼女の方を見た。セイチャンは「黙ってて」とでも言うように手のひらを向けて、首を軽く横に振っている。どこにも逃げる気はないようだ。

「部下がすでにおまえたちを包囲している」ナセルは警告した。「逃げようとしたら、銃弾がおまえの眉間を貫通することになるぞ」

「何とでも言うがいいわ。この電話が終わったら、こんな教会ともおさらばよ」セイチャンはグレイに意味ありげな視線を向けながら、手すりの向こう側に見えるアヤソフィアを指差した。

セイチャンはさらに話を続けている。「どっちみち、このアヤソフィアでは何の進展も得られなかったわ。壁画ばかりで手がかりはない。自分で調べたいのなら、好きにしたら。私には二度と会うことがないでしょうけどね」

グレイは顔をしかめた。セイチャンが嘘をついていることは言うまでもない。だが、何のために？

ナセルはしばらく黙っていたが、口を開いた時には冷静な口調が乱れて怒りがあらわになっていた。「十歩と逃げられやしないぞ！　アヤソフィアのすべての出入口はすでに監視下に置いているんだ」

セイチャンはグレイに向かって目をぐるりと回して見せた。相手が餌に食いついたと言いたいのだろう。

「せいぜい頑張ってね、アメン」セイチャンは会話を終わらせようとしている。「怒った声も可愛いわよ。じゃあね、バイバイ」

図だ。

　セイチャンは一歩後ろに下がると、グレイに向かって指を一本立てた。「慎重に」という合図だ。

　グレイはセイチャンに調子を合わせた。「いったい彼女に何を伝えたんだ?」グレイは電話に向かって怒鳴った。「セイチャンは銃を持って教会から走り出ていったぞ。おまえとあの女で、何かを企んでいるんじゃないのか?」

　セイチャンはかすかに笑みを浮かべてうなずいた。

　ナセルが大声でわめき散らすのを聞きながら、グレイは頭の中で計算を始めた。セイチャンの偽装工作の真意を読み取る必要がある。罪悪感や怒りで判断が曇ってはいけない。自分のためにも、両親のためにも。

　グレイはセイチャンの目を見た。ギルドがヴィゴーの携帯電話の電波を追跡していたのは事実だろう。だが、場所を正確に特定するまでには至っていない。アヤソフィアの中にいると嘘をついて、セイチャンはそのことを確かめようとしたのだ。ギルドは自分たちがイスタンブール旧市街のどこかにいることを知っている。だが、具体的な建物まではつかんでいない。

　少なくとも、今の時点では。

　グレイの視線は、ホテルに隣接する公園の先にそびえる、アヤソフィアの巨大な建物をとらえた。大きなドーム状の屋根を取り囲むように、四本のミナレットが空に伸びている。

「アヤソフィアで何をしているんだ?」ナセルは訊ねた。

　グレイはどこまで明かすべきか躊躇した。相手を納得させる必要がある。そのためには、真実を少し伝えることが一番だ。「マルコ・ポーロの残した鍵を探している。モンシニョール・ヴェローナがヴァチカンに残されていた文字を解読してくれた。その文字がここを指し示していたんだ」

「つまり、セイチャンは我々が何を求めているか、おまえに明かしたというわけか」再び激しく罵る声が聞こえる。「セイチャンを逃がしたのはおまえの責任だ。どうやら我々が本気だということを証明する必要がありそうだな」

ナセルが両親に危害を加えようとしていることは明らかだった。

「もはやセイチャンの存在は関係ない」グレイはナセルの言葉を遮った。両親を守る方法はこれしかない。「おまえたちが探しているものはここにある。エジプトのオベリスクに描かれていた、天使の文字だ。書き写した紙を持っている」

ナセルはすぐに返事をしなかった。目を閉じて安堵のため息を漏らしている、そんなナセルの姿をグレイは想像した。ナセルは天使の文字を必要としている。セイチャンへの恨みを晴らすよりも、文字の入手が先決なのだ。

「よくわかった、ピアース隊長」ナセルの声からは、ついさっきまで存在していた張り詰めた調子が消えていた。「そのように協力を続けていれば、おまえの両親が平穏な日々を過ごして天寿を全うできると保証してやる」

ナセルの言う保証が紙切れよりも薄っぺらいことぐらい、グレイは十分に承知していた。

「十九時にアヤソフィアの中で会おうじゃないか」ナセルは言った。「内部でマルコ・ポーロの鍵を探すのはかまわない。だが、すべての出口を狙撃者が監視していることを忘れるな」

グレイはナセルの脅しを心の中でせせら笑った。

「念のため言っておくがな、ピアース隊長。つまらない罠を仕掛けようなどと考えるなよ。アニシェンには一時間ごとに連絡を入れる手筈になっている。もし連絡が一分でも遅れたら、おまえの母親の足の指から消えていくと思え」

電話は切れた。

グレイはヴィゴーの携帯電話を閉じた。「急いでアヤソフィアに行かなければならない。ギルドの連中が我々の本当の居場所を突き止めるより早く」

一行はすぐに移動の準備を開始した。

グレイはセイチャンの方に向き直った。「危険な賭けだったぞ」

セイチャンは肩をすくめた。「いいこと、グレイ。この危機を乗り越えたいなら、ギルドの力を見くびってはいけないのは当然だわ。資力があるし、幅広い協力者の人脈も持っている。でも同時に、その影に怯えてもいけない。ギルドは無限の力を持っているのではないかという、相手の恐怖心につけ込むのが彼らの常套手段だわ。恐怖心をあおって、自滅するのを待つのがやり方なのよ。集中力を切らしてはだめ。慎重に行動しながら、頭を使わないと」

「その判断が間違っていたら?」グレイは怒りを抑えながら訊ねた。

セイチャンは小首を傾げた。「間違っていなかったでしょ」

グレイは鼻から大きく息を吐き出した。簡単に怒りが治まるはずはない。セイチャンの判断が間違っていた場合、危害が及んだのは自分の両親だったのだ。

「それにもう一つ」セイチャンは続けた。「ナセルが到着した時、その場にいないための口実が必要だったのよ。あなたとモンシニョール・ヴェローナのことは生かしておくはずだわ。二人ともナセルにとっては役に立つから。それに両親を人質として確保してあるのだから、あなたを自分の思い通りに操れると目論んでいるはずだしね。でも、私のことは出会った瞬間に射殺するでしょうね。まあ、生け捕りにされるよりその方がましだけど。とにかく、自分の命を救うためには、何とか姿をくらますための作戦が必要だったわけ。そうしておけば、私の方から新たな行動を起こすことだって可能でしょ。あなたを助けるためにも、正しい選択だったと思っているわ」

グレイはようやく怒りを静めることができた。危険にさらされているのはセイチャンの家族ではない。大胆な作戦に打って出て危険を冒すことなど、彼女にとってはいつものことだ。冷静な決断を下し、素早く対応する。その結果、今のところはうまく事が運んでいる。

そうは思うものの……

セイチャンは振り返って指差した。「あと、あの男を貸してくれないかしら」

「何だって？　俺かい？」コワルスキは聞き返した。

「さっきも言ったように、ナセルは私を生かしておかない。おそらく、コワルスキも同じ運命ね」

「どうして俺もなんだ？」コワルスキは悲しそうな顔をした。「そいつの恨みを買うようなことをした覚えはないぞ」

「役に立たないからよ」

「失礼なことを言うな！」

セイチャンはコワルスキの抗議を無視した。「ナセルにはこれ以上の人質は不要だわ。グレイの両親がいれば十分。あなたの面倒までは見切れないのよ」

グレイは片手を上げてセイチャンの話を遮った。「しかし、コワルスキが一緒にいることを、すでにナセルが知っていたら？」

セイチャンはうんざりしたような表情を浮かべながらグレイをにらみ返した。

グレイはその意図を理解した。

〈ギルドの影に怯えてはいけない〉

グレイは顔をしかめながらも、ギルドが絶対的な力を誇る組織だという考え方を払拭しようと努めた。そんな先入観にとらわれて行動をためらっていては、それこそギルドの思う壺だ。心を落ち着かせて、あらゆる観点から状況を見直すうちに、グレイはセイチャンの言う通りだと思い始めた。

グレイはコワルスキの方を向いた。「セイチャンと一緒に行け」

「彼を十分に活用してあげるわ」そう言いながら、セイチャンはコワルスキの尻をピシャリと叩いた。

「やれやれ、ようやく俺の利用価値を認めてくれる人に出会えたよ」コワルスキは尻をさすりながらつぶやいた。

荷物をまとめ終わると、一行は屋上のレストランを後にした。ヴィゴーとコワルスキがまず移動を開始する。セイチャンが後に続こうとした時、グレイは彼女の腕をつかんだ。

「これからどうするつもりだ？」屋上に残ったのが二人きりであることを確認してから、グレイは訊ねた。「どうやって手を貸してくれるというんだ？」

「わからないわ。これから考えるつもり」

セイチャンはグレイの視線をとらえていた。だが、目をそらす前に一瞬のためらいがあった。何かを伝えた方がいいと思っているものの、まだ踏ん切りがつかないのだろう。呼吸がかすかに乱れているし、視線が微妙に揺れている。

「どうかしたのか？」グレイは心配そうに訊ねた。

グレイの思いがけない優しい言葉は、かえってセイチャンの警戒心を強めただけのようだった。セイチャンはため息をついた。「グレイ……ごめんなさい……」口を開きながら、再び目をそらす。「あなたの両親のこと……」

彼女の表情、彼女の態度には、単なる心配以上の何かがある。セイチャンは罪悪感に苛まれているのだ。だが、なぜだろう？　罪悪感に苛まれるのは、自分に責任がある場合だ。だが、グレイの両親が事件に巻き込まれたのは、結果的にそうなってしまっただけの話だ。それはグレイも理解している。それならばどうして、セイチャンは今になって急に罪の意識を感じているのか？

グレイの頭の中で様々な可能性が交錯する。ついさっきの会話が脳裏によみがえる。ナセルとの電話。セイチャンとのやり取り。いったい彼女が気にしているのは――

――その瞬間、グレイは答えを悟った。

セイチャンがさっき教えてくれたばかりじゃないか。

〈ギルドの影に怯えてはいけない〉

セイチャンの腕をつかむグレイの拳に自然と力が入る。グレイは出口近くの壁にセイチャンを押しつけた。顔を近づける。唇と唇とが触れ合うような距離だ。

「そういうことか……シグマにはスパイなどいない。これまでもいなかったんだろう」

セイチャンは言い返そうとした。だが、すぐに言葉が出てこない。

グレイはすかさずたたみかけた。「ナセルはシグマに連絡をしないようにと警告した。指示に背いたらどうなるか、脅迫までした。だが、なぜだ？　シグマにギルドのスパイが潜んでいると俺が気づいていることは、ナセルも知っているはずだ。それならなぜ、わざわざ脅迫までするのか」グレイはセイチャンの身体を揺すった。「ギルドのスパイなど存在しないからだ」

一瞬ひるんだセイチャンは、グレイを振りほどこうとした。だが、グレイはセイチャンの腕を離さない。骨にまで食い込むような強さでセイチャンの腕を挟みつける。

「いつ話すつもりだったんだ？」グレイは追及の手を緩めない。

セイチャンはようやく口を開くことができた――怒りのこもったその声には、申し訳なさそうな素振りはかけらほどもない。

「いずれ話すつもりだったわ。今回の件が無事に片付いた暁にね」セイチャンはいらだちを隠すかのようにため息をついた。「でも、あなたの両親が人質になってしまったからには、これ以上ごまかし続けることはできない……二人を救い出す望みが少しでもあるなら、嘘はつけないわ。私はそこまで冷たい女じゃないのよ、グレイ」

セイチャンは顔をそむけようとした。だが、グレイはセイチャンの前に回り込んで再び視線をとらえた。

「だったら、もしスパイが存在しないならば」グレイは訊ねた。「どうやってナセルは隠れ家のことを知ったんだ？　待ち伏せされたのはなぜなんだ？」

「私の方の計算ミスよ」セイチャンの瞳から一切の感情が排除される。「それ以上でも以下でもないわ。まさかあんな事態になるとは思ってもいなかった。それだけは信じて」

「信じろだと？　笑わせてくれるね」グレイはセイチャンの言葉をはねつけた。

グレイの反応にセイチャンは傷ついたような表情を見せた。かすかに視線が下を向く。だが、グレイの詰問はまだ終わっていなかった。「もし最初からシグマの支援を得ることができたなら――」

セイチャンの表情が険しくなる。「あなたは動きを封じられたでしょうね。私はどこかの刑務所にぶち込まれるのがおちよ。そうなったら何の役にも立たないわ。足取りをつかまれないように、できるだけ早いうちに、二人とも移動する必要があったのよ。だからあなたが思い込んでいることを、そのまま放っておいたわけ」

グレイはセイチャンの顔つきを観察しながら、わずかな変化も見逃すまいとした。言葉とは裏腹の表情が一瞬でもよぎれば、彼女が嘘をついていることになる。だが、そのような気配は見られない。グレイをにらみ返したまま、視線をそらすことなく、グレイの返事を待っている。そればかりか、まだグレイに明かしていない秘密があることを隠そうともしない。

グレイは不快感をあらわにしながらセイチャンを見つめていた。今さら手遅れだが、この女を相手にする場合は、もっと慎重に行動するべきだったと悔やまれる。「ナセルにおまえを射殺させた方が、話は早いかもしれないな」

「そうしたら、誰があなたを守ってくれるの？　ここに誰がいると思って？　コワルスキ？　彼を頼るくらいなら、一人の方がまだましだわ。私なら何とかできる。わかっているでしょ。いつまでこんな話をしている気なの？　このまま言い争いを続けてシグマに連絡を入れる貴重な時間を無駄にするのがいいか、この問題の解決を後回しにする方がいいのか、よく考えなさいよ」

セイチャンは出口の方角を顎で示した。「ホテルのロビーに公衆電話があるわ。私たちが別の場所にいるとナセルに思い込ませたかったのは、電話のことも考えたからよ。おそらく今頃、ナセルはアヤソフィアにある公衆電話のすべてを逆探知する手配をしているはずだわ。ホテルのロビーの電話なら安全なはずよ。百パーセントの保証はできないけれど。あと、電話は手短にお願いね。こうやって話をしている間にも、時間は経過しているのよ」

グレイはセイチャンの手を離しながら、彼女を出口の方へと押しやった。

　再び、セイチャンの顔に傷ついたような表情が浮かぶ。

〈おまえが傷つこうが傷つくまいが、知ったことか〉

　スパイなど存在しないとわかっていたら、最初からペインターに連絡を入れることができた。少なくとも、両親の身の安全を確保してもらうことくらいはできたはずだ。

　グレイの怒りの原因がどこにあるのか、セイチャンも気づいたに違いない。額の汗を拭いながら、穏やかな調子の声でグレイに語りかける。セイチャンは疲れ果てている様子だった。

「あなたの両親に危険はないと思っていたのよ、グレイ。私を信じて」

　グレイはセイチャンに怒鳴り返してやりたかった。だが、言葉が出てこない。セイチャンに対する怒りが治まらないのは確かだが、同時にすべての責任を彼女になすりつけるわけにはいかないことも十分にわかっていた。

　事実から目をそむけることはできない。

　両親を置き去りにしたのは自分だ。

　ほかの誰でもない。

午前三時四分
ワシントンＤＣ

「クロウ司令官、イスタンブールから機密回線で電話が入っています」

衛星からの映像が流れているいくつものコンピューター・ディスプレイから目を離すと、ペインターは通信技師長の方を見た。イスタンブールから電話だと？　いったい誰が？

この一時間、ペインターは国家偵察局（ＮＲＯ）および国家安全保障局（ＮＳＡ）のお偉方と激しいやりとりをしていた。クリスマス島近海の捜索を最優先で行なうために、両機関の所有する衛星監視システム「エシュロン」への全面アクセスを要求したためだ。しかし、そのような辺鄙な地域は人口も少なく、戦略的にも重要ではないと判断されているために、通常の衛星軌道からは外れている。あらゆる手を尽くして、ペインターはパインギャップにあるオーストラリア統合防衛施設をようやく説き伏せ、所有する一機の衛星をクリスマス島近海の上空へと軌道変更させることに成功した。それでも、衛星から現地の映像が送られてくるまでにあと十四分かかる。

「ピアース隊長からです」通信技師長はそう伝えながら、受話器を差し出した。

ペインターは思わず椅子ごと身体を向けた。〈グレイから？〉……急いで受話器を手に取る。

「グレイか？　ペインター・クロウだ。いったいどこにいる？」

かろうじて聞き取れる程度の声で答えが返ってきた。「司令官、あまり時間がありませんが、伝えなければいけない情報がたくさんあります」

「続けてくれ」

「まず第一に、両親がギルドの工作員に誘拐されました」

「アメン・ナセルのことだな。こっちもつかんでいる。すでに徹底的な捜索を行なっているところだ」

ペインターの答えに驚いたのか、しばらく沈黙があった後、グレイは再び話し始めた。「あと、モンクとリサに連絡を取る必要があります。インドネシアで二人の身に危険が迫っています」

「それも知っている。衛星で上空から現地の状況を探ろうとしているところだ。そっちの話というのは、我々がすでにつかんでいる情報ばかりなのか？　最初から順を追って話をしてくれ」

大きく深呼吸をしてから、グレイはセイチャンが自宅に突然姿を現して以降に起こった出来事を手短に伝えた。何度か質問を挟みながら確認するうちに、ペインターの頭の中でばらばらに置かれていたジグソーパズルのピースが、次第に組み合わさっていく。ＮＳＡからの返事を待つ間に、すでにいくつかの仮説が形成されつつあるところだった。クリスマス島での事件にギルドが関与していることは、ペインターもほぼ間違いないとにらんでいた。島民全員を隔離し、そのまま姿をくらますような資金源のある組織はほかにいない。グレイの話はその仮説の裏付けを提供してくれただけでなく、事件が発生した理由も明らかにしてくれた。おまけに、病気の正体の名前まで判明した。

ユダの菌株。

一時間前、ペインターは就寝中のドクター・マルコム・ジェニングズを叩き起こして、シグマの研究開発室へと呼び出していた。グレイの両親が誘拐された現場のホテルからシグマへと車で戻る途中、リサとの会話を頭の中で反芻していたペインターは、ジェニングズに至急連絡を取る必要があると気づいたのだった。台本通りの会話を強要されていたとすれば、彼女の言葉のすべてが信用できなくなる。例えば、クリスマス島で発生した病気について、最初はあれほど警戒を呼びかけていたのに、急に前言を翻して大騒ぎの必要はないと主張したのもそうだ。地球規模での環境破壊のおそれがあると警告して、明らかに動揺していたジェニングズの姿が脳裏によみがえる。最後に彼の発した言葉が、耳にこびりついて離れない。「恐竜が絶滅した本当の原因は、まだ解明されていないのだよ」

ギルドの興味をひいた何かが、そこに存在する。

ペインターはさらに、セイチャンが不意に姿を現したこと、そしてグレイが消息を絶ったことも、インドネシアでの件と関係があるのではないかと推測していた。ギルドが同時に二カ所で人目につく行動を起こしたのだ。ペインターは偶然の一致という言葉を好まない。何か関連があるに違いない。だが、すべてを結びつけていたのは、ペインターの予想もしない人物だった。

「マルコ・ポーロだと?」ペインターは聞き返した。

グレイはほぼ説明を終えていた。「ギルドは二手に分かれて作戦を遂行しています。科学チームは現在の疫病の発生を追いながら、治療法と原因の調査を進めています。それと同時に――」

ペインターはグレイの言葉を遮った。「歴史チームがマルコ・ポーロの足跡を追いながら、同じ目的で調査を行なっている。治療法と原因だ」

これでパズルのピースがぴったりとはまった。

「そして今、ナセルがイスタンブールへ向かおうとしているわけだな」ペインターは締めくくった。

「すでに移動中の可能性が高いと思われます」

「イスタンブール方面の作戦を手配しよう。二時間以内に地上での支援態勢を整えることができる」

「それはだめです。ギルドに知られてしまいます。セイチャンの話では、イスタンブールはギルドの活動拠点の一つだとのことです。彼らはこちらの様々な機関に情報源を持っています。シグマが行動を起こしたとの情報が入れば、我々が連絡を取ったと察知されるでしょう。そうなると両親が……絶対にだめです。ナセルは私が一人で相手をします」

「しかし、こうして話をしている間も、君は大変な危険を冒しているんだぞ、グレイ。シグマにはギルドが潜入している。この会話が決して漏れないように最善を尽くしているつもりだが、スパイが――」

「司令官、シグマの内部にはスパイなどいません」

ペインターはグレイの返答に虚をつかれた。グレイの言葉の意味を理解し、考えをまとめるまでに一瞬の間があった。「確かなのか？」ペインターはようやく訊ねた。

「両親の命がかかっているんです。確かでなければ電話などしません」

ペインターは無言のまま座っていた。グレイの言葉に嘘はない。関係機関との激しいやりとりの間に募っていた鬱憤が、たちどころに消えていく。スパイがいないならば……

グレイの声はいっそう小さくなった。「これ以上、電話を続けるのは危険です。もう行かないと。こちら側の手がかりを追って、目的地に何があるのかを突き止めるために最善を尽くします」

しばらく沈黙が続いた。電話が切れたのではないかとペインターが思い始めた時、再びグレイの声が聞こえてきた。「お願いします、司令官。両親を探し出してください」

「もちろんだ、グレイ。絶対に見つけてやる。君の両親を救出したら、ヴィゴー宛てに彼の姪から連絡を入れるようにする。三回呼び出し音を鳴らしてから切る。それが君の両親の安全を確保したという合図だ」

「ありがとうございます」

電話は切れた。

ペインターは椅子に深くもたれかかった。

「司令官」通信技師長が声をかけた。「あと二分ほどで衛星からの映像が入ります」

午前十時十五分
イスタンブール

急がなくてはいけないことを承知しつつも、アヤソフィアの西側入口に近づきながら、グレイは思わず足を止めた。あまりの大きさに圧倒されてしまったのだ。

ヴィゴーはグレイの視線が上を向いていることに気づいたようだ。「なかなか壮観だな」

まったくその通りだ。

目の前にある壮大なビザンチン様式の建築物を、世界の七不思議に次ぐ八番目の不思議として数える人は多い。かつてアポロン神殿の建てられていた丘の上にそびえるアヤソフィアからは、マルマラ海の青海原とイスタンブール市街の大半を一望することができる。ひときわ目を引くのが巨大なビザンチン様式のドームで、二十階建てのビルに匹敵するほどの高さがあり、朝の陽光を浴びてまるで磨き上げられた銅のような光を放っている。高さの低い半円のドームが大きなドームの東側と西側を支えており、さらに周囲をいくつもの丸屋根(クーポラ)が取り囲むように配置されている。まるで女王に随行する従者のようにも見える丸屋根が、巨大な建築物にさらなる広がりを添えていた。

ヴィゴーは歩きながらアヤソフィアの歴史を解説していた。建物へと通じる前方の巨大なアーチを指差す。「あれが皇帝の門だ。西暦五三七年、皇帝ユスティニアヌス一世がこの教会を献堂した際、あの入口のところで『ソロモンよ、我は汝に勝れり』と宣言したと伝えられている。また十五世紀には、コンスタンティノープルを略奪したオスマントルコ帝国のスルタン、メフメト二世が、教会へと足を踏み入れる前に頭から油を浴び、この壮大な建造物に対する敬意を表したとされている。アヤソフィアの美しさに感銘を受けたメフメトは、教会を破壊せずにモスクへと改築させたのだよ」

　モンシニョールは敷地の四隅から空に伸びる四本のミナレットを指し示した。

「それがさらに博物館となったわけですね」グレイは確認した。

「一九三五年のことだ」ヴィゴーはうなずきながら、建物の南側に架けられた足場を指差した。

「その時以来、常に何らかの修復作業が行なわれている。外壁の修復だけとは限らない。メフメト二世が教会からモスクへと改築した際、彼はキリスト教のモザイク画を上から漆喰で塗り固めてしまった。人の姿を描くことはイスラムの教えに反していたからだ。しかし、この数十年間、時間をかけて慎重に、この極めて貴重なビザンティン様式のモザイク壁画を修復しようという試みが進められている。同時に、カリグラフィーや装飾の施された説教台といった、十五世紀から十六世紀にかけての中世イスラム芸術を保存しようとの動きも進行中だ。この二つの作業を平行して進めるために、アヤソフィアの修復作業には、建築や芸術のあらゆる分野の専門家に声がかけられている。もちろん、ヴァチカンにも要請がある」

　ヴィゴーは大勢の観光客の後について、広場を横切りながらアーチ状の入口へと向かった。

「そういう事情だから、修復工事に詳しい人物を同行した方がいいのではないかと思ったのだよ。過去にアヤソフィアの館長から相談を受けたことのある人物を知っているのでね」

グレイはうなずいた。すでにアヤソフィアへと人を送り込み、広大な干草の山の中から一本の黄金の針を探し出す作業をすでに始めてもらっているとの話は聞いている。

入口に近づいたグレイは、顎ひげを生やした大柄な男性が扉のすぐ内側に立っていることに気づいた。観光客は男性をよけながら内部へと入っていく。男性は両手を腰に当てた姿勢で、通り過ぎる観光客を鋭い視線でにらみつけている。だが、ヴィゴーの姿を認めると、男性は片手を上げた。

ヴィゴーはその男性に向かって、教会の奥へと戻るように合図をした。

グレイも二人に続いて建物の内部へと入った。表にいると気が気ではない。すでにギルドの追跡者が、周辺に到着しているかもしれないからだ。両親の無事が確認できるまでは、どんな些細なことであってもナセルに怪しまれるような行動は慎まなければならない。セイチャンが嘘をついたことを、ナセルに感づかれてはならない。

入口をくぐりながら、グレイは広場の方を振り返った。セイチャンの姿も、コワルスキの姿も見えない。二人とはホテルを出てすぐ、別れたきりだ。セイチャンはプリペイド式の携帯電話を購入していた。番号は記憶してある。それが彼女との唯一の連絡手段だった。

「グレイ・ピアース隊長」ヴィゴーは紹介を始めた。「こちらが私の友人のバルサザール・ピノッソだ。グレゴリアン大学美術史学部の学部長を務めている」

グレイの手はバルサザールの大きな手にすっぽりと包み込まれてしまった。彼の身長は優に二メートルを超えているだろう。

ヴィゴーは話を続けている。「風の塔にあったセイチャンのメッセージを最初に発見したのがバルサザールだ。天使の文字の解読も手伝ってくれた。また、この博物館の館長の親友でもあるんだ」

「偉い友人が多いと何かと便利ですよ」バルサザールはバリトン歌手のような重厚な声で応じながら、教会の中央部へと二人を案内した。彼は前方の空間を手で示した。「かなり広い範囲を調べることになりますね」

バルサザールが脇へどくと、教会内部の様子が目に飛び込んでくる。

グレイはその光景を目の当たりにして、思わず息を呑んだ。そんなグレイの様子を見ながら、ヴィゴーはぽんと肩を叩いた。

丸天井の空間が、はるか前方にまで続いている。鉄道の駅に似ているようにも見える。頭上に目を向けると、いくつものアーチや丸屋根が連なって、中央部の主ドームへとつながっている。左右の二階部分には柱廊が見える。しかし、最も目を引くのは石でできた建造物そのものではない——見る者を圧倒するのは、広大な空間の内部で光と影が織り成す効果だった。壁面に取りつけられた窓がドームの下部に一列に並んでいる。そこから差し込む太陽の光が、エメラルドグリーンと白の大理石に反射し、金箔をかぶせたモザイク画を照らし出す。また、建物の内部には柱が一本もない。それなのに、これほどの広い空間が屋内に存在しているとは、不思議としか言いようがない。

畏敬の念に打たれて無言のまま、グレイは二人の後について長い身廊を歩いた。

教会の中心部に到達すると、グレイは貝殻のような模様の入った主ドームの丸天井を見上げた。二十階建てのビルに相当するほどの高さはあるだろう。リブで補強された天井の表面には、金と紫の波打つような文字が記されている。主ドームの底辺部分にある四十のアーチ形の窓からは午前の明るい陽光が差し込み、まるでドームが頭上に漂っているかのような印象を与えている。

「空中に浮かんでいるみたいだ」グレイはつぶやいた。

バルサザールはグレイの隣に立った。「建築技術の粋を凝らして目の錯覚を作り出しているのですよ」美術史の専門家はそう説明しながら上を指差した。「天井に沿って張り巡らされているリブをご覧なさい。まるで傘の骨のように見えませんか？　あのリブがドームを支えると同時に、窓の部分にかかる重量を土台となる巨大な支柱の上に設置された穹隅（きゅうぐう）へと分散する役割も果たしているのです。それに、あのドームは見た目よりは軽いのですよ。ロードス島で採取される多孔性の粘土から作られた空洞煉瓦を使用しているからです。石と光と空間を駆使した、錯覚の妙の傑作です」

ヴィゴーはうなずいた。「マルコ・ポーロでさえもこの建築物に圧倒されて、『重量がないように見えるドーム、直接に差し込む光と間接的に差し込む光の、目もくらむような効果』と書き記している」

グレイはマルコ・ポーロの言いたいことが実感できた。今、自分が立っているこの場所に、かつてマルコ・ポーロも立っていたかと思うと、不思議な気持ちになる。二人の男性が長い年月を隔てて、この古代の建造物に対する畏敬の念と尊敬の念を共有している。

唯一残念なのは、身廊をほぼ二分するかのように、片側が大理石の床からドームの頂点まで足場で覆われていることだった。

だが、その足場のおかげで、グレイは現実の問題へと頭を切り替えることができた。腕時計に目をやる。ナセルは夕暮れ前に到着するはずだ。ここにある謎を解明するための時間は半日も残されていない。

狙い通りに事を運ぶためには……

だが、まずどこから手をつければいいのか？

ヴィゴーも友人に同じ質問を投げかけていた。「バルサザール、博物館のスタッフに聞くことはできたのかね？　この建物の中で天使の文字のような模様を見たことがある人はいるのかい？」

バルサザールは顎ひげをしごきながらため息をついた。「館長に話をうかがいましたし、ほかのスタッフにも訊ねてみました。ここの館長はアヤソフィアのことなら、地下聖堂からドームの先端に至るまで、すべてを知り尽くしています。ですが、天使の文字のようなものは見たことがないとの答えでした。ただ、もしかすると、という話はあるのですが……あまりうれしい知らせではないと思いますよ」

「いったい何だね？」ヴィゴーは訊ねた。

「教会からモスクへと改装された時、アヤソフィアの大部分が漆喰で塗り固められてしまったことはご存知ですよね。我々の探し求めているものは、何センチもの厚さのある古い漆喰の下に隠れているおそれがあります。あるいは、文字は漆喰の上に刻まれていて、その漆喰が修復工事の際に除去されてしまったということも考えられます」バルサザールは肩をすくめた。「つまり、我々の探し物はすでに消えてしまっている可能性がかなり高いのではないかと」

グレイはそんな可能性を頭から排除した。ヴィゴーとバルサザールがさらに詳しく論じているのを無視して、ゆっくりと歩き始める。考える時間が必要だ。反射的にもう一度、腕時計を確認する。いらいらと不安が募っている証拠だ。さっき確認したばかりで、何分もたっているはずがない。グレイは腕を下ろし、足場の方へと向かった。両親を二人きりにするべきではなかったのだ。電話を通して聞こえた母の言葉が耳にこだまする。

「ごめんなさい。お父さんが……薬が必要だったの」

何かが起こったに違いない。グレイは父の病気を言い訳にしたくはなかった。薬が必要だったから仕方がなかった、という理由では納得できない。今回の事件は、自分が意図的に目をそむけていたことと関係があるのではないだろうか？　父の本当の病状を正面から受け止めようとしなかった自分に、そもそもの原因があるのではないだろうか？　いずれにしても、自分の不注意のために、両親の命が脅かされている。

グレイはあぐらをかいてその場に座り込むと、真上にあるドームを見上げた。気持ちを整理しないといけない。心配、恐れ、疑念……それらは自分にとって何の助けにもならない。両親にとっても同じだ。大きく深呼吸をして気持ちを落ち着かせてから、グレイはゆっくりと息を吐き出しながら、観光客たちの話し声を耳から追いやった。

十六世紀のアヤソフィアの姿を頭に思い浮かべる。頭の中で、黄金のモザイク画の上に漆喰が塗られ、新たな壁が浮かび上がる。徐々に集中力が高まっていく。瞑想の修行と同じだ。グレイの心の目は、よみがえった古いモスクの姿をとらえていた。古いコンスタンティノープルの街並みを見下ろすミナレットから、祈りを呼びかける声がする。敷物の上にひざまずいた人々が、立ち上がったり座り込んだりを繰り返しながら、敬虔な祈りを捧げている。

そのようなモスクのどこに、次のヒントを示す鍵を隠すだろうか？　この広大な建物の中の、数え切れないほどの部屋や通路や礼拝堂がある中の、いったいどこに？

座って目を閉じたまま、グレイは頭の中の視点を切り替えた。コンピューターの画面に浮かんだ三次元模型のように、建物を回転させてあらゆる角度から観察する。

その間、彼は床の上に積もった漆喰の粉を無意識のうちに指でなぞっていた。ふと我に帰ると、自分の書いていた模様が目に飛び込む。天使の文字だ。マルコ・ポーロの黄金のパスポートの裏側に描かれていた文字。

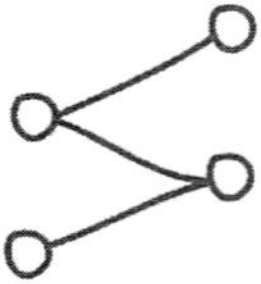

グレイは天使の文字を凝視しながら、頭の中でアヤソフィアの立体像を回転させ続けた。

「すでにモスクになっていた」グレイはつぶやいた。

グレイは文字に記された四つの丸を指で触れた。ヴィゴーによれば、発音区別符号と呼ばれるものらしい。

四つの丸、四本のミナレット。

この文字は暗号化された地図の謎を解明するための第一の鍵だが、単にそれだけではないとしたら？　第二の鍵へと導く手がかりでもあるとしたら？　セイチャンも言っていたはずだ。一つの鍵が、次の鍵への手がかりになると。

頭の中で、グレイは天使の文字の上にアヤソフィアの立体像を重ね合わせた。ミナレットの位置と、発音区別符号の位置を合わせる。四つの丸、四本のミナレット。この記号がアヤソフィアも表しているとしたら？　ミナレットを目印代わりにした、簡単な地図だとしたら？

もしそうだとしたら、手始めに探す場所はどこか？

床に積もった漆喰の粉の上に、グレイは点線を描いた。「Xが交わる地点だ」グレイはつぶやいた。

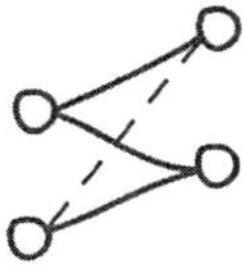

午前十一時二分

ヴィゴーがふと気づくと、グレイは身廊の中央付近に這いつくばっていた。両手で大理石の床を何度も何度も払っている。

バルサザールもグレイに気づくと、不審そうな表情を浮かべた。

二人はグレイのもとへと歩み寄った。

「いったい何をしているのですか?」バルサザールは訊ねた。「床全部を手探りで調べようとしたら、一週間や二週間では終わりませんよ」

グレイは座り直して、ドームを見上げた。自分の位置を測定するかのように確認してから、足場の端に沿って再び床を手で払っていく。「この辺のはずです」

「何のことだね?」ヴィゴーは訊ねた。

グレイはさっきまで自分が座っていた場所を指差した。ヴィゴーが示された場所に行くと、床の上に何やら模様が描かれている。ヴィゴーは顔をしかめた。

グレイは説明した。「アヤソフィアの簡単な地図です。どこを探せば次の手がかりが見つかるのか、教えてくれているんですよ」

グレイの推理が真実をついていることを、ヴィゴーは直感的に悟った。この男の類まれなる思考回路と分析力には、改めて舌を巻く思いだ。軽い恐怖を覚えると言っても過言ではない。

グレイは這いつくばったまま、床の一部をゆっくりと調べ続けている。近くを通りかかる観光客が、怪訝な顔をして眺めているのも気にならない様子だ。

バルサザールはグレイの後をついて移動している。「誰かが大理石の床に天使の文字を彫ったというのですか？」

グレイは不意に動きを止めた。肩が黒い足場に軽く触れる。指が今触ったばかりのタイルをもう一度なぞる。グレイは顔を近づけると、床に息を吹きかけた。

「天使の文字ではありません」そう答えながら、グレイはシャツの襟元に触れた。

ヴィゴーはグレイのそばへと戻った。バルサザールと一緒にひざまずいて、グレイの注意を引いたタイルをのぞき込む。ヴィゴーは手を伸ばし、指先で大理石に触れた。

長い年月と上を歩く人々のせいで磨耗しているものの、床の上にかすかに彫られていたのは紛れもない十字架の形だった。

グレイは首にかけていた銀の十字架を外した。アグレー修道士の十字架を、タイルの上の十字架に合わせる。大きさも形もぴったり一致した。

「発見したのだな」ヴィゴーはつぶやいた。

バルサザールは腰に留めていた小型のゴムの槌を手に取ると、タイルを軽く叩き始めた。その奇妙な行動を目にして、今度はグレイの表情に不審の色が浮かぶ。

ヴィゴーは説明した。「風の塔で文字の彫られていたタイルの下に空洞があったことを、こうやって発見したのだよ。音響に違いがある。表面からは見えない空洞の存在を、音で聞き分ける方法だ」

　バルサザールは細心の注意を払いながらタイルの上を叩き続けたが、眉間に寄ったしわが次第に深くなっていくばかりだった。「ここには何もありません」バルサザールは小声で知らせた。

「確かなのか？」ヴィゴーは確認した。「ここにあるはずだ」

「ありませんよ」グレイはそう応じながら、仰向けに寝転がって上を見た。「キリストは何を見ています？」

　ヴィゴーは銀の十字架の上に彫られたキリストの像に目を向けてから、再び視線を戻した。

「キリストはドームを見つめています」グレイは答えた。「マルコ・ポーロの目を釘づけにしたのと同じドームです。そのドームを建造する際には、軽量化のために空洞煉瓦が使用されたのですよね。何かを隠す際に、何百年という年月が経過しても安全な場所を探すとすれば……」

　ヴィゴーは首を曲げて口を大きく開けながら、ドームを見上げていた。「なるほど。しかし、どの煉瓦だというのだね？」

　バルサザールが素早く立ち上がった。「いい考えがあります」そう言うと、ドイツ人観光客の一団を押しのけながら、教会の奥へと走っていく。

　ヴィゴーは手を差し出して、グレイが起き上がるのに手を貸した。グレイは床に置いた十字架を手に取ると、再び首にかけた。

「見事な推理だ、グレイ」

「でも、まだ二番目の牌子は発見していません」

別行動を取る直前に、グレイがセイチャンに二言三言伝えていたのを、ヴィゴーは知っていた。「いったい何をそんなにあわてているのだ、グレイ？　どうせあと数時間もすればナセルがここに到着する。二番目の鍵を発見したところで、ナセルのものになるだけだろう」

「ナセルに喜んでもらいたいからですよ」グレイは答えた。グレイが両親の安否を気にしていることは、目の奥に浮かぶ表情からも明らかだった。「それに、我々が役に立つと証明する必要もあります。そうすれば、生かしておいてくれるでしょうから」

グレイが計画の一部を自分に隠していることは、ヴィゴーも薄々感づいていた。だが、それ以上グレイを問い詰めるより先に、バルサザールが急ぎ足で二人のもとへと戻ってきた。息を切らしながら、彼は小さな道具を差し出した。「修復作業の真っ最中ですから、レーザーポインターかレーザーレベル計があるだろうと思ったのです。ここのような広い場所で作業をする場合に便利ですからね」

ひざまずいたバルサザールは、タイルに彫られた十字架の上にレーザーポインターを置き、スイッチを入れた。何も変化はないように見える。

バルサザールは漆喰の粉を指でつまむと、装置の上にふりかけた。ほこりの中に、深紅の光の線が浮かび上がる。「うまくいきましたね」バルサザールは首をそらして上を見た。「足場を登って、レーザーがどの煉瓦を照射しているかを、調べる必要があります」

グレイはうなずいた。「任せてください」

バルサザールは周囲の目を気にしながら、グレイに鑿と金槌を手渡した。「ついでに持ってきました」そう告げながら、身振りで道具を隠すように伝える。「慎重にお願いしますよ。トルコ政府発行の特別許可証を持つ職人以外は、足場を登ってはいけないのです。我々三人のうち一人だけなら上に登ってもいいと、館長から特別の許可をもらっています。写真を撮影するという口実です。でも、あまり長時間いると怪しまれます。それに警備員が――」足場へと通じる梯子の下に立っている武器を持った見張りの方を見て、バルサザールはうなずいた。「テロの危険があるご時勢ですから、あの手の連中は怪しい人物を見かけたらまず引き金を引き、それから事情聴取をするように訓練されています。もしドームで鑿をふるっているところを目撃されたりしたら……」バルサザールの声は次第に小さくなっていった。

「実際に撃たれるかどうかはともかくとしても」ヴィゴーもグレイに注意を促した。「怪しい行動を取っていると思われたら最後だ。ここから追い出されたら……警察が呼ばれたりしたら……」

グレイももちろん、そのような事態に陥った場合の危険性を認識していた。

〈ナセルに感づかれてしまう〉

「そうなれば、危険にさらされるのは我々の命だけではない」ヴィゴーは念を押した。

グレイの両親も無事ではいられない。

大きく息を吐きながら、グレイは声を落として答えた。「どうやらちょっとした騒ぎを起こす必要がありますね」

午前十一時四十八分

低い支柱に頭をぶつけないよう注意しながら、グレイは足場を登り、半分ほどの高さにまで到達していた。板を差し渡した通路の位置までたどり着くと、グレイは下に目をやった。バルサザールの姿が見える。背の高いバルサザールも、この高さからではかろうじて見分けがつく程度だ。その隣に立っているのは館長だろうか。さらに下をのぞき込むと、足場の近くにいる警備員が見えた。上へと登っていくグレイの行動を監視するために、さっきまでの持ち場からは少し離れた位置にいる。

何人もの視線を感じながら、グレイは再び足場を登り始めた。ドームの下部に沿って張り巡らされた窓の位置にまで達する。アーチ形をしたガラスからは太陽の光がまぶしく差し込んでいた。ガラスの向こうに、一瞬マルマラ海の青い水面が見える。グレイは立ち止まらずに登り続けた。次第に周囲が薄暗くなってくる。さらに二分ほど登り続け、ようやく足場の最上部に到達した。ここからならばドームの天井部分にも手が届く。手が届くどころか、真っ直ぐ立っていると頭がぶつかってしまう。

貝殻状の模様の入った壁面は、イスラムのカリグラフィーで埋め尽くされていた。グレイのすぐ頭上はドームの屋根の頂点に当たり、深い紫色をした煉瓦の上に流麗な金色のアラビア文字が記されている。

　グレイは頂点部分の煉瓦の周囲を探した。やや左側のあたりで、細かい塵が赤く輝いている。はるか下に設置されたレーザーポインターからの光に照射されているのだ。グレイは目的の場所を発見した——深紅の点は、濃い紫色に塗られた部分を照らしていた。これは好都合だ。このくらい濃い色ならば、少しくらい穴を開けても目立たないだろう。

　そうでなければ困る。

　斜めに傾斜したドームの屋根に頭をぶつけずに目標の煉瓦へとたどり着くために、グレイは這って移動しなくてはならなかった。

　煉瓦の真下に来ると、グレイはしゃがんだまま漆喰の表面に触れた。彫ったような跡はない。天使の文字もない。そのほかにも、特に目立った印はない。

　グレイは顔をしかめた。もし、推理が間違っていたとしたら?

　それを確かめるための方法は一つしかない。グレイはレーザーポインターの光線の通り道に手を置いた。手のひらが光を遮る。

　それが合図だった。

　下を見ると、バルサザールが身体をかがめ、無造作にレーザーポインターを手に取った。ポインターの向きを変えて、広大な身廊の奥へと向かってレーザーを照らす。

　光によってスイッチが入ったかのように、教会の奥から警官の使用するホイッスルの音が鳴り響いた。荘厳な教会の静けさを破って、内部に甲高い音が大きくこだまする。観光客が悲鳴をあげた。

グレイがじっと観察していた方角から、炎が噴き上げた。モザイク画の汚れを落とすために使う消毒用アルコールを利用した、間に合わせの火炎瓶。ヴィゴーがごみ箱の中に投げ込んだのだ。

叫び声がさらに大きくなる。

グレイは体勢を変えると、下にいる警備員と自分がこれから行なおうとしている冒瀆の現場との間に身体を入れた。ベルトに留めておいた道具を手に取り、さっきまでレーザーが照射していた箇所に鑿の先端を当てる。そのままの姿勢でじっと待つ。もう一度、ホイッスルの音が響いた。

大きな音に合わせて、グレイは鑿を力強く打ち込んだ。

漆喰が剝がれ落ちる——同時に、乾燥した粘土の砕け散る音がした。

煉瓦の塊が落下し、胸に当たって跳ね返る。グレイはとっさに手を伸ばし、鑿を握ったままの手で、はるか下の大理石の床へと落下する寸前で塊を受け止めた。冷や汗が流れるのを感じながら、グレイは煉瓦の破片をシャツの中へと隠した。

細かい破片に注意しながら、グレイはてこの要領で鑿を差し込んで、空洞煉瓦の中空部分を掘り出した。手を伸ばして、指先で煉瓦の内側を調べる。内部の壁面はざらざらした粘土とは違い、まるでガラスのような滑らかな手触りだ。グレイはさらに指先で探った。

内部に何かが埋め込まれている。

グレイはその物体を取り出した。予想していた黄金の牌子とは違い、手の中にあるのは銅あるいは青銅でできた長さが二十センチほどの筒だ。両端にふたがついている。葉巻用のパイプに似ていなくもない。その筒もシャツの中にしまい込む。

横目で下の様子をうかがうと、ごみ箱の火はすでに消火器で消されたようだ。

グレイは急いでもう一度煉瓦の内部を探った。重量のある物体が、人差し指の先端に引っかかる。数秒後、秘密の隠し場所から二つ目の獲物を取り出すのに成功した。今度は黄金の牌子だ。

あわててつかもうとしたために指先が滑り、牌子はグレイの指から足場の段へと落下した。金属と金属のぶつかり合う音が鳴る。ドームの形状で増幅されて、まるで鐘を鳴らしたかのような音が響き渡る。しかも間の悪いことに、下でのぼや騒ぎが一段落したため、教会内には静けさが戻っていた。

〈まずい……〉

金属音が反響しながら小さくなっていく中、グレイは黄金の牌子をつかんでシャツの中に隠した。自分の方へと向けられる叫び声を耳にしながら、グレイは唯一の方法を選択した。足場の上から金槌を蹴り落とすと、両手を振り回し、大声をあげながら、足場から身を投げた。

午前十一時五十八分

二階分の柱廊部分にいたヴィゴーは、グレイの身体が足場の端から落下するのを目撃した。

〈危ない……〉

その少し前、教会の反対側の奥で警察用のホイッスルを鳴らし、人目につかないごみ箱の中に隠しておいた火炎瓶に火をつけて再びごみ箱へと投げ込んだのは、ヴィゴーだった。火傷をしないように急いでごみ箱から手を出し、素早くその場を立ち去った。さらにもう一度ホイッスルを鳴らしてから、近くにあった鉢植えの中へホイッスルを捨てたのだった。あらかじめローマンカラーをつけていたヴィゴーは、事態が呑み込めずに怯えた表情を浮かべているだけでよかった。二階の柱廊から中央の身廊へと足早に移動する聖職者が犯人だとは、警備員たちは夢にも思わない。

ちょうど教会の中央付近にたどり着いた時、ヴィゴーはグレイの悲鳴を耳にした。巨大な足場の上から、グレイが真っ逆さまに転落するのが見える。あわてて駆け寄ろうとする人もいれば、足場の真下から急いで逃げ出そうとしている人もいる。金槌が大理石の床に落下し、大きな音が教会内に反響した。

頭上に目を向けると、グレイが側転をしながら手を伸ばし、足場の支柱をつかんでいた。回転の勢いで身体が支柱にたたきつけられる。足をばたばたさせながらつかまるところを探し、どうにか突起部分に足を乗せると、足場の上へとよじ登った。グレイは仰向けに寝転がった。あわや転落死という事態に、動揺しているのだろう。

足場の下にいた警備員がグレイに向かって大声で呼びかけながら、ほかの警備員を呼び集め、階段を上り始めた。

グレイは寝転がったまま身体をよじらせ、左腕をつかんでうめき声をあげている。

ヴィゴーは柱廊から身廊へと通じる階段を下りた。バルサザールと館長のもとへと歩み寄る。上にたどり着いた警備員はグレイを助け起こし、身体を支えながら二人でゆっくりと階段を下りてきた。

足を引きずりながらヴィゴーたちのもとに戻ってきたグレイの顔は、怒りで紅潮していた。グレイは床に落下した金槌を指差した。バルサザールがこっそり渡した金槌だ。「ここの作業者は仕事がすんでも後片付けをしないのか？」グレイはものすごい剣幕でまくし立て始めた。「下の騒ぎに気を取られて、この道具に蹴つまずいてしまったんだ。死ぬところだったんだぞ！」

腹に少し肉がついているほかはやせている館長が、金槌を拾い上げた。「なんとも、まったく、申し訳ございません。こんな不注意をするとは。きちんとした治療をお約束します。腕のお具合は……」

グレイは左腕を胸の前から動かさなかった。「捻挫か、もしかすると脱臼かもしれない」グレイは館長をにらみつけた。

「すでに警察がこちらに向かっているところです……火災原因の調査をいたしませんと」館長は応じた。

グレイとヴィゴーは思わず顔を見合わせた。

〈警察がここに来たことをナセルが知ったら……〉

ヴィゴーは咳払いをした。「火災といっても、不注意な観光客が火のついたタバコを投げ捨てた程度でしょう。あるいは、ちょっとたちの悪いいたずらじゃないですかね」

だが、館長はヴィゴーの言葉など聞こえていない様子だ。すでに警備員の方を向いて、早口のトルコ語で指示を与えている。

ヴィゴーは指示の内容を理解した。

さらに厄介な事態になろうとしている。

「いえいえ、けっこうです」そう言いながら、ヴィゴーはグレイの方に厳しい視線を送った。「うちの学生は病院へ行くほどの怪我ではありません。救急車など必要ありませんから」

グレイは目を見開いた。この教会から外へと出るわけにはいかない。騒ぎを起こして気をそらす作戦だったのだが、かえって自分たちに注目が集まる結果となってしまったようだ。

「モンシニョールのおっしゃる通りです」グレイは腕を曲げてぐるぐると回して見せた。だが、ヴィゴーはグレイが一瞬顔をしかめたことに気づいた。どうやら本当に腕を痛めた様子だ。

「軽い捻挫ですよ。これくらい平気です」

「それでは困ります。当博物館の規則ですから。もし館内で負傷者が出た場合は、必ず病院で診察を受けていただく決まりなのです」

どうやら館長を説得するのは、かなり骨が折れそうだ。

バルサザールが咳払いをしながら話に割り込んできた。「診察してもらった方がよさそうだね。だけど、救急車が到着するまでの間、休める場所はないかな？　例えば、地下にある君のオフィスとか？」

「もちろんかまいません。静かにお休みいただけます。警察との応対は私がいたします。救急車が到着したら声をおかけしますから。それからドクター・ピノッソ、本当に申し訳ありません。これまであなたの貴重な時間と知識を当博物館のために提供していただきながら、こんな形でお返しをすることになるとは」

バルサザールは館長の腕を軽く叩いた。「ハッサン、気にする必要はないよ。大丈夫だ。みんなちょっと神経が高ぶっているだけさ。うちの学生にしても、危険な高所を歩く時に足元をよく見ていなかったのがいけないんだ」

遠くからサイレンの音が聞こえてきた。

「こちらへどうぞ」館長は案内した。

数分後、グレイ、ヴィゴー、バルサザールの三人は、地下にある館長のオフィスにいた。室内にはほとんど調度品がない。散らかった机の奥の壁に、教会内部の図が画鋲で留められている。ハッサン・アーメット館長とトルコの大統領が握手をしている一枚の写真が、鉄製のファイルキャビネットの上に額に入れられて飾ってある。その向かい側の壁には、中東の絵地図が貼られていた。

バルサザールはオフィスの扉の安全錠をかけると、室内を歩き回り始めた。「この地下にはいくつもの部屋が迷路のように配置されています。ナセルとかいうやつが来るまで、隠れているといいでしょう。私ひとりが上に戻って、ハッサンにあなたたち二人は帰ったと伝えておきますから」

「そうせざるをえないようだな」ヴィゴーはソファーに腰を下ろした。隣では、先に座っていたグレイが肩をマッサージしている。「あまり時間の余裕がない。上で何か発見したのかね？」

答える代わりに、グレイはシャツの下半分のボタンを外し、金色の板と青銅製の筒を取り出した。さらにシャツを振ると、赤みを帯びた煉瓦の塊がこぼれおちる。グレイはかけらを拾い上げると、テーブルの上に置いた。

粘土の塊を一瞥した時、ヴィゴーの目の端に煉瓦とは違う色が映った。彼は手を伸ばしてテーブルの上の赤っぽい色をした塊をつかんだ。

「空洞煉瓦のかけらです」グレイは顔をしかめながら説明した。「上に置きっぱなしにしたらまずいと思ったのです。まあ、そんなことを気にした意味がないくらいの大騒ぎになってしまいましたけどね」

ヴィゴーは煉瓦のかけらをざっと調べた。片側はまだ紫色の漆喰がこびりついているが、裏返すと鮮やかな青色の釉薬が厚く塗られていた。なぜ空洞煉瓦の内側に、釉薬が塗られているのだろうか？

「上に天使の文字はあったのかね？」ヴィゴーは訊ねながら、塊をテーブルへと戻した。

「ありませんでした。文字もなければ、特に不審な箇所もなかったです」

バルサザールはテーブルの上をのぞきこんで、黄金の牌子を裏返した。「でも、ここに天使の文字がありますよ」

ヴィゴーは牌子に顔を近づけた。予想通り、牌子の裏側には天使の文字が刻まれている。文字の周囲は線で縁取られていた。

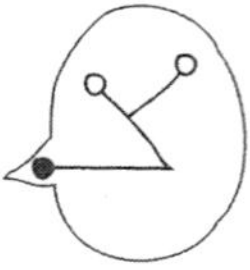

「第二の鍵だな」ヴィゴーはつぶやいた。

「でも、こっちは何なのです？」バルサザールは筒を指で触れた。

ヴィゴーは筒をつまみあげた。親指くらいの太さで、表面には特に模様がない。製造時についたと思われる金槌の跡があるくらいだ。「巻物の容器かもしれない」ヴィゴーは片方の端を調べた。青銅製の薄い硬貨で口がふさがれていた。

「開けないといけませんね」グレイは言った。

ヴィゴーはグレイの提案にあまり気乗りがしなかった。考古学者として、このような歴史ある遺物を乱暴に扱うのは気がひける。写真を撮影し、長さや重量を測定し、特徴を記録する必要がある。

グレイはポケットの中からペンナイフを取り出した。折りたたんであったナイフの刃を開いて、ヴィゴーに手渡す。「時間がありません」

大きく息を吸ってから、ヴィゴーはナイフを受け取った。考古学者としての良心の呵責を感じつつ、ナイフの刃先を使ってふたの役割をしていた硬貨を取り外す。小さな音とともに、硬貨はきれいに外れた。

ヴィゴーはテーブルの上のものを脇にどかしてから、筒を傾けた。中身がテーブルの上に滑り落ちてくる。マホガニー材のテーブルの上に、丸く巻かれた白い物体が静かに落下した。

「巻物だ」グレイはつぶやいた。

長年の研究と経験から、ヴィゴーは白い物体に手を触れることなく、その正体を見抜いていた。「羊皮紙でもない。上質皮紙でも、パピルスでもない」

「そうだとしたら、何なのですか？」バルサザールは訊ねた。

この古い巻物を調べるためには、検査用の手袋が必要だった。だが、あいにくそんなものは持ち合わせていない。皮脂が巻物に付着することを避けるために、ヴィゴーは館長の机の上にあった消しゴム付きの鉛筆を手に取ると、消しゴムの部分を使ってゆっくりと巻物を開き始めた。

巻物は簡単に開いた。材質はやわらかく、薄く透き通っている。

「布のようですね」グレイは言った。

「絹だよ」そう答えながら、ヴィゴーは巻物を解いていった。テーブルの幅いっぱいに絹の巻物が広がる。「刺繡が施されているようだな」白い絹の表面には、黒い糸で細かい模様が縫い込まれている。

だが、刺繡は絵を描いたのでもなければ、複雑な模様を表現したわけでもなかった。テーブルに広げられた絹の表面には、糸を使って筆記体の文字がびっしりと書き込まれていた。

グレイは首を曲げて文字を解読しようとしたが、どの角度から見ても理解できず、首を傾げるばかりだった。

「ロンバルディア語ですね」バルサザールの声には驚きと敬意が込められていた。

ヴィゴーは文字から目を離すことができなかった。「マルコ・ポーロの生まれた地方のイタリア語の方言だ」ヴィゴーは震える手を伸ばし、鉛筆についた消しゴムの側で文字を追いながら、最初の一文を翻訳した。「『我々の祈りは、摩訶不思議な形で聞き届けられた』」

ヴィゴーはグレイに目を向けた。グレイの目も、この巻物の持つ意味を理解していた。

「マルコ・ポーロの物語の残りですね」グレイは口を開いた。「ギルドが持っていた本の続きに当たる部分です」

「失われていたページだ」ヴィゴーは同意した。「まさか絹に刺繡されているとは」

グレイは落ち着かない様子で扉の方に視線を向けてから、絹の巻物を指差した。「続きを読んでください」

マルコ・ポーロの一行が遭遇した出来事を記した物語を、ヴィゴーは初めから読み始めた。

最初の部分は、死の都に閉じ込められた一行が、人食い人種の一団に包囲された場面の記述だった。ヴィゴーは慎重に翻訳しながら話を読み進めた。マルコ・ポーロ自身の言葉が持つ力に圧倒されて、声が震えている。

我々の祈りは、摩訶不思議な形でかなえられた。以下に詳しく記していきたいと思う。死の都に夜の帳が下りた。聖なる建物の中にいる我々の眼下に広がる都の堀や池は、不気味な光で輝いていた。あの光の色合いや輝きは、カビやキノコの発するものと似ている。光は死人が死人を貪る地上の光景を照らしており、それはあたかも悪魔のはらわたから引きずり出されたご馳走に人々が群がっているかのようであった。救済への一縷の望みも見えなかった。このような神をも冒瀆するような地には、天使といえども足を踏み入れることをためらうであろう。

その時、闇に包まれた森の奥から、三つの人影が現れた。彼らの皮膚は堀や池と同じ光を発しており、三人が近づくと、一陣の風が穀物の間を吹き抜けたかのように、凶暴な人食い人種たちは道を開けた。三人はゆっくりとした足取りで、しかし明確な意図を持って、死の都を横断した。我々のいる塔の下まで達すると、奇妙な三人は死人を貪っていた人々と同じ人種であるとわかった。ただ、彼らの皮膚は神々しいばかりの光で輝いていたのである。

さらなる恐怖におののいたハンの部下たちは、武器を置き、石の陰に顔を隠してしまった。三人は塔の内部に入ってきたが、我々に対して敵意は抱いていない様子であった。頬はやせこけ、高熱に浮かされているような顔つきをしていたが、下の仲間たちとは異なり、身体は蝕まれていない。しかし、その身体は人間のものとは思えない姿をしていた。皮膚から発する光は彼らの体内をも照らし出しており、内蔵の動きや心臓の鼓動を見て取ることができた。三人のうちの一人の身体がハンの部下に触れたところ、その部下は悲鳴とともに倒れ込んだ。光る人間が触れた箇所の皮膚は、水ぶくれができ、黒くただれてしまったのである。

アグレー修道士が三人に向けて十字架を掲げた。だが、三人のうちの先の者は、恐れる素振りを見せることなく歩み寄り、アグレー修道士の十字架に手を触れた。その男の話す言葉は誰一人として理解できなかった。しかし、身振りを交えることで、三人の意図は我々に伝わった。ヤシの実を半分に割って作った容器の中にある液体を飲めというのだ。

ハンの部下の一人が、三人の話す奇妙な言葉を理解し、片言ながら会話ができたことも大きかった。このようにして、我々に治療効果のある薬が提供されたのである。この液体を飲むことにより、我々の魂はこの地で発生した疫病から守られることとなる。だが神よ、そのために我々が失うことになった代償を許したまえ。最後に我々が下さねばならなかった決断を許したまえ。

話はそこで終わっていた。

ヴィゴーは納得のいかない様子で椅子に座り込んだ。「まだ先があるはずだ」

「第三の、そして最後の鍵の中に隠されているのでしょう」グレイは答えた。

ヴィゴーはうなずきながら、絹の巻物を軽く叩いた。「だが、物語のこの部分を読んだだけでも、なぜこの話が今まで決して表に出ることがなかったのかよくわかる」

「なぜなのですか?」グレイは訊ねた。

「奇妙な三人の描写だ。『神聖な光』で輝いているその三人が、救済を提供してくれた」

「天使のように聞こえますね」バルサザールは言葉を挟んだ。

「だが、異教の天使だ」ヴィゴーは強い口調で答えた。「そのような概念は、中世のヴァチカンとは相容れない考え方だったのだ。それにこの点を忘れてはいけないのだが、何者かがマルコ・ポーロの物語を分割したのは十六世紀、つまりイタリアで再びペストが流行した時期だった。由々しき内容が含まれているとはいえ、ヴァチカンはその物語を完全に破棄することまではできなかったのだ。カトリック教会内の神秘主義者が、保存および隠蔽という二つの目的のもとに、マルコ・ポーロの本を分割したに違いない。だが、それよりも大きな問題が残っている。まだ明らかにされていない部分には、いったいどんな内容が記されているのかということだ」

「それを発見するためには」グレイは応じた。「第三の鍵を見つけなければなりません。でも、どこを探せばいいのでしょうか?　どこにも天使の文字は書かれていませんよ」

「肉眼では見ることのできない天使の文字があるのかもしれない」ヴィゴーは指摘した。

グレイはヴィゴーの意味するところを理解してうなずいた。脇に置いたバックパックの中へと手を突っ込む。「紫外線灯を持ってきています。もしかすると、光を発するオベリスクがまだあるかもしれないと思ったので」

　バルサザールが部屋の明かりを暗くした。グレイはアヤソフィアで発見したすべての遺物に紫外線灯を照射した。煉瓦の破片までも確かめた。

「文字は描かれていませんね」グレイは敗北を認めざるをえなかった。

　調査は袋小路に迷い込んでしまった。

午後零時四十三分

　いらだちの募ったグレイの神経は、まるでピアノ線のように張り詰めた状態にあった。当初の計画を進めることは、もはや不可能に近い。もっとも、初めから難しい賭けであることは承知のうえだったが。

「これ以上、時間を無駄にはできません」グレイは腕時計をチェックしながら宣言した。「姿を隠す必要があります。荷物と発見したものをまとめて、身を潜めることのできる場所を探しましょう」

　この五分間、第三の鍵を捜索する場所の手がかりを求めて、三人は知恵を絞っていた。マルコ・ポーロの物語に別の意味が隠されているのではないかと考えたヴィゴーは、もう一度文章を読み返した。バルサザールは黄金の牌子の表面を繰り返し調べた。天使の文字を囲むように描かれている線に何らかの意味があるに違いないという点で、三人の意見は一致していた。だが、それが何を意味するのかは、皆目見当がつかない。

　ヴィゴーはため息をつきながら、マルコ・ポーロの物語が書かれた絹を再び巻き取り始めた。

「答えはこの中に存在するに違いない。セイチャンの話では、ギルドが所有していた書物の中に、それぞれの鍵が次の鍵への手がかりになると記されていたということだった。我々に欠けている情報が何なのか、後で考えるよりほかはなさそうだな」

　グレイは最後に残った遺物を手に取った。煉瓦のかけらだ。煉瓦の表面に付着した漆喰に指を触れる。「煉瓦が紫色の漆喰で塗られていたことに、何か意味があるということは考えられませんか？　偽の煉瓦の色の候補はいくらでもあるでしょう。ドームには無数の色が使用されているのですよ」

　巻物を青銅製の筒に戻していたヴィゴーは、グレイの言葉にそれほど注意を払っていなかった。耳に入ってきたグレイの疑問に対して、ヴィゴーは半ば無意識に答えた。「紫は王家あるいは神格を表す色だ」

　グレイはうなずいた。バックパックをつかんで、煉瓦のかけらを中に押し込む。その時、親指が煉瓦の内側に厚く塗られた青い釉薬に触れた。グレイは煉瓦の内側がガラスに似た感触だったことを思い出した。

「青……」グレイは小声でつぶやいた。「青と王家」

その瞬間、グレイは思い当たった。

〈そうだったのか〉

ヴィゴーも同時に答えに気づき、思わず立ち上がった。「『青き王女』だ！」

バルサザールは手に持っていた黄金の牌子をグレイに手渡した。「コカチンの話ですね。マルコ・ポーロとともに旅をした、若いモンゴルの王女のことでしょう」

ヴィゴーはうなずいた。「彼女の名前が『空色』という意味だったことから、『青き王女』の呼び名がついたのだ」

「でも、なぜここで彼女を連想させるような色が使われたんでしょうか？」グレイは訊ねた。

「もう一度、最初から振り返るとしよう」ヴィゴーは指折り数え始めた。「第一の鍵はヴァチカンにあった。イタリアはマルコ・ポーロの旅路の終着点であり、当然ながら大きな意味を持つ場所だ。そこからマルコ・ポーロの道程を逆にたどっていくと、その前の重要な場所がこのイスタンブールになる。アジアを後にして、何十年ぶりかでヨーロッパへと足を踏み入れた地点だ」

「ここからさらにマルコ・ポーロの道程をアジアへと戻っていくと……」

「次の重要な場所は、マルコ・ポーロがフビライ・ハンによって課された任務を完了した地だ。フビライからの依頼を受けて、マルコ・ポーロは帰国の途に就くこととなった。コカチン王女をペルシアへと送り届けてほしいとの依頼だ」

「正確には、ペルシアのどこだったのですか？」グレイは訊ねた。

「ホルムズです」バルサザールが答えた。「イラン南部にあるホルムズ島は、ペルシア湾の入口に位置しています」

　グレイはテーブルの上に目をやった。島……グレイは黄金の牌子を手に取った。天使の文字の周りを囲む線を指でなぞってみる。「これがその島の大まかな地図だとは考えられませんか？」

「調べてみよう」ヴィゴーは立ち上がった。室内の壁に貼られた絵地図のもとへと歩み寄る。

　グレイもヴィゴーの横から地図をのぞき込んだ。

　ヴィゴーは地図上でペルシア湾の南端近くにある島を指差した。イラン本土のすぐそばだ。円形をしていて、涙の雫のような突起がある。天使の文字の周りに描かれている線とほぼ同じ形だ。

「やったぞ！」グレイの呼吸が期待で速まる。「次の目的地はここで決まりです」

〈つまり、まだ計画が成功する望みはある〉

「しかし、ナセルはどうするのかね？」ヴィゴーは訊ねた。

「彼のことを忘れたわけではありません」グレイはヴィゴーと向き合うと、彼の肩をしっかりとつかんだ。「第一の鍵を、バルサザールに渡してください」

　ヴィゴーは眉をひそめた。「どういうことだね？」

「ここでまずい事態が起こった場合に、ナセルの手に渡らないようにするためです。ここで発見した第二の鍵を、ナセルには第一の鍵だと言って渡します。あなたがヴァチカンで鍵を発見したことまで、ナセルがつかんでいるはずはありません」グレイはヴィゴーとバルサザールの二人を交互に見つめた。「鍵のことは誰にも話していないですよね」

二人ともうなずいた。

だが、ヴィゴーはまだ顔をしかめたままだ。「ナセルがここに来たら、バルサザールのことも調べるだろう。そうしたら発見されてしまうぞ」

「その時までにバルサザールがここを立ち去っていればいいのです」グレイは答えた。「コワルスキと同じことですよ。あなたの仕事仲間がイスタンブールに同行していることまで、ナセルは気づいていないはずです。美術史学部の学部長が、あなたの旅の道連れだとは思いもよらないでしょう。あなたの携帯電話の電波を使って追跡していたわけですから、あ、な、た、がヴァチカンを離れたことしか知らないわけです。それを利用しない手はありません。これまで得た情報のすべてをバルサザールに託して、セイチャンと合流してもらうのです。コワルスキを含めて、三人で先行してホルムズ島へと向かってもらいます。最後の鍵を発見するのは彼らの役目です。ナセルがここに到着したら、こっちは時間稼ぎをしてできるだけ長く彼をイスタンブールに引き止めないといけません。ただし、両親の身の安全を考えると、いずれはナセルをホルムズ島へと向かわせる必要が生じるでしょう」

「その時までに、セイチャンが最後の鍵を発見していることを期待するというわけか」ヴィゴーは言葉を挟んだ。

「そうすれば、取引の材料ができます」グレイは答えた。

それでも、グレイはこの計画が成功するか否かは、ある望みにかかっていることを承知していた。

ペインターが両親を無事に救出してくれること。

それにもちろん、自分の計画に大きな計算違いのないことが条件だった。

午後一時六分

セイチャンはアヤソフィアの西側入口の向かい側にあるホテルの部屋で待機していた。五階の部屋の窓辺に座り、頬はヘックラー&コッホPSGI狙撃銃の銃床に添えている。望遠式の照準は、教会前の広場に合わせていた。

セイチャンは警察が出入りするのを目撃した。教会内にいた時間はそれほど長くない。いったい何が起こったのか？

彼女の背後では、コワルスキがベッドの上に寝転がっていた。オリーブの実を嚙みながら、五挺の拳銃と五・五六ミリ口径のNATO A-91アサルトライフルの手入れをしている。

二人はホテルに入る前に買い物をすませ、必要な物資を調達していた。

コワルスキはオリーブの種をくわえたまま、口笛を吹いている。じっと窓辺で警戒に当たっているセイチャンにとって、耳障りなことこのうえない。コワルスキが武器の扱いに慣れていることだけが救いだ。

五階の高さからは、通りも、公園も、広場も、はっきりと見渡すことができる。セイチャンは建物を見物しているだけの観光客は無視して、アヤソフィアに対して不自然な関心を抱いているように見受けられる人物がいないか監視していた。重装備の武器を運搬できるような荷物を持っている人物にも注意する必要がある。

これまでのところ、怪しい人物はいない。あるいは、集中力が途切れつつあるせいだろうか。望遠式の照準を通して、セイチャンはアヤソフィアの西側にある皇帝の門から出入りするすべての人物をチェックしていた。焦点距離を調節して、一人ひとりの顔まではっきりと確認できるようにしてある。顔はすべて記憶していた。同じ顔が繰り返し出入りしているとすれば危険だ。その人物は教会内部と周辺を調査している可能性がある。

敵が配置に就いている地点を、事前にできるだけ多く突き止める必要があった。

こちらから攻撃に打って出ざるをえなくなった場合には、有益な情報となる。

だが、今のところ、不審な人物は見当たらない。セイチャンは逆に不安を覚え始めた。

ナセルの部下たちはいったいどこに潜んでいるのだろうか？　もうアヤソフィアに到着し、配置に就いていてもおかしくない時間だ。ここイスタンブールに、ギルドは多くの人脈と資金源を保有している。コワルスキが手入れしている武器を容易に調達できたことが、その何よりの証拠だ。あるいは、ナセルは少人数で行動しているのだろうか？　部下の人数を必要最小限に絞っているのだろうか？　確かに、一人あるいは二人の人員を紛れ込ませる方が、五人や六人もの部下を展開させるよりも話は簡単だ。

だが、セイチャンはその考えに納得することはできなかった。

「何かがおかしいわ」そうつぶやいた拍子に、照準を通しての光景が揺れる。

ナセルの戦略は何なのか？

セイチャンは再び監視に神経を集中させた。大柄な男性が教会から出てくる。大股で歩きながら、特に周囲を気にしている様子もない。セイチャンはその男性の顔に焦点を合わせた。立派な顎ひげのはえた顔が確認できる。

そういうことだったのか。

この男の名前は知らない。だが、二年前、ナセルがこの男と会うのを目撃したことがある。その時、二人の間で分厚い封筒の受け渡しがあった。セイチャンがこっそりと後をつけて、やりとりの一部始終を見届けていたことを、ナセルは知らない。セイチャンは各地に散らばるギルドの名もない工作員たちの写真を撮影して、スイスの銀行の秘密金庫に保管していた。まさかの時には、そうした写真が役に立つと考えたからだ。

今、そのまさかの時が訪れようとしている。

「ナセルが少人数で行動しているのも当然だわ」セイチャンの口から思わず声が漏れた。

ナセルはアヤソフィアの内部に部下を配置していたのだ。そうだとすると、この展開は歓迎できるものではなさそうだ。この男が教会から外に出てきたということは、すでにほかの部下が到着して、教会内の監視役を交替したと考えられる。男は広場で足を止めると、携帯電話を取り出した。

おそらく、ナセルと連絡を取るのだろう。獲物は教会内部で監視下にあると報告を入れるためだ。

その時、セイチャンの携帯電話が鳴った。

いったい誰から？

セイチャンは照準から目を離さずに携帯電話をつかむと、通話ボタンを押して耳元に当てた。

「はい」

「もしもし」相手は陽気な声で呼びかけた。「セイチャンという名前の女性と話をしたいのですが。この番号に電話をして、合流するようにと言われたのです。モンシニョールと、あるアメリカ人の方の指示なのです」

声を聞きながら、セイチャンの背筋に寒気が走った。望遠式の照準を通して見える男の唇は、携帯電話を通して聞こえてくる声と同時に動いている。

「私の名前はバルサザール・ピノッソです。ヴァチカンの美術史部門に所属しています」

ナセルと一緒に写っていた男の名前がこれで明らかになった。バルサザール・ピノッソ。ギルドの工作員。セイチャンは鼻から息を吸い込み、ゆっくりと吐き出した。ナセルはアヤソフィアの内部に工作員を配置していただけではない――自分たちの内部にもスパイを潜り込ませていたのだ。

セイチャンは心の中で自分の迂闊さを責めた。ギルドのスパイが潜り込んでいたのは、シグマではない。ヴァチカンの内部だったのだ。

「もしもし」男は再び呼びかけた。声からは不安な様子がうかがえる。

セイチャンは銃床に頬をしっかりと添えると、狙いを定めた。

これ以上の情報漏れを防ぐためには、穴をふさがなければいけない。

「コワルスキ……」セイチャンは小声で呼びかけた。

「何だ？」

「一騒ぎ起こすことになりそうよ」

「待ってました！」

セイチャンは引き金を引いた。

（下巻に続く）

シグマフォース シリーズ3

ユダの覚醒 上

The Judas Strain

2012年11月1日 初版第一刷発行

2016年9月16日 初版第六刷発行

著…………………………………………… ジェームズ・ロリンズ

訳…………………………………………………………………桑田 健

編集協力……………………………… 株式会社オフィス宮崎

ブックデザイン…………………………… 橋元浩明（so what）

発行人………………………………………………………… 後藤明信

発行所…………………………………………………… 株式会社竹書房

〒102-0072 東京都千代田区飯田橋2－7－3

電話 03-3264-1576（代表）

03-3234-6208（編集）

http://www.takeshobo.co.jp

振替：00170-2-179210

印刷・製本……………………………………… 共同印刷株式会社

ISBN978-4-8124-9128-7 C0197

Printed in JAPAN